DU MÊME AUTEUR

Aux Éditions Gallimard

BALZAC ET LA PETITE TAILLEUSE CHINOISE, 2000, « Folio » n° 3565.
LE COMPLEXE DE DI, 2003, « Folio » n° 4231.
PAR UNE NUIT OÙ LA LUNE NE S'EST PAS LEVÉE, 2007, « Folio » n° 4817.

Aux Éditions Flammarion

L'ACROBATIE AÉRIENNE DE CONFUCIUS, 2009, « J'ai lu » n° 9490.
TROIS VIES CHINOISES, 2011, « J'ai lu » n° 10073.

L'ÉVANGILE SELON YONG SHENG

DAI SIJIE

L'ÉVANGILE
SELON
YONG SHENG

roman

GALLIMARD

Ce livre est dédié à la mémoire du pasteur Dai Meitai,
mon grand-père (1895-1973).

PROLOGUE

On vint voir le fils du charpentier.

Comme un long serpent gris clair, un sentier en lacets sinuait sur la pente verdoyante d'une colline de Jiangkou, dans le district de Putian. Vu du ciel, il ressemblait à une fissure ouverte dans ce relief de roche calcaire et de terre sablonneuse, où se reflétait la blanche lumière du crépuscule. À tout instant, on s'attendait à tomber, par cette étroite crevasse, dans les tréfonds d'une autre époque mais, enfin, le reptile redressait la tête et se métamorphosait en rocher, au sommet de la colline enveloppée de brouillard, sous le voile duquel se dressait la demeure du charpentier.

Sous un auvent, à droite de la maison environnée de sciure de bois, le charpentier Yong fabriquait un de ces sifflets que les colombophiles attachaient aux pattes de leurs pigeons. Il introduisit dans une petite gourde, qu'il avait préalablement creusée et qui faisait office de caisse de résonance, une fine anche de bambou bien affûtée, dont il caressa du bout des doigts le fil qu'il avait aiguisé au ciseau et que les derniers rayons du soleil couchant coloraient de reflets sanglants.

À cet instant arriva une vieille femme aveugle, dont les mains expertes devaient inspecter son fils, âgé de deux ans. Au centre de la cour, on avait disposé une table en bois. Le garçonnet, vêtu d'une culotte de soie rouge qui masquait ses parties intimes et montait jusqu'à sa poitrine, s'avança avec prudence. On ne l'avait encore jamais fait grimper sur une table. Inquiet, il jeta des coups d'œil à droite et à gauche, comme un navigateur débarquant en terre inconnue.

L'aveugle, qui était toute petite, portait une longue jupe grise, un corsage écarlate, brodé de fleurs violettes, et une écharpe rouge nouée autour du cou. Un haut chignon était perché au sommet de sa tête. Elle s'approcha de la table, de la démarche chaloupée que lui donnaient ses petits pieds bandés.

D'une main osseuse, elle tapota un des chaussons rouges et brodés de l'enfant, tandis que les longs ongles de son autre main, aux doigts maigres comme ceux d'une patte d'oiseau, grattaient son crâne entièrement rasé, à l'exception d'un toupet en forme de pêche, qui ressemblait, de loin, à une dune sombre.

Ses mains décharnées tripotèrent enfin le bas-ventre de l'enfant, après quoi elle releva la tête et s'écria :

« Il y a un problème. Il lui en manque une. Mais au toucher, l'autre paraît bien faite. Une seule couille, c'est suffisant.

— Une seule couille ? s'inquiéta le charpentier. Comment il pourra avoir une descendance ?

— Une couille lui suffira pour assurer votre postérité.

— Ah ! Si c'est comme ça ! dit le charpentier rassuré.

— C'est évident. Quand je touche là, je sens bien que son petit oiseau est en pleine forme. »

Le charpentier Yong poussa un soupir de soulagement. Il dressa une longue canne de bambou au milieu de la cour, la fendit en deux avec son couteau et cligna des yeux pour en observer la pulpe. Sous les reflets cuivrés du soleil couchant, elle rutilait comme une longue tige d'or en fusion.

Il conduisit l'aveugle jusqu'à un arbuste planté devant la maison. Deux ans plus tôt, quand son fils était né, au printemps 1911, un Chinois qui avait entamé un pèlerinage depuis le Vietnam, d'où il était originaire, jusqu'à l'île de Meizhou, où il voulait faire ses dévotions à la déesse Mazu, était passé devant chez le charpentier, qui l'avait invité à sa table. Avant de reprendre la route, il avait voulu laisser quelque argent, mais son hôte avait poliment refusé et, pour le remercier, le pèlerin lui avait donné un sachet de graines. Le charpentier avait creusé un trou devant sa maison, dans lequel il les avait plantées et recouvertes de limon fertile. Mais au bout d'une semaine, quand le limon eut séché, il n'y avait toujours pas la moindre pousse. Encore plus étonnant, les plantes et les fleurs, qu'il avait plantées là l'année précédente et étaient en boutons, s'étaient affaiblies d'un coup et avaient fané. Les calices des iris étaient tombés, et leurs petites fleurs blondes s'étaient flétries avant d'éclore. Le même destin cruel s'était abattu sur la menthe, qui avait monté et était devenue amère, et sur le fenouil, qui était décharné. Puis, au dixième jour, une jeune pousse verte avait enfin percé la terre, premier jet de l'unique arbre étranger du jardin à avoir l'heur de contempler le soleil chinois.

« Dites-moi, demanda le charpentier Yong à l'aveugle, vous connaissez le nom de cet arbre ? Il a détruit tout ce qui poussait autour de lui. »

L'arbuste, qui avait maintenant deux ans, était déjà haut d'un mètre. La vieille s'accroupit devant lui, le caressa du bout des doigts, puis en arracha un morceau d'écorce avec ses dents. La pulpe était fraîche, tendre, avec une bonne odeur fleurie.

« C'est un aguilaire, dit-elle avec assurance. Un arbre aromatique. N'en parlez jamais à personne, il pourrait faire des envieux.

— Pourquoi ?

— Parce qu'en grandissant, il va produire un suc précieux. Votre fils n'a peut-être qu'une couille, mais si on vous a offert des graines d'aguilaire le jour de sa naissance, il va connaître un destin peu ordinaire. »

Les spécialistes des sifflets de colombes étaient unanimes pour affirmer que les plus remarquables étaient ceux de la marque Yong, de Putian. C'était sans doute parce que leur créateur était un charpentier, qui possédait à la fois les outils appropriés et une grande maîtrise de son métier, car, en dehors de la fabrication des sifflets, il excellait dans les travaux de construction. L'hôpital de Putian, le premier établissement fondé par des missionnaires protestants dans la province du Fujian, et surtout le grand escalier du bâtiment principal, qui existe encore aujourd'hui, témoignaient de son talent exceptionnel. À l'époque, non seulement dans la ville de Putian, mais dans la plupart des villes chinoises, les artisans locaux n'avaient encore jamais vu de construction occidentale. Les menuisiers et charpentiers, qui bâtissaient des maisons chinoises, ignoraient comment réaliser un parquet, un plafond ou des fenêtres vitrées. Mais le plus compliqué était de construire un escalier.

Le charpentier Yong avait passé beaucoup de temps à étudier le dessin d'un escalier que lui avait donné un étranger, et un jour il avait compris comment faire. L'inauguration de la première église chrétienne de Putian, à l'édification de laquelle il avait participé, fut un événement qui bouleversa toute la ville. L'hôpital était encore en chantier, mais, partout, les gens criaient et se bousculaient pour admirer un étonnant spectacle : la mère du charpentier Yong avait légèrement relevé sa longue robe, et, sous les yeux de tous, d'une démarche chancelante, elle gravissait les marches d'un escalier sur ses petits pieds bandés. La peur et le trouble se lisaient sur les visages de ceux qui assistaient à pareille aventure. Elle avait réussi à monter, mais il lui fallait redescendre. Allait-elle y laisser la vie ?

Le petit Yong fut lui aussi de la partie. Son père le déposa au pied de l'escalier, et l'enfant, marche après marche, crapahuta sur les genoux, s'arrêtant de temps à autre, attiré par un détail de l'ouvrage. Ce jour-là fut peut-être le plus heureux de son enfance. Son père l'installa à califourchon sur la rampe, et, lui lâchant la main, il courut en bas de l'escalier, où il lui ouvrit les bras en criant : « Viens mon fils, glisse. » Le petit ferma les yeux et, sans se tenir, il se laissa glisser, ou plutôt, il se mit à voler dans le ciel. Il était le maître de la vitesse, il entendait le vent souffler à ses oreilles et aussi les sifflets des colombes, dehors. Un long son fin, qui se déroulait dans l'air comme un fil enchanté, se rapprochait de lui, rapide comme un éclair, puis ralentissait et finissait par s'éloigner.

Trois ans avaient passé depuis la consultation de la vieille aveugle. Le petit Yong avait à peine cinq ans, mais déjà il distinguait, au premier son, si le sifflet d'une colombe était ou non l'œuvre de son père.

Les sifflets des colombes de Putian, comme ceux des localités voisines, ne dépassaient généralement pas deux ou trois centimètres de diamètre, soit environ la taille d'une noix (les plus grands pouvaient toutefois mesurer jusqu'à dix centimètres de diamètre et atteindre la grosseur d'un poing). Une fine anche en bois, placée au milieu du sifflet, le séparait en deux caisses de résonance. On l'attachait sur les plumes caudales des oiseaux, et lorsqu'ils volaient, en fonction de l'angle de pénétration du vent, il produisait deux sons différents, l'un aigu, l'autre grave. Si l'on voulait obtenir une gamme sonore plus vaste, il suffisait d'y ajouter des tiges de bambou (certains préféraient les roseaux) de longueurs différentes. Lorsqu'un groupe de colombes volaient dans le ciel, les sifflets attachés à leur queue offraient, à la manière d'un orchestre, un concert polyphonique grandiose d'une étonnante qualité. Chaque instrument présentait une tessiture différente, il y avait des barytons, des ténors, des contraltos, des sopranos… qui se répondaient subtilement en écho, rivalisant de trémolos lyriques et de vibratos romantiques, pour enchanter le spectateur d'une symphonie flamboyante.

Pour l'instant, la musique qui se jouait dans le ciel était l'œuvre des colombes du pasteur Gu, un évangéliste américain, qui avait mené des États-Unis un couple de colombes blanches, qui, à la différence des colombes chinoises, avaient les pattes recouvertes d'un manchon de longs poils soyeux (un peu comme les manchons de fourrure dans lesquels les femmes glissent leurs mains, en hiver). Ce jour-là, le pasteur avait fait l'acquisition de deux sifflets de la marque Yong, et lorsqu'il les avait lui-même cousus avec une aiguille et du fil sur les plumes de ses colombes, il avait vécu l'un des plus délicieux moments de sa vie depuis qu'il était en Chine. Il était même monté sur le toit de l'hôpital récemment construit par son Église pour les faire s'envoler, et était resté là à les regarder tournoyer, légères et pures comme deux cristaux de quartz, et à se délecter de leur céleste sérénade, jusqu'à ce que, s'élevant toujours plus haut, elles ne fussent plus que deux étoiles lointaines, qui finirent par se fondre dans le ciel.

Debout, un peu perdu sur le toit de l'hôpital, il resta un moment absorbé par le son des lointains sifflets. Soudain, les colombes réapparurent, silencieuses, tombant tout droit, l'une derrière l'autre, comme des météorites. Alors qu'elles allaient toucher le toit, elles frôlèrent ensemble le visage du pasteur, puis, dans un délicieux froufrou d'ailes, s'élevèrent de nouveau dans le ciel, où elles reprirent leur ballet. Le soleil enveloppait leurs plumes neigeuses d'un halo d'or, les sifflets chantaient, le cœur du pasteur Gu palpitait, et des larmes de bonheur coulaient sur son visage. Personne ne connaissait la valeur marchande de ces deux sifflets, mais on savait que la mère du charpentier avait elle-même négocié avec le pasteur, et obtenu de lui qu'il accueillît à son domicile son petit-fils jusqu'à la fin de l'école primaire (l'épouse du pasteur avait ouvert une école).

« Comment s'appelle votre petit-fils ? avait demandé le pasteur.

— On l'appelle petit Yong, il n'a pas de prénom, il est encore trop petit. Si on lui en donnait un, les démons pourraient nous le prendre.

— S'il vient étudier dans mon école, il doit avoir un nom. »

La grand-mère réfléchit, et finit par accepter :

« D'accord. Vous pourriez lui en choisir un, puisque vous êtes pasteur.

— Il s'appellera Yong Sheng. Sheng, c'est le son. Ce sera un hommage aux sifflets de son père. »

PREMIÈRE PARTIE

CHAPITRE I

Mary

À deux heures du matin, la pluie tomba à verse.

Le petit Yong ne comprit pas tout de suite qu'il pleuvait. Sur le coup, il crut entendre le bruit régulier de la scie à bois de son père, qui troublait le silence de la nuit, mais soudain, il se souvint qu'il n'était plus chez lui, à Jiangkou, mais à Hanjiang, chez l'épouse du pasteur Gu, la directrice de son école, ou, plus exactement, dans la chambre de leur fille Mary, l'institutrice qui lui enseignait le calcul, l'écriture, la lecture et la musique.

Le pasteur Gu, qui était le responsable des missionnaires baptistes américains de la province du Fujian, avait épousé une très vertueuse fille de pasteur (il était lui-même fils de pasteur, un ministère que la plupart des hommes de sa famille exerçaient depuis des générations).

Yong Sheng étant le plus jeune élève de son école, Mme Gu ne le laissait pas dormir dans le dortoir des garçons, situé dans l'arrière-cour de la résidence. Au début, elle avait pensé l'accueillir chez elle, puis, craignant que sa présence ne dérangeât son mari dans son travail, elle l'avait installé dans la cour de leur fille Mary. La résidence du pasteur comprenait sept cours, et celle où Mary vivait avec sa petite fille, qui n'avait pas encore un an, était justement appelée «la cour de la petite fille». Elle comprenait trois pièces: la pièce principale (que les Occidentaux nomment «salle de séjour»), au cœur des activités familiales, le bureau où Mary préparait ses cours et la chambre où se tenait son lit, auquel était accolé le berceau de sa fille, de sorte que, quand la petite se réveillait, elle pût facilement l'allaiter. Face au lit de Mary, on en avait installé un plus petit pour Yong Sheng, et entre les deux, on avait suspendu un drap blanc, qui faisait office de rideau de séparation.

Le crépitement de la pluie avait réveillé le petit garçon; il ne voyait pas tomber les gouttes, mais il les entendait. Alors qu'il se levait pour aller faire pipi, il constata que le bébé dormait paisiblement, mais que Mary n'était pas dans son lit. Où était-elle?

Auparavant, dans toutes les pièces de cette cour, les fenêtres étaient couvertes de papier, à la façon chinoise, mais quand le pasteur Gu avait acheté la résidence, il les avait fait remplacer par des fenêtres vitrées à deux battants, de douze carreaux chacun. Il traversa la salle de séjour, où ses pieds nus glissèrent sans bruit sur le tapis décoré de roses pourpres et de verts lichens. Il n'y avait pas, sous ce tapis, un sol de terre battue, comme dans la plupart des maisons chinoises, mais du parquet. Le même que dans l'hôpital chrétien de Putian.

Il ne trouva Mary ni dans le salon ni dans son bureau.

Il ne pleuvait visiblement pas encore lorsqu'elle était sortie, car ses vieilles bottes de pluie en caoutchouc noir, rapiécées avec des bouts de caoutchouc rose, étaient toujours au pied de son lit. Il eut soudain envie de les lui apporter, malgré la pluie et la nuit qui l'attendaient à l'extérieur. La paire de bottes à la main, il descendit les marches qui menaient à la cour. La pluie fouetta son visage, et une délicieuse sensation de fraîcheur le saisit. Les innombrables gouttes qui frappaient sa peau ressemblaient à de minuscules perles de cristal tombées du ciel, qu'un fil élastique invisible faisait rebondir sur sa chair ; des perles gorgées d'eau, qui n'éclataient jamais, mais remontaient dans le ciel aussitôt qu'elles le touchaient, pour tomber sur lui de nouveau.

Il n'avait pas encore six ans, et aucune idée précise de la taille de la demeure du pasteur Gu. Lorsque, quelques semaines plus tôt, il était arrivé dans cette immense résidence à l'architecture imposante, à la fois régulière et secrète, il s'était senti écrasé par les épais murs d'enceinte, hauts de plusieurs mètres. Il avait dû basculer la tête en arrière pour réussir à apercevoir, en contre-plongée, quelques touffes d'herbes folles, que le vent faisait frémir au sommet du mur de brique et qui semblaient s'accrocher aux nuages avec opiniâtreté.

Deux galeries longeaient les murs, la galerie est et la galerie ouest qui, comme deux immenses bras, embrassaient la totalité des sept cours de la résidence, et où le veilleur de nuit déambulait, à chaque nouvelle heure qu'il annonçait en frappant sur une planche. La première, assez grande, était « la cour des colombes », entièrement dévolue aux pigeons du pasteur. La deuxième était « la cour des ancêtres », que le maître des lieux avait transformée en église baptiste. La troisième était « la cour des hôtes », la quatrième « la cour du pasteur », la cinquième « la cour de la petite fille », la sixième celle des cuisines, la dernière abritant l'école primaire de Mme Gu. Quelques années plus tard, Yong Sheng dessina un plan précis des lieux : à l'exception du grand portail d'entrée, qui était légèrement décalé par rapport à l'axe central de la résidence (les constructeurs, aussi naïfs qu'ingénieux, empêchaient de cette façon les démons d'entrer, car il était de notoriété publique que ces derniers ne se déplaçaient qu'en ligne droite), les portails des six autres cours étaient tous alignés sur le même axe, sur le modèle de la cité impériale. À chaque grande fête chrétienne, le pasteur Gu ordonnait aux serviteurs d'ouvrir les portes de toutes les cours, afin qu'aucun obstacle ne vînt entraver la diffusion des prières et des cantiques qui, depuis la cour des ancêtres, traversait toutes les autres, jusqu'au terrain où l'on battait le riz, à l'arrière de la résidence. Dans la dernière cour, il y avait un moulin en pierre, qu'un petit âne, les yeux bandés, faisait tourner à longueur de journée pour broyer des graines de soja, qui se transformaient en une épaisse pâte blanche avec laquelle on fabriquait le tofu. À l'occasion des célébrations chrétiennes, on ôtait à l'âne le bandeau qui couvrait ses yeux et on le laissait se reposer. Ce n'était qu'en de telles circonstances que, d'un regard, on pouvait embrasser les sept cours.

Dans l'immédiat, pieds nus sous la pluie battante, Yong Sheng sortit de la cour de la petite fille en courant et emprunta le corridor du veilleur de nuit pour se rendre dans les salles de classe, mais il n'avait pas encore atteint la cour des cuisines qu'il était déjà trempé de la tête aux pieds. On eût dit un petit poulet tout mouillé, pourtant il rassembla son courage et galopa jusqu'à la cour de l'école, où Mary passait plus de temps que chez elle.

Cette nuit-là, elle n'y était pas. De chaque côté du portail, les pièces occupées jadis par les domestiques et aujourd'hui transformées en salles de classe étaient plongées dans le noir. Les lumières étaient pareillement éteintes dans les anciennes granges et écuries, aménagées en dortoirs, où seul le bruit de la respiration des garçons brisait le silence.

La pluie frappait à tout rompre sur la porte de sortie de la dernière cour. Contrairement au grand portail d'entrée, dont les doubles vantaux étaient pourvus de pivots tournants sur un haut socle en bois, cette porte-là, dépourvue de seuil, se composait d'un empilement de grandes planches de bois peintes en vert, comme des plateaux de table posés les uns sur les autres. Ainsi, selon la hauteur des charrettes chargées du ravitaillement pour les cuisines, on pouvait les ouvrir toutes ou en partie. Debout devant la porte, Yong Sheng colla ses yeux contre le bois, et à travers les interstices observa le terrain où l'on battait le riz, et il ne vit que des flaques d'eau.

Toujours au pas de course, il rebroussa chemin, en empruntant cette fois le corridor opposé, dans lequel, au passage de chaque cour, se dressait une ouverture en forme de croissant de lune. Cour de l'école, cour des cuisines, cour de la petite fille, cour du pasteur, cour des hôtes… À toute allure, il atteignit enfin le portail de la cour des ancêtres, dont il escalada les larges marches.

Le portail de cette cour était très différent des autres, et même le grand portail d'entrée, pourtant si solennel, n'avait pas son prestige, car celui-ci était surmonté d'une tour de guet ouverte, dressée sur deux grosses colonnes peintes en noir. La pluie ruisselait en cascade sur les larges tuiles de son toit, et les éclairs zébraient ses poutres de fulgurances lumineuses, qui donnaient vie aux figures tremblotantes des animaux sculptés.

Il resta un instant devant le portail, malgré l'eau sale qui formait des ruisseaux sous ses pieds et les gouttes tièdes qui semblaient vouloir transpercer sa peau mince.

Sur une des larges poutres qui soutenaient la tour de guet entre les deux colonnes était suspendue une lampe tempête ; la pluie en faisait grésiller le verre, chauffé par la flamme. Ce bruit effraya l'enfant, qui craignait que le verre n'explosât.

Le seuil du portail était si haut qu'il ne put le franchir autrement qu'en l'escaladant comme on le fait d'un mur, pour se laisser retomber de l'autre côté. Après cela, il n'eut plus la force de courir et traversa la cour des ancêtres en marchant. Il avait de l'eau jusqu'aux chevilles, mais il sentait sous ses pieds nus les briques et les gros galets ronds qui pavaient le sol. Parfois, il glissait un peu sur la mousse qui poussait entre les pierres, mais il veillait à toujours marcher en ligne droite, pour éviter la catastrophe, car il savait qu'à un mètre environ de l'axe central béait une fosse d'un mètre de large, trois mètres de long et deux mètres de profondeur, remplie d'eau dont le niveau atteignait la hauteur des hanches d'un homme. Le dimanche, après l'office, le pasteur Gu y descendait par quelques marches en brique, pour accueillir les nouveaux membres de son Église, devant lesquels il prononçait certaines phrases rituelles, avant de leur plonger le haut du corps dans l'eau. L'enfant avait plusieurs fois assisté à cette cérémonie, sans savoir qu'il s'agissait du baptême typique des baptistes américains, symbolisant la purification des anciens péchés. Lorsque les mains du pasteur Gu relevaient le baptisé, c'était un homme nouveau qu'elles accueillaient. Des années plus tard, Yong Sheng se souvenait encore du visage rayonnant du missionnaire à la fin de cette cérémonie.

Devant la grande salle de la cour des ancêtres, une lampe tempête était allumée, et sa lumière projetait sur les briques vernies du sol l'ombre déformée des carreaux de la porte vitrée. Ce quadrillage s'étirait aussi sur les longs bancs de bois à dossier – où chaque dimanche, les chrétiens de Putian se rassemblaient et autour desquels leurs bambins couraient –, et il se prolongeait jusqu'à la tribune où le pasteur Gu prêchait. Jadis, à cette place, se dressait un grand autel, où les anciens propriétaires vénéraient leurs ancêtres. La pièce était à présent une salle de prières qu'un rideau divisait en deux parties, l'une réservée aux hommes, l'autre aux femmes. Lorsque le pasteur Gu prononçait ses sermons devant les hommes, la hauteur de la tribune, qui laissait dépasser du rideau sa tête et ses épaules, permettait aux femmes non seulement de l'entendre, mais aussi de le voir.

Les bottes qu'il tenait à la main étaient remplies d'eau, et lorsqu'il entra dans la salle de prière déserte, le bruit du clapotement résonna en écho. Il chercha Mary de part et d'autre du rideau, puis dans toute la salle, mais elle n'était nulle part.

Dehors, il tombait des trombes d'eau, qui s'infiltraient dans la charpente et ruisselaient sur sa tête et sur les bancs.

Soudain, il aperçut un rai de lumière qui filtrait à travers la fissure d'un mur. Il s'en approcha et, sans l'avoir cherchée, il découvrit alors la chapelle secrète de Mary.

Bien sûr, le garçon ignorait ce qu'était une chapelle. Même les adultes chinois convertis depuis de longues années avaient du mal à distinguer le protestantisme du catholicisme, et aucun n'eût pu imaginer pourquoi, à l'intérieur d'un temple baptiste, se dissimulait une chapelle catholique. Des dizaines d'années plus tard, un ami de Yong Sheng lui rapporta des États-Unis un petit livre, que l'épouse du pasteur Gu avait écrit en 1928, *Mon école primaire de Hanjiang*, dans lequel elle mentionnait cette pièce secrète, à l'usage exclusif de sa fille, qui s'était convertie au christianisme. Protestante dévouée depuis son enfance, après ses études secondaires, Mary était allée à Paris étudier l'histoire de l'art à la Sorbonne, où elle était tombée amoureuse de l'un de ses professeurs, jeune et élégant rejeton d'une famille très catholique. C'est ainsi qu'elle avait renié sa propre religion pour embrasser celle de son bien-aimé, dans l'église du village natal de ce dernier. Dans son ouvrage, Mme Gu citait une amie américaine de Mary, la célèbre femme de lettres K.C. Carter, qui avait assisté à la cérémonie, et décrit l'église dans un de ses romans :

C'était un petit village français, dont l'activité principale était la production de prunes. Nous suivîmes un chemin sinueux, bordé de marronniers, en bas duquel se dressait une église en pierre, modeste mais proprette, sur le parvis de laquelle, le mardi et le vendredi, se tenait un marché. Le soir, quelques lampadaires en forme de lanterne la baignaient d'une douce lumière.

Dans une lettre adressée à des amis, K.C. Carter avoua avoir été émerveillée par la cérémonie : « Un drap de fine dentelle immaculée recouvrait l'autel, sur lequel étaient posés des calices et ciboires en argent étincelant. De chaque côté se tenaient des enfants de chœur, vêtus de surplis en dentelle blanche et de jupe pourpre. » Cet événement avait plongé le pasteur Gu et son épouse dans un profond désespoir, et ils avaient refusé d'aller en France assister au mariage de leur fille dans cette église villageoise. Toutefois, lorsque la Première Guerre mondiale avait éclaté en Europe et que le gendre qu'ils n'avaient jamais vu avait été envoyé au front, le pasteur avait invité sa fille unique à se réfugier en Chine avec la fillette qu'elle venait de mettre au monde. « Dieu nous accorde le bonheur de t'avoir à nouveau près de nous », écrivait-il dans ce courrier.

L'un des murs de la salle de prière possédait une alcôve en briques sculptées, où les précédents propriétaires de la résidence avaient installé un autel consacré au Ciel et à la Terre, et que le pasteur Gu avait transformée en chapelle à l'usage de sa fille. Il en avait fait masquer l'ouverture avec un panneau coulissant, de manière que, une fois fermé, nul ne soupçonnât l'existence de cette pièce.

De sa petite main, Yong Sheng fit doucement glisser le panneau, et ses yeux effarés découvrirent un homme presque entièrement nu, à peine éclairé par la lumière inconsistante d'une bougie. Il était cloué sur une croix, une couronne d'épines enfoncée sur sa tête légèrement de profil. Sur son visage, les rides marquées de son front et de ses sourcils exprimaient une infinie douleur. Il avait les yeux creux, et le profond sillon qui ravinait ses joues maigres, de la pommette au menton, lui donnait l'air sévère.

Le petit garçon ressentit aussitôt un certain trouble, et il ferma les yeux. Quand il les rouvrit, il réalisa que ce qu'il avait d'abord pris pour un homme n'était qu'une statue en bois, dont la pellicule d'or qui l'avait jadis couverte s'était ternie. Il eut le sentiment que le crucifié tournait les yeux vers lui, comme si son intrusion avait brusquement interrompu sa conversation avec un tiers. Il semblait en outre surpris de le voir tenir à la main les bottes de Mary, comme s'il se fût agi non pas de vieilles bottes en caoutchouc noir rapiécées de rose, mais des pantoufles de verre de Cendrillon, le conte préféré de son institutrice. Il s'attendait à ce que l'homme lui ordonnât, comme à Cendrillon devant son carrosse (il ne se rappelait toutefois plus qui lui avait donné cet ordre), de rentrer à la maison avant minuit. Mary disait que les pantoufles de Cendrillon scintillaient comme des diamants, mais étaient aussi cassantes que le cristal, aussi fragiles que le paradis, et il craignit que l'homme ne se mît en colère et brisât d'un coup l'univers cristallin de son éden.

Soudain, debout dans la pénombre humide de cette alcôve dissimulée dans un mur, il vit Mary.

La gorge nue, les yeux baissés, les lèvres légèrement gonflées, elle semblait dans un état second. Lorsqu'elle bougea, le châle en laine violette qui couvrait ses épaules glissa, dévoilant sa poitrine généreuse, de pur albâtre sous la lumière de la bougie, et de laquelle semblait s'échapper une voluptueuse tiédeur.

Cette tiédeur flotta jusqu'au visage de l'enfant, et caressa tendrement sa peau humide.

De la main gauche, Mary souleva l'un de ses seins gonflés, qu'elle massa doucement jusqu'à en faire gicler un jet de lait. De nouveau, Yong Sheng sentit cette tiédeur douce et parfumée l'envelopper comme une chaude caresse, qu'il goûta par tous les pores de la peau de son corps en émoi.

Elle saisit alors un calice en argent, dans lequel son lait se répandit en onctueuse cascade, éclaboussant le bord du vase sacré de perles blanches qui rebondirent dans la pénombre. Les yeux mi-clos, comme dans un rêve, de la bouche à peine ouverte de la jeune femme sortit un son étrange, entre râle et gémissement. Enfin, elle souleva le calice (où d'habitude les prêtres catholiques consacrent le vin de la messe) et le porta à la bouche du Crucifié. Un flot de lait coula le long du corps de la statue, traversa sa peinture craquelée, pour pénétrer profondément au cœur du bois.

L'homme regardait toujours Yong Sheng, qui crut même le voir cligner de l'œil tandis que le lait qui coulait sur son visage s'attardait dans les sillons de ses joues creusées, comme coagulé.

Après le départ de Mary, l'odeur de son lait persista longtemps dans l'alcôve.

Cette pièce était meublée de deux armoires, et celle de gauche était pourvue de sept tiroirs à poignées de cuivre. Yong Sheng en tira un, où était rangé le calice en argent dans lequel Mary avait répandu son lait. Elle l'avait lavé avant de partir mais, aux yeux du garçon, il étincelait encore d'un indicible éclat, qui semblait vouloir lui révéler un secret.

Dans l'armoire de droite, il y avait la statue en bois du crucifié, encore mouillée de ses ablutions lactées. La peinture semblait alors moins écaillée, plus lisse, et l'humidité rehaussait ses reflets mordorés, qui scintillaient à présent comme des poussières d'or, au fond d'une rivière.

Sur la couronne d'épines pendait une goutte ivoire, une goutte de lait attirée vers le sol par son propre poids, comme un litchi sur le point de tomber de sa branche. Un instant, elle sembla se rétracter, mais aussitôt son extrémité se gonfla. Lorsqu'elle chut enfin, l'enfant ouvrit la bouche et tira la langue.

Elle y coula, tiède et humide, comme une graine sur une terre desséchée.

À la suite de cette première et étrange rencontre entre le Crucifié et le fils du charpentier, ce dernier quitta la salle de prière et retraversa la cour des ancêtres, où, par inadvertance, il tomba dans la fosse.

Il pleuvait moins fort, et pourtant, sans savoir comment c'était arrivé, j'étais dans l'eau. Je n'avais pas encore touché le fond, mais je savais déjà que j'étais dans la piscine où le pasteur baptisait.

Après cette pluie torrentielle, l'eau était beaucoup plus haute que d'habitude et étrangement tiède. Quand mes pieds nus touchèrent le fond, ils sentirent de la vase, qui n'était pas froide non plus.

Je savais que j'allais sans doute mourir. Bientôt, je ne parviendrais plus à respirer. Soudain, un rai lumineux troua la surface de l'eau. Était-ce Mary, mon institutrice, qui me cherchait avec une torche électrique, dont la lumière magnifique éclairait ciel et terre ? À cette pensée, les forces me revinrent et, au prix de grands efforts, je réussis à me hisser pour sortir la tête de l'eau. Mais alors que j'essayais d'agripper le bord du bassin, je fus de nouveau aspiré vers le fond.

Mon Dieu ! ai-je pensé. Je comprenais enfin pourquoi c'était dans cette fosse que le pasteur Gu réalisait ses tours de magie, car son fond avait une force d'attraction surnaturelle.

Alors que je me noyais, j'entendis le bruit de va-et-vient d'une scie sur du bois, et il me sembla même voir les dents de l'outil aller et venir à la surface de l'eau, sur laquelle couraient des étincelles.

Le bruit de la scie m'était familier, mais quelle ne fut pas ma surprise de voir que celui qui la tenait n'était pas mon père !

Il n'y avait d'ailleurs pas qu'un scieur, mais deux, l'un en haut, l'autre en bas. Celui qui était en bas, debout sur le sol, c'était moi. Quant à l'autre, je ne parvenais pas à le voir distinctement. Il ressemblait vaguement à la statue en bois du Crucifié, mais je n'en étais pas sûr. Je lui demandai son nom et il me répondit : « Pourquoi me demander mon nom ? » Puis il voulut s'éloigner, en disant « l'aurore se lève[1] ». Alors, je saisis sa jambe à deux mains pour le retenir. « Si vous ne me dites pas votre nom, je ne vous laisserai pas aller. » Il ne résista pas et déclara : « Je suis le père du Crucifié, celui de la statue de bois. » Aussitôt, une échelle apparut, sur laquelle il me laissa monter, et alors que

---

1. Genèse 32, 24-35 (lutte de Jacob). (*Toutes les notes sont de l'auteur.*)

je croyais atteindre le ciel, à ma grande surprise, je sortis brusquement de l'eau.

Ce fut Mary qui le sauva. En regagnant sa chambre, elle constata que le lit du garçon était vide, et, inquiète, ressortit à sa recherche. Arrivée dans la cour des ancêtres, elle remarqua aussitôt ses bottes, qui flottaient à la surface de la piscine baptismale, de part et d'autre d'une petite boule noire, la tête de l'enfant. Elle crut d'abord qu'il s'amusait à y barboter.

Dans la cour de la petite fille, la chambre s'alluma, et Mary le déposa sur son grand lit en bois.

Yong Sheng ouvrit les yeux, puis il les referma. Un bruit d'eau bourdonnait encore à ses oreilles, comme le déluge s'abattant sur le monde. Puis les cataractes s'affaiblirent pour se muer en un torrent, qui, à son tour, diminua d'intensité, et fit place au son clair et limpide d'un jet de lait sur un calice d'argent. Quand peu à peu se dissipa ce dernier son, il entendit la voix de Mary, qui lui lisait *Robinson Crusoé*. Il adorait qu'elle lui fît la lecture, et il se souvint soudain que celui qu'il avait vu dans la fosse apparaissait déjà dans une histoire de la Bible, qu'elle lui avait lue. Il enfouit son nez sous les couvertures, pour tenter d'y retrouver l'odeur du lait de son institutrice.

La jeune femme énumérait une longue liste d'objets, que Robinson avait récupérés dans la carcasse d'un bateau naufragé, des objets arrachés aux griffes de la mer, des objets envoyés par le Ciel, qu'il emporterait sur son île déserte. Leur nom résonnait à ses oreilles comme des paroles sacrées : seau à charbon, par exemple. La bouche de Mary ne faisait pas que citer ces objets, elle lui chantait la plus belle des chansons, et ces noms, imprégnés du parfum de son lait, resteraient éternellement gravés dans sa mémoire. Il était allongé sur un drap de coton élimé, sur le fond bleu délavé duquel on voyait encore le dessin fané de deux enfants. Le plus grand tenait à la main une feuille de lotus gorgée d'eau, avec laquelle il arrosait la tête du plus petit. Le dessin était si réaliste qu'on entendait presque l'eau cascader et les enfants rire. Le cœur de la feuille, légèrement incurvée, était parcouru de nervures plus claires. Il semblait qu'ils venaient de la cueillir, et que s'en échappaient encore les vapeurs de l'étang. L'artiste avait figuré l'eau qui coulait de la feuille par des traits blancs, qui, aux yeux de Yong Sheng, se confondaient avec les jets de lait jaillis des seins de Mary vers la bouche du Crucifié. Il avait même noté que ses mamelons brunâtres avaient pris une coloration plus vive, plus rosée, après que le lait en était sorti.

Elle lui apprit que la statue qu'il avait vue dans sa chapelle était celle du Christ. Quelques mois plus tôt, le navire à bord duquel se trouvait son époux avait été bombardé par un sous-marin allemand. Il n'y avait eu aucun rescapé, mais l'armée française avait retrouvé la statue dans l'épave, et Mary avait obtenu de l'amirauté de pouvoir la garder.

« Souviens-toi bien de cela : ce qui, après une catastrophe, est sauvé d'une épave, devient la plus belle chose du monde. »

CHAPITRE 2

La circoncision

Il arrivait. Fondu dans le lointain horizon, on eût dit une île flottante, égarée au milieu de la mer.

Une heure plus tard, on le distingua enfin ; c'était bien lui, le vaisseau de Mazu[1], parti de l'île de Meizhou, où se dressait le célèbre temple qui lui était dédié. Ce jour-là, à l'aube, au milieu du vacarme assourdissant des pétards, des dévots avaient franchi le grand portail du temple en portant un palanquin sur lequel se tenait « Mazu », incarnée par une jeune fille de la région, élue pour sa beauté, et ils avaient descendu les mille marches abruptes de l'édifice, jusqu'à un vaisseau superbement décoré, qui avait emporté l'incarnation de la déesse vers la ville de Putian.

La vraie Mazu, qui était morte depuis plusieurs siècles, et dont le corps fané reposait à l'intérieur du temple, dans un tombeau de pierre, en sortait chaque soir, de nouveau rayonnante de sa beauté d'antan, pour venir s'asseoir au pied d'un

---

1. Sainte Mère du Ciel, protectrice des pêcheurs et des marins, dans les mers de Chine.

aguilaire, où elle écoutait le murmure du vent dans les feuilles. Cet arbre, des centaines d'années après sa mort, continuait à produire un suc dont le parfum était toujours aussi puissant que de son vivant. Au milieu de la cour du temple, il y avait un puits, que la déesse avait elle-même creusé, et où, chaque soir, vêtue de sa longue jupe blanche et de son écharpe bleu azur, elle contemplait son reflet dans l'eau. Puis, comme tombée du ciel, elle descendait les mille marches en pierre, jusqu'à un rocher dressé au milieu de la mer, d'où elle bénissait les bateaux des pêcheurs.

Cette année-là, les célébrations ressemblèrent à celles des années précédentes. C'était la fin de l'été. Il faisait encore beau mais déjà frais, le ciel moutonnait de nuages blancs, la mer était calme. La ville de Putian grouillait d'une foule compacte de badauds, non seulement des gens de la région, mais aussi des pêcheurs des îles voisines, adorateurs de Mazu, et des pèlerins venus de tout le Sud-Est asiatique.

Elle arrivait. Les porteurs n'avaient plus que cinq cents mètres à parcourir avant d'atteindre la porte sud de la ville, dont ils apercevaient déjà les remparts gris sombre. Dix minutes plus tard, ils voyaient distinctement les créneaux, au sommet des murailles, derrière lesquelles on devinait, bien qu'encore imprécises, les tuiles d'émail jaune du temple de Confucius. La procession atteignit enfin le sud-est de l'enceinte, au-dessus de laquelle se dressait la toiture en ailes d'hirondelle du pavillon des Examens.

Un concert de roulements de tambours donna le coup d'envoi de la cérémonie. Les gens se ruèrent vers le centre de la ville, et le pavillon des Tambours fut bientôt encerclé par une marée humaine. Plusieurs années de suite, à la fin du règne de la dynastie des Qing, les chefs de district avaient renoncé à présider les célébrations, et le nouveau gouvernement de la république, qui connaissait certains désordres, semblait avoir oublié jusqu'à l'existence de cette ville côtière. Ce fut donc un notable de la région qui se présenta au balcon du pavillon pour ouvrir les festivités par un discours, mais il n'eut le temps de prononcer que quelques phrases, car déjà la procession arrivait. D'un coup, tout devint silencieux. Les jeunes gens endimanchés cessèrent un instant de flirter, les yeux des vieillards s'humidifièrent, les poitrines se serrèrent.

Les pêcheurs se mirent à entonner une ancienne chanson.

Nous sommes tous venus pour elle,
Mazu, notre Mère Éternelle,
Qui nous sourit depuis le ciel.
Devant elle, dansons et chantons,
Pour lui exprimer notre adoration.

Mary et Yong Sheng n'étaient pas venus en bateau. De Hanjiang à Putian, la rivière Mulan était noire de petites embarcations, et Mary avait préféré prendre sa bicyclette hollandaise. Le garçon avait tout juste sept ans, et il s'était bien développé depuis qu'il était arrivé chez le pasteur Gu, deux ans auparavant. Après quelques kilomètres sur un chemin cahotant, ils atteignirent Putian, où ils se mêlèrent à la foule, pour admirer, émus, le palanquin de Mazu qui passait au-dessus de leur tête. Devant le pavillon des Tambours, les badauds acclamaient la procession, quand soudain, Yong Sheng, qui se tenait debout sur le porte-bagages, poussa un cri et se recroquevilla sur lui-même.

« J'ai mal, j'ai mal ! » dit-il à Mary en désignant son ventre. La douleur l'empêcha d'en dire davantage. Il glissa du porte-bagages et s'effondra sur le sol, secoué de spasmes. Mary le remonta aussitôt sur le vélo, qu'elle poussa au milieu de la foule en direction de l'hôpital. Régulièrement, elle se tournait vers lui, pour essuyer ses larmes ou le relever, car, à plusieurs reprises, la douleur le fit glisser du porte-bagages, où il peinait à rester assis.

À cet instant, quelqu'un tapota l'épaule du gamin, qui tourna la tête : c'était son père. Pour l'occasion, il s'était fait couper les cheveux et portait une veste neuve, en toile bleue. Son épouse, qui venait de faire une fausse couche, était restée à la maison, et il assistait aux festivités avec la grand-mère.

Comprenant que son fils avait un problème, il le prit dans ses bras et courut vers l'hôpital.

Mary enfourcha sa bicyclette et pédala derrière eux, à en perdre haleine.

Enfin ils arrivèrent à l'hôpital Yali, à la construction duquel le charpentier avait participé, et où il avait fièrement fait glisser son fils sur la rampe de l'escalier qu'il avait façonné. Après avoir franchi la porte, il entra dans le hall.

L'architecte américain qui avait réalisé les plans de l'établissement avait pris en compte les remarques du charpentier sur la psychologie des Chinois, qui n'aiment pas les maisons à plusieurs étages. Il avait utilisé la configuration du terrain en pente pour édifier un ensemble architectural avec trois bâtiments, dont seul le troisième, réservé aux hospitalisations, possédait deux étages.

Les appels lancés par Mary résonnèrent dans la salle d'attente du premier bâtiment, désert à cause de la fête où tous s'étaient rendus. Le guichet de la pharmacie était fermé, et le laboratoire d'examens était vide. Il n'y avait pas davantage de monde dans le deuxième bâtiment, où se trouvaient les salles de consultation, et il leur fallut atteindre le troisième pour trouver enfin un médecin de garde, un chirurgien américain d'une cinquantaine d'années, aux fières moustaches poivre et sel, le docteur Charley.

Il posa rapidement un diagnostic clair, net et précis, qui ne laissait aucune place au doute : le garçon souffrait d'ectopie testiculaire unilatérale.

En chinois, il expliqua au charpentier qu'un de ses testicules était caché dans son abdomen. Tout en l'écoutant, ce dernier se souvint des propos de la vieille aveugle, qui, de ses doigts osseux, avait palpé l'entrecuisse du gamin, à l'âge de deux ans. « Il lui en manque une », avait-elle affirmé.

« La couille qui lui manque, elle est partie où ? demanda-t-il au chirurgien.

— Je l'ignore encore. Peut-être dans la région inguinale, ou peut-être abdominale. Je pencherais toutefois pour cette dernière hypothèse, étant donné que l'enfant semble souffrir de colite. Il faut que je la trouve, et la replace dans le scrotum.

— N'est-il pas possible qu'elle descende toute seule ? demanda Mary.

— Impossible. L'enfant a déjà sept ans. Une intervention chirurgicale est nécessaire. » Il se tourna vers le charpentier :

« Acceptez-vous que j'intervienne sur votre fils ?

— Bien sûr », répondit le père, sans hésitation.

En vérité, il n'avait pas compris le sens exact d'« intervention chirurgicale ». Il croyait que c'était une sorte de tour de passe-passe médical, plus ou moins apparenté au miracle, qui ramènerait à sa place la couille cachée dans le ventre de son garçon. Des explications scientifiques du docteur Charley, il comprit seulement qu'après l'« intervention », l'enfant devrait rester une semaine à l'hôpital, et que lui-même devait retourner chez lui chercher une couverture et autres objets du quotidien, pour la durée de l'hospitalisation. Tout le long du chemin, il disait fièrement aux connaissances qu'il rencontrait : « Mon fils va subir une intervention chirurgicale ! »

Le docteur Charley pria Mary de bien vouloir rester pendant l'opération.

« J'avais commencé des études d'infirmière, lui avoua-t-elle, mais je m'évanouissais à la vue du sang. J'ai donc changé d'orientation, pour étudier l'art et devenir institutrice.

— Aucune importance, vous n'aurez qu'à tourner le dos à la table d'opération. Tout ce que je vous demande, c'est de noter ce que je dirai, car le compte rendu du processus opératoire restera dans les annales de la médecine chinoise. C'est en effet la première intervention sur une ectopie testiculaire pratiquée en Chine. »

Lorsque la grand-mère de l'enfant arriva enfin à l'hôpital, le bloc opératoire était fermé.

De toutes ses forces, elle tambourina à la porte, mais ils ne l'entendirent pas. Sans se décourager, elle fit le tour du bâtiment. Par la fenêtre de derrière, elle découvrit la vaste salle blanche où, sur une planche plus longue qu'un panneau de porte, son petit-fils était allongé. Elle était si grande que le corps du gamin paraissait minuscule, presque pitoyable, noyé dans cet univers tout blanc : les murs étaient blancs, le plafond était blanc, et sur des plateaux blancs étaient alignés divers instruments métalliques, des ciseaux de tailles différentes, des aiguilles, et des outils à longs manches, à l'extrémité desquels étincelaient des lames tranchantes.

Caressant ses moustaches poivre et sel, un homme étrange, en blouse blanche et gants blancs, s'approcha de son petit-fils et lui introduisit dans la bouche un objet bizarre, en lui disant quelque chose qu'elle ne put entendre.

Sans savoir pourquoi, ce long tube de verre, mince et brillant, lui causa une abominable frayeur, et ses jambes flageolèrent si fort que ses pieds bandés ne la soutinrent plus. Elle se mit à pleurer. À cet instant, Mary, qui ne savait pas qu'elle était la grand-mère de Yong Sheng, tira d'un geste machinal les épais rideaux de la fenêtre. Ce fut là, peut-être, le prologue du drame qui se jouerait plus tard. Qui pouvait le savoir ? Si Mary avait ouvert la fenêtre pour expliquer à la femme en pleurs que le tube de verre introduit dans la bouche du gamin était un simple thermomètre, la suite eût peut-être été différente.

Quand le docteur Charley se pencha au-dessus de son visage, Yong Sheng reconnut l'odeur d'agrume qui se dégageait de sa moustache. Elle lui était familière, car chaque dimanche, avant d'aller prêcher, le pasteur Gu prenait un verre de thé au citron, qui donnait à chacun des mots de son sermon – auquel il ne comprenait pas grand-chose au demeurant – ce même parfum citronné.

En riant, il tendit la main pour tirer sur les moustaches du docteur, dont les pointes rebiquaient.

Quel dommage que sa grand-mère, qui avait quitté la fenêtre pour chercher un autre moyen d'entrer, n'eût pas entendu des éclats de rire. À cet instant, elle était en quête d'une quelconque ouverture, pour pouvoir entrer dans le bloc et sauver son petit-fils de ce funeste monde blanc. Peut-être avait-il déjà avalé l'objet bizarre que l'étranger lui avait fourré dans la bouche ? Peut-être un terrible poison était-il déjà en train de se répandre dans son corps ? Peut-être l'avait-il déjà tué ?

« Petit coquin ! chuchota le chirurgien à l'oreille de Yong Sheng. Laisse-moi t'endormir au chloroforme. » Puis, à l'intention de Mary : « Je n'ai jamais pu obtenir, dans cet hôpital, de l'éther éthylique, et je dois me contenter de chloroforme. »

Mot à mot, elle nota cette phrase.

Il prit un masque, dont il couvrit le nez de l'enfant.

« Quelle drôle d'odeur, se dit Yong Sheng. C'est bien plus fort que le citron. Ça ressemble au parfum de l'aguilaire, quand j'en arrache un bout d'écorce avec mon canif. »

Le visage du docteur ressemblait maintenant à un masque de pantin, avec ses drôles de moustaches en pointe. C'était amusant, car, quand le pantin bougeait les lèvres, ses moustaches se redressaient. Peu à peu, il sombra dans l'inconscience.

La porte du bloc s'ouvrit d'un coup.

Dans l'embrasure apparut la grand-mère. Dieu sait comment elle avait réussi à entrer.

Elle crut que son petit-fils était mort.

« Assassin ! hurla-t-elle en se précipitant comme une folle vers la table d'opération. Vous lui avez collé une coquille sur le nez pour le tuer, en l'empêchant de respirer ! »

À la manière d'une bête sauvage, elle se jeta sur l'enfant pour tenter d'arracher le masque qui couvrait son visage, mais le docteur Charley l'empoigna et la jeta dehors, pensant que c'était une vieille folle, échappée du service psychiatrique.

Pauvre vieille dame ! Elle voulait juste enlever l'instrument de torture qui asphyxiait son petit-fils, et tout ce qu'elle avait réussi à arracher, c'était sa petite chemise blanche en coton.

Le chirurgien, de nouveau en pleine forme, prit un air sérieux. D'une voix forte et solennelle, que rien ne pouvait plus perturber, il demanda à Mary, son assistante occasionnelle, de noter la date, le lieu, et chacune des étapes de son intervention.

«Avec le bistouri n° 11, je pratique tout d'abord une incision en diagonale de quatre centimètres et demi de longueur, dans la région inguinale. Vous qui savez crayonner, mademoiselle, vous devriez réaliser le dessin des tendons, sous l'épiderme. Maintenant, je passe à la recherche du testicule. Pour avoir maintes fois mené à bien de telles opérations, dans d'autres pays, je sais qu'il se cache parfois sous les muscles abdominaux, mais dans le cas de ce patient, je ne l'y trouve pas. Je cherche alors dans la gaine Denis Brown, mais là non plus, il n'y est pas. Je suis obligé d'inciser la membrane sous-abdominale avec le bistouri n° 9.»

Il passa sa langue sur ses lèvres épaisses. Une lueur à la fois amusée et fière dans le regard, il dit à Mary: «Vous sentez l'odeur nauséabonde des intestins? Voilà! Le testicule du patient est fixé dans le canal inguinal. Il me faut pratiquer une orchidopexie.»

Mary s'efforçait de retrouver dans un coin de sa mémoire le vocable anatomique, qu'elle avait jadis étudié dans son école d'infirmières du Kansas. Elle ne se souvenait plus de la signification du mot «orchidopexie».

Soudain, elle vit quelque chose.

«Docteur Charley, dit-elle.

— Vous voulez que j'épelle le mot "orchidopexie"?

— Regardez, docteur Charley, il y a quelqu'un sur le toit.

— Nous n'avons pas le temps de nous intéresser à ce qui se passe sur le toit, chère assistante. Donnez-moi plutôt le compas à verge. Je vais sortir le testicule pour le mesurer avec précision.»

Obéissante, elle trouva l'instrument susnommé, et le plaça dans la main gantée du chirurgien.

«Notez: la longueur est de un centimètre cinquante, la

largeur de quatre millimètres, avec un cordon spermatique de quatre centimètres.

— Docteur Charley !

— Qu'est-ce qu'il y a encore ?

— La femme sur le toit du deuxième bâtiment, qui agite un drapeau blanc, comme pour appeler au secours, c'est la vieille dame qui est entrée dans le bloc, tout à l'heure.

— Vous me déconcentrez, mademoiselle. Notez plutôt : Je pratique une incision de deux centimètres sur le muscle abdominal. Je déplore de ne pas avoir de véritable assistante, car je dois tirer le testicule vers le bas, et comme il manque un peu de longueur au cordon spermatique, je suis obligé d'utiliser une pince recourbée pour le descendre doucement vers le scrotum. »

Mary ressentit soudain un léger vertige, qui, pour l'heure, n'était pas dû à la vue du sang, mais au contraste étrange entre les mots anglais prononcés par le docteur et le tableau qui s'offrait à son regard, en dehors de la fenêtre.

Sous la lumière diffuse du soleil altéré de cette fin d'été, elle avait l'impression de regarder une photo surexposée. La vieille femme, qui brandissait un bout de tissu blanc, semblait tout droit sortie d'un film muet, mal développé (Mary avait assisté, à Paris, au nouveau miracle de ce siècle : la naissance du cinéma). Sur le toit du bâtiment, à la manière d'un fantôme, elle faisait des gestes mécaniques, exagérés, le cou allongé, comme si une force invisible tirait sa tête en arrière. Sans connaître la fatigue, elle brandissait inlassablement son drapeau blanc. Soudain, le cœur de Mary se serra, car elle reconnut que ce n'était pas un drapeau, mais la chemise de Yong Sheng, qu'elle avait elle-même lavée et empesée. Il lui sembla encore l'entendre claquer dans le vent, au milieu de sa cour.

46

Elle comprit que la femme était en train de rappeler l'âme de Yong Sheng.

Trop tard. Devant la porte de l'hôpital, une foule nombreuse et effervescente était amassée. Au-dessus des têtes noires flottaient les bannières dédiées à Mazu. Mary devina que les gesticulations de la vieille avaient attiré tous ceux qui participaient à la procession.

Une nouvelle fois, elle tenta d'avertir le docteur Charley : « La situation s'aggrave, les gens sont de plus en plus nombreux. On dirait que toute la ville s'est regroupée autour de l'hôpital.

— La foule, c'est comme les gosses fascinés par leurs propres excréments, qu'ils reluquent avec délectation. Ils viennent voir la vieille folle danser sur le toit de l'hôpital », répondit-il, refusant de prendre la situation au sérieux.

À travers la mince fente entre les rideaux de la fenêtre, Mary reconnut soudain le charpentier Yong, sans voir distinctement son visage (un visage de marbre, secoué de tics nerveux, presque convulsifs). Elle ne voyait pas non plus la sueur qui ruisselait sur sa face. Tout ce qu'elle voyait, c'était qu'il fendait la foule à toute vitesse, presque en volant, comme si ses jambes n'étaient plus soumises à la gravité terrestre. Dans la main, il tenait quelque chose de brillant.

Les uns après les autres, il dépassa les gens, et lorsque tous se ruèrent sur la porte de l'hôpital, il était au premier rang.

Mary ignorait encore qu'ils ne venaient pas assister à la pantomime de la vieille dame, mais étaient animés d'intentions beaucoup plus belliqueuses.

Le docteur Charley entamait la dernière phase de son intervention. Une partie du scrotum vide de l'enfant était ouverte.

Le chirurgien recommença à décrire à haute voix chaque étape du processus opératoire : « Ma chère assistante, je vous suggère de consigner, par un schéma, le plus beau geste de cet acte chirurgical. Voyez, avec la pince recourbée, je saisis le testicule intracaniculaire par l'extrémité inférieure de sa gaine, et le descends doucement dans sa bourse. Attendez, je vois une petite torsion, certes sans importance, du cordon sperma-tique, que je vais tout de même corriger. Voilà. Maintenant, je fais quelques points de suture entre la membrane du cor-don spermatique et la membrane intramusculaire, je replace le testicule dans sa bourse, et je suture la peau du scrotum. » Cette dernière phrase fut stoppée net par un bruit assourdis-sant, qui fit trembler le bloc et effraya le chirurgien au point qu'il en lâcha l'aiguille.

« C'est quoi, ce vacarme ? demanda-t-il d'une voix trem-blotante.

— On défonce la porte à coups de hache, répondit Mary. Je crois que c'est le père du petit.

— Il veut me tuer ? » gémit le docteur en se précipitant vers une fenêtre, dont il tira les rideaux. Elle donnait directe-ment sur l'arrière de l'hôpital, où il n'y avait personne. On pouvait voir la montagne, sur laquelle était construit l'établis-sement. Il ouvrit la fenêtre, la franchit d'un bond, et se sauva en courant.

Pour quelles raisons l'opération d'une ectopie testiculaire avait-elle pu provoquer pareille émeute ?

Considérons d'abord le lieu d'intervention : l'hôpital d'une Église étrangère.

Ensuite, le praticien : un chirurgien étranger.

Enfin, et c'était le plus important : la partie du corps concernée par l'opération. Lorsqu'il s'agissait de cet organe le plus sensible, le plus chargé de sens symbolique, à l'origine de toute vie, le plus petit malentendu pouvait facilement tourner au cauchemar.

Il y avait dans la ville de Putian un vieil érudit qui, bien des années auparavant, avait été le professeur de chinois des premiers missionnaires, qui lui avaient même demandé d'apporter quelques corrections à la version chinoise du Nouveau Testament traduit par leurs prédécesseurs. Il y avait travaillé une année durant. Fort de ses connaissances, il avait ainsi renseigné la foule :

« Ils prétendent "chercher une couille cachée", mais c'est n'importe quoi ! Ce sont des escrocs. Le fils du charpentier Yong est tout bonnement en train de se faire circoncire. Ce n'est pas un acte chirurgical, mais religieux, qu'on appelle la "circoncision". »

Il était bien le seul de tous les habitants de Putian à connaître ce mot.

D'une voix puissante, faisant montre d'une mémoire exceptionnelle, il récita alors un passage de la Bible :

Voici le pacte que vous observerez, qui est entre moi et vous, jusqu'à ta dernière postérité : circoncire tout mâle d'entre vous. Vous retrancherez la chair de votre excroissance et ce sera un symbole d'alliance entre moi et vous[1].

Pour affirmer son propos, il leur cita un autre épisode biblique, dans lequel Dieu faillit tuer le premier-né de Moïse,

1. Genèse 17, 10-11.

mais y renonça, grâce à l'intervention de Sephora, l'épouse de Moïse :

L'Éternel l'attaqua et voulut le faire mourir. Sephora prit une pierre aiguë, coupa le prépuce de son fils, et le jeta aux pieds de Moïse en disant : Tu es pour moi un époux de sang ! Et l'Éternel le laissa. C'est alors qu'elle dit : Époux de sang ! À cause de la circoncision [1].

On peut imaginer la stupeur provoquée par ses paroles dans le cœur de la foule, surtout celui du charpentier Yong. Tous sentirent un froid glacial les envahir et leur donner la chair de poule sur tout le corps. Quel était ce Dieu étrange, qui voulait marquer son alliance avec le peuple en coupant le sexe des garçons ?

Lorsqu'ils aperçurent la grand-mère, qui agitait toujours la petite chemise blanche de l'enfant, ils surent qu'ils devaient prendre d'assaut le bloc opératoire, où un étranger circoncisait l'un des leurs.

C'était la première fois que Mary tenait une aiguille chirurgicale, et sa main tremblait si fort qu'elle la sentit glisser entre ses doigts. Mais le docteur Charley s'était sauvé, et il restait deux plaies à suturer.

Il lui fallait recoudre le scrotum.

À chaque coup de hache qui s'abattait sur la porte, elle sursautait, et le fil chirurgical qu'elle tentait de faire entrer dans le chas de l'aiguille s'échappait. Pour se calmer, elle décida, comme le docteur Charley, de décrire à haute voix chacun de ses gestes. Elle rassembla les connaissances qu'elle

1. Exode 4, 24-27.

avait acquises lors de son passage à l'école d'infirmières, et, au rythme des coups sur la porte, elle commença : « Le scrotum est constitué de plusieurs enveloppes de fibres musculaires. D'abord, le fascia spermatique interne, puis le fascia crémastérique, le fascia spermatique externe… » Ce fut efficace, et ses mains cessèrent de trembler. Avant d'avoir fini d'énumérer toutes les enveloppes qui composent le scrotum, elle acheva de le suturer.

Il y eut un instant, une seconde, peut-être un dixième de seconde, pendant lequel le bloc fut silencieux.

Surprise par ce silence, elle lâcha un flacon de teinture d'iode, qui se fracassa sur le sol. Elle entendit le bourdonnement des voix de la foule massée à l'entrée du bloc, puis, comme si chacun rivalisait pour être le sauveur de l'enfant, ils se précipitèrent tous, en une nuée compacte, à l'intérieur. Mary eut l'impression d'asphyxier. Elle chercha des yeux le charpentier pour lui remettre l'enfant, mais ne le trouva pas. Il n'y avait qu'une masse indistincte de visages flous, qui se rapprochaient d'elle au point qu'elle pouvait sentir leur haleine et l'odeur de leur sueur. Soudain, un homme arracha le garçon d'entre ses bras.

Il le souleva en l'air par les jambes, et tous se le passèrent de mains en mains pour le faire sortir de la salle d'opération. Elle le regarda s'éloigner, la tête en bas, la bouche ouverte, les jambes écartées. Il ne s'était toujours pas réveillé. Enfin, quand quelqu'un le remit dans le bon sens, il finit par ouvrir les yeux, et fixa son institutrice d'un regard à la fois indifférent et effrayé.

Puis il disparut de sa vue.

Bien qu'à la suite de ces événements, l'Église protestante fît savoir que la circoncision ne concernait que le peuple d'Israël, et que les chrétiens, qui croyaient au Nouveau Testament, avaient abandonné cette pratique, le malentendu laissa des traces profondes et indélébiles dans le cœur des gens de Putian. Ce dieu étrange, que vénéraient les Occidentaux, leur inspira une certaine terreur, et le chiffre des croyants diminua considérablement. Ils furent de moins en moins nombreux à assister aux assemblées dominicales, et ceux qui y participaient le faisaient en toute discrétion. Durant plusieurs années, on n'entendit plus une voix d'enfant, dans la salle de prière.

Yong Sheng avait été ramené chez ses parents avant que Mary n'eût le temps de désinfecter ses plaies et de lui faire un pansement. Son abdomen et sa bourse étaient enflés et douloureux. Un médecin traditionnel chinois diagnostiqua un excès de feu dans son corps. Chaque jour, le charpentier cueillait des feuilles de l'aguilaire qu'il avait planté à sa naissance, puis il les broyait et les mélangeait à du miel, pour en faire un cataplasme, qu'il appliquait sur les plaies de son fils, jusqu'à ce que l'arbre fût entièrement défeuillé. Alors l'infection et le gonflement disparurent.

L'aguilaire continua à grandir, et quand les dernières pluies estivales ruisselèrent sur ses branches dépouillées, son tronc avait déjà le diamètre d'un bol. Cette fin d'été marqua aussi la fin d'une époque, celle de l'enfance, qui ne reviendrait plus.

CHAPITRE 3

L'holocauste

La grand-mère de Yong Sheng était une petite femme maigrichonne. Lorsqu'elle baissait la tête, le minuscule chignon dressé sur son crâne ressemblait à une poignée d'herbes fanées, emprisonnées dans un filet noir. Quand elle la relevait, les expressions de son visage, d'une infinie richesse, variaient à chaque instant. Lorsqu'elle éclatait de rire – ses rires étaient dignes de personnages d'opéra –, les rides qui sillonnaient son visage comme les plis d'un soufflet de forge s'étiraient lentement, jusqu'à presque disparaître, puis le soufflet se repliait, et ses rides se remettaient à trembloter spasmodiquement.

Un matin, Yong Sheng, qui avait maintenant treize ans, l'accompagna jusqu'à la porte de leur maison. Il faisait beau, la mer s'étirait au loin, le soleil levant rougeoyait au-dessus des flots gris, et l'aguilaire, bien qu'il ne fût pas encore de ces grands arbres qui perçaient le ciel, se dressait comme un gardien fidèle sur la colline de la famille Yong, défiant le monde avec fierté. Ses feuilles brillaient comme du satin vert. Parfois, à la façon des richards qui entrouvraient leur manteau pour en faire admirer la doublure en fourrure, elles révélaient, dans un léger frémissement, les gousses qu'elles dissimulaient.

Sur le poignet osseux de la grand-mère s'entrechoquaient plusieurs bracelets de jade, d'ambre et de caret, qui paraient son avant-bras d'une froide lumière. Elle planta ses ongles dans l'arbre, et arracha un morceau d'écorce, dont l'intérieur pâle présentait une pulpe lisse et molle.

Elle approcha son nez de l'endroit qu'elle venait de dénuder, et le renifla longuement, avec avidité, jusqu'à ce que la bave coulât aux commissures de ses lèvres.

En grelottant, elle s'accroupit, releva sa longue jupe noire, et se coucha à plat ventre sur les racines. Elle resta ainsi, immobile, jusqu'à midi, comme une immense feuille que le vent eût fait tomber.

Un soir, Yong Sheng entra dans la chambre de sa grand-mère. À travers une haute fenêtre, la lumière crépusculaire éclairait timidement son lit, au chevet sculpté de motifs floraux. Une odeur de médicaments chinois flottait dans la pièce, mêlée à la puanteur du seau d'aisances (il trônait à gauche de la porte, et lorsque Yong Sheng était entré, il avait été assailli par une armée de mouches bleues). Assise dans son lit, les cheveux dépeignés, la vieille dame avait ôté ses bracelets. Elle ne portait plus que de discrètes boucles d'oreilles en cuivre. Dans la pénombre, elle tâtonnait à l'aveugle dans un coffret à bijoux, d'où elle finit par tirer un long collier de billes de verre violettes, qui rompirent le silence en s'entrechoquant comme les os d'un squelette. La peau fanée de son visage, jadis si expressif, était toute jaune et si mince qu'elle semblait collée sur ses os pointus.

Alors qu'elle tentait de passer le collier autour de son cou, elle s'endormit brutalement. Le collier glissa de ses mains et tomba sur le sol, où, avec un son cristallin, les billes de verre rebondirent et cascadèrent, dessinant des courbes claires, aux reflets pourpres.

Le souffle de la grand-mère semblait ne provenir ni de son nez ni de sa bouche, mais de tout son corps. Toutefois, quand le cliquetis se tut, et que la chambre redevint silencieuse, tout bruit de respiration avait disparu.

Yong Sheng pensa qu'elle était entrée dans ce long sommeil, dont nul ne se réveillait jamais, mais au même instant, elle se redressa d'un bond, et se coucha à plat ventre, en râlant.

C'était la première fois qu'il voyait un agonisant. Comme dans un rêve, il la regarda se débattre et convulser. Comme elle était trempée de sueur, les rares cheveux qui restaient encore sur sa tête semblaient plus foncés. Son corps se tordit, ses bras battirent l'air, sa nuque se raidit, sa tête bascula en arrière, et elle s'arc-bouta tout entière, à la manière d'un arc bandé. Ses côtes montaient et descendaient en mouvements convulsifs. Ses pieds nus, qu'on avait débandés et qui étaient aussi tordus que deux poignées d'os informes, lançaient de violentes ruades. Enfin, elle s'immobilisa et la chambre redevint si silencieuse que Yong Sheng entendit les sifflets des colombes, à l'extérieur. Leur son, qui tournait autour de la maison et entrait par la haute fenêtre, formait une lente et funeste mélopée. Les dernières lueurs du crépuscule s'assombrirent. Dans la chambre sombre, bruissant du sombre chant des sifflets, il vit sa grand-mère écarquiller les yeux en direction de la fenêtre, par où entraient les tristes plaintes.

Il lui avait apporté un bol de soupe fait de pattes de tortue de Longue Vie et d'un fortifiant chinois nommé « Sang de dix mille ans » (on prétendait que c'était le sang des morts tombés sur les champs de bataille du Nord, qui avait inondé la terre pendant la guerre). Les lèvres gonflées de la vieille effleurèrent à peine le bol. Elle ferma les yeux et lui dit, d'une voix presque inaudible :

« Apporte-moi de l'écorce de l'aguilaire. Je veux sentir son odeur. »

Elle entra alors dans une période plus calme. Sur une chaise en acajou, à côté de son lit, on disposa une grande boîte en bois. L'aguilaire, qui avait tout juste treize ans, ne produisait pas encore de résine, mais sa pulpe avait déjà un parfum très prononcé, un peu sucré. Assise sur son lit, la grand-mère passait ses journées à prendre dans la boîte des poignées de cette pulpe, réduite en fins copeaux, qu'elle reniflait longuement, puis laissait retomber autour de sa couche. De temps à autre, elle en époussetait les particules dont son bras était parsemé, comme une fine couche de sable.

Cette accalmie fut de courte durée. Quelques jours plus tard, son état s'aggrava.

L'hiver fut particulièrement rude. Putian, où il ne neigeait que très rarement, fut cette année-là recouverte d'un épais manteau blanc. Dans la chambre de la grand-mère, on alluma quatre braséros, qui crachaient de la fumée jaunâtre. L'odeur âcre de la combustion du charbon se mêlait à celle des médicaments chinois. Du fait de l'humidité, les copeaux de pulpe d'aguilaire, qu'elle avait répandus autour de son lit, s'étaient transformés en une épaisse couche, grasse et crasseuse, sur laquelle on glissait ; quand des étincelles jaillies des braséros tombaient dessus, elles s'éteignaient aussitôt, sans faire le moindre bruit.

Malgré la neige, les membres de la famille Yong se déplacèrent pour une dernière visite, et Yong Sheng fut étonné de se découvrir autant de parents. Pour se protéger de la neige, certains portaient des chapeaux en feuilles de bambous, d'autres des parapluies en papier huilé, dont les baleines ployaient sous le vent, risquant de se rompre à chaque instant.

À la porte de la salle commune, ils ôtèrent leurs chaussures, puis déposèrent sur la table les cadeaux qu'ils avaient apportés : des fruits, des pâtisseries, des volailles, des œufs... Pour la plupart, ils n'allèrent même pas saluer la grand-mère dans sa chambre, mais se contentèrent de discuter de sa santé avec le charpentier, collés contre le poêle, en soufflant sur leurs mains gelées. Ils s'entretenaient à voix basse, et si l'un d'eux toussait, c'était avec une discrétion peu coutumière. Yong Sheng, qui avait envie d'écouter ce qu'ils disaient, alla prendre la bouilloire en cuivre qui chauffait dans la cuisine, et, bien que personne ne le lui eût demandé, il entra dans la pièce pour remplir d'eau chaude les bols de thé des invités. Aussitôt, les adultes s'arrêtèrent de parler, et tous les yeux se braquèrent sur lui. À leurs regards de comploteurs, il devina qu'ils tramaient quelque chose.

Une fois sorti, il capta quelques phrases, qui crépitèrent à ses oreilles comme du bois dans le feu.

« Il faut un heureux événement pour contrer sa maladie.

— Tu dois lui faire un beau mariage, c'est quand même ton fils unique.

— Une montagnarde de Huangshi, c'est pas plus de dix pièces d'argent ! Ça vaut le coup, si ça guérit la grand-mère !

— Dans le village de Zaolin, une fille de pêcheur coûte encore moins cher, et elles sont bien plus travailleuses ! »

Ce soir-là, seuls les plus proches parents restèrent, et les discussions se poursuivirent à voix basse ; même lorsqu'ils semblaient en désaccord, ils n'osaient pas hausser le ton. Seule la mère de Yong Sheng lança quelques jurons, qui résonnèrent jusque dans la cour silencieuse.

Après leur départ, il entendit ses parents se disputer dans leur chambre, sa mère supplier, son père s'entêter, et elle, supplier encore. Soudain, la porte s'ouvrit, et son père apparut, le visage cramoisi, le corps plus raide que celui d'un pantin.

«Il n'a pas quatorze ans, insista-t-elle à l'intérieur. C'est encore un enfant.

— On ne lui demande pas de faire des gosses, juste de se marier, pour qu'un événement heureux redonne la santé à ma mère et lui permette de vivre encore quelques années.

— Mais on ne se marie pas à quatorze ans!»

Cette phrase fut interrompue par une gifle si puissante que la femme du charpentier vacilla et manqua de tomber.

«Va dans le village de Zaolin, mon fils, et abats le plus beau camphrier, dit la grand-mère au charpentier, pour fabriquer le lit de noces de mon petit-fils.»

Derrière le village se dressait la montagne Yuanding, la seule située en aval de la rivière Mulan, qui traversait la ville de Putian. Dans cette localité de bord de mer, les terres, de part et d'autre de la rivière, étaient si fortement salées que seules quelques mauvaises herbes y poussaient.

Père et fils y passèrent la nuit à la belle étoile, à l'intérieur d'un ancien four à tuiles. Au milieu du grondement effrayant des vagues, qui roulaient alentour, le four, à l'abri du vent, était un havre de paix, où le charpentier alluma un feu avec des branches qu'il avait ramassées.

Les flammes serpentaient entre les branches, qu'elles léchaient de leur langue jaune. Leur spectacle rappela à Yong Sheng une pièce de théâtre jouée chez le pasteur Gu, à l'époque où il y habitait. Mary en avait organisé les répétitions. C'était «le sacrifice d'Isaac», qui mettait en scène un épisode de la Bible, et dont le rôle principal, celui d'Abraham, était interprété par le pasteur Gu. Il lui semblait à présent que son propre père ressemblait au patriarche, sur le mont Moriah.

Après les événements provoqués par l'opération de son ectopie testiculaire, qui avait bouleversé toute la région de Putian, il avait dû interrompre sa scolarité pour retourner vivre chez ses parents. Depuis, il n'avait jamais revu ni Mary, ni le pasteur, ni son épouse. Il était encore trop jeune pour se rendre tout seul à Hanjiang, mais tous les ans, lors des célébrations à Mazu, il cherchait toujours dans la foule sa déesse à lui, Mary. Il étudiait à présent dans une classe tenue par un précepteur privé, sur le mode de l'ancien système chinois, et des camarades lui avaient dit qu'elle avait depuis longtemps quitté Hanjiang, pour aller Dieu sait où, et que ses parents avaient regagné les États-Unis.

Le charpentier avait des mains puissantes, marbrées de veines bleues et gonflées. Dans la gauche, il tenait une longue pipe en bambou. De la droite, il agitait au-dessus des flammes son chapeau de paille taché de sueur, pour disperser la fumée. Les branches crépitaient, des flammèches rayaient l'ombre, leurs reflets dansaient sur le visage hâlé du père, sur sa moustache, sa barbe, son cou, sa poitrine, que le feu rougissait. Quand le feu eut bien pris sur les branchages, il jeta par-dessus une bûche grosse comme le bras, qui provoqua de très hautes flammes. D'un coup, l'ombre paternelle, projetée sur le mur du four à tuiles, s'agrandit, sinistre et un peu floue.

L'ombre finit par se confondre avec l'obscurité qui les entourait, le four sembla plus grand, plus vide. Assis sur les débris de tuiles et de briques, Yong Sheng vit se rejouer le spectacle auquel il avait assisté chez le pasteur Gu.

Dans l'ancienne cour des ancêtres, transformée en lieu de prière, on avait dressé une estrade, au fond de laquelle était dessiné, sur un panneau de bois, un feu au milieu des rochers. Soudain, une voix s'était élevée, derrière le panneau. La voix de Dieu :

Or ça, prends ton fils, ton fils unique, celui que tu aimes, Isaac ; achemine-toi vers la terre de Moria, et offre-le en holocauste sur une montagne que je te désignerai[1].

Abraham était apparu, avec son fils Isaac, qu'interprétait Mary. À présent, coincé dans le four à tuiles, ce n'était plus le pasteur Gu, mais son père, qui était Abraham, et lui, qui interprétait le rôle d'Isaac.

« Non, rectifia-t-il. Je ne joue pas le rôle d'Isaac. Je suis Isaac. »

Sur la scène, dans la cour des ancêtres, Abraham et son fils, l'un devant, l'autre derrière, s'étaient approchés d'une grotte, dont l'entrée était presque entièrement couverte de plantes grimpantes. Le fils, terrorisé, n'osait pas y pénétrer.

« Entre, n'aie pas peur », avait dit Abraham.

Le four à tuiles n'était guère profond, mais en cet instant, devant les yeux brûlants de Yong Sheng, il semblait d'une profondeur mystérieuse et sans limites, traversée de courants d'air humides et sinistres. Des ombres noires s'agitaient autour de lui, avec des formes étranges et agressives.

Sur la scène, Isaac avait dit à son père :

1. Genèse 22, 2.

« Mon père !

— Me voici, mon fils !

— Voici le feu et le bois, mais où est l'agneau de l'holocauste ?

— Dieu choisira lui-même l'agneau de l'holocauste, mon fils[1]. »

Ils avaient pénétré dans la grotte, où la lumière entrait par des crevasses dans la roche, mais la fumée y était si dense que les rayons lumineux mouraient avant d'atteindre le sol.

Soudain, Yong Sheng aperçut, dans l'ombre du four à tuiles, deux yeux briller comme des lucioles. Ceux d'un immense python, long de trois ou quatre mètres. De la gueule au nez, il était recouvert de chatoyantes écailles rouges et noires. Sa nuque était elle aussi tachetée de ces deux couleurs, et sa tête ressemblait à celle d'un faisan mâle. Son corps jaune pâle, rayé de noir, faisait penser à celui d'une panthère longibande.

Le charpentier lui édifia un autel. Il amassa des branches sur lesquelles il ligota son fils. Le reptile s'agita, les taches rouges et noires de sa nuque étincelèrent.

Arriva le moment qui avait le plus effrayé Yong Sheng, au cours du spectacle : l'holocauste.

« Le père étendit la main et saisit le couteau pour immoler son fils[2].

— Non ! Charpentier Yong ! »

Il sembla à l'enfant entendre crier au loin. Une voix surgie de sa mémoire, celle d'un envoyé du Seigneur, qui appelait son père, du haut du ciel.

1. Genèse 22, 7-8.
2. Genèse 22, 10.

« Charpentier ! Charpentier de Putian.

— Me voici, répondit son père.

— Ne porte pas la main sur ce jeune homme, ne lui fais aucun mal ! Car, désormais, j'ai constaté que tu crains Dieu, toi qui ne m'as pas refusé ton fils, ton fils unique, pour sauver ta mère [1]. »

Le charpentier Yong fabriqua lui-même le lit nuptial de son fils de quatorze ans. C'était son cadeau de mariage. Il avait abattu un grand camphrier, dont l'écorce ressemblait à la peau d'un tigre, et l'avait débité en planches épaisses, qu'il devrait maintenant scier en planches plus minces pour réaliser le chevet.

En plissant les yeux, il observa le fil du bois sur lequel il allait marquer le trait de scie (un moment qu'il aimait particulièrement), avec une fine cordelette trempée dans l'encre. Il la tendit au-dessus du bois, la pinça comme la corde d'un instrument de musique, la relâcha, et l'encre se déposa, en une ligne droite et précise, sur le bois qui dégageait une délicieuse odeur camphrée.

La fabrication du lit avança rapidement ; chaque jour, il prenait un peu plus forme.

Les copeaux qui frisottaient sous le rabot, les lamelles de bois qui tombaient sous les coups d'herminette, les mortaises creusées au ciseau, les tenons verticaux… Tout cela se répandait comme des cataractes, qui envahissaient la tête de l'adolescent et lui noyaient le cerveau. La torture dura plusieurs

1. Genèse 22, 12. À l'exception du dernier segment de phrase : « pour sauver ta mère. »

semaines, car son père tenait à faire de son lit de noces un chef-d'œuvre de raffinement.

Chaque jour, le charpentier travaillait jusque tard dans la nuit, et s'il arrivait à Yong Sheng de se réveiller après minuit, il entendait encore le son des outils paternels sur le bois. Dans la pièce qui jouxtait sa chambre nuptiale, ils avaient déjà installé une table, des tabourets, une armoire à linge et une coiffeuse, sur laquelle était posée une haute pile de couvertures rouges, qu'ils disposeraient plus tard sur la couche. Derrière cette pièce se tenait l'atelier de son père, dont le bruit des outils, creusant et sculptant, traversait les murs jusque dans la chambre de l'adolescent.

Le charpentier disait souvent que sa tête n'avait aucune mémoire, mais que ses mains, lorsqu'elles tenaient un ciseau à bois et un marteau, se souvenaient toujours du geste juste; la mémoire des gestes était gravée dans son corps.

Le lit nuptial du jeune homme, un haut meuble soutenu par six colonnes, était fermé sur trois côtés par des balustrades sculptées, le quatrième étant pourvu d'un rideau. La balustrade, à la tête du lit, était sculptée de fleurs de grenadier, symbole d'une nombreuse descendance, et celles des côtés de pommiers à bouquets, emblèmes de richesse et de prospérité. Sur chacune des six colonnes qui soutenaient le lit étaient sculptés trois dragons, dont les pattes reposaient sur le sol. Le charpentier avait réalisé un ouvrage plutôt chargé.

Sa nuit de noces, le jeune marié terrorisé la passa sous une table carrée, autre cadeau de mariage, que son père avait fabriquée avec le reste du bois de camphrier. Par égard pour la beauté naturelle du bois, il l'avait laissé brut. Sa forte odeur camphrée piqua le nez de Yong Sheng toute la nuit.

Vu de dessous la table, le lit nuptial ressemblait à une île, dressée au milieu d'un océan de feu, sur lequel jouaient l'ombre et la lumière. Les couvertures et édredons de satin rouge ajoutaient encore à cette impression d'être encerclé par les flammes. Le rideau de soie accroché à la porte de la chambre était rouge, les carreaux de papier qui couvraient la fenêtre étaient rouges, la lanterne suspendue au plafond… Tout était rouge ou baigné de lumière rouge. L'odeur de la bougie fondue, qui envahissait la pièce, rendait l'atmosphère encore plus étouffante.

La jeune mariée, qui avait seize ans, soit deux de plus que Yong Sheng, était originaire du village de Zaolin, au bord de la mer.

Sans y prêter attention, il avait entendu dire que son beau-père était un peintre, surnommé « papa pochard », qui aimait particulièrement peindre des grues. Comme son nom de famille était Huang, qui signifie « jaune », on l'appelait aussi « la vieille grue jaune ». Celui de qui Yong Sheng tenait l'information avait ajouté une phrase, à laquelle il n'avait rien compris : « Dès que ton épouse entrera dans le palanquin nuptial, on oubliera le nom de sa famille, parce qu'elle prendra le tien. »

Assise sur l'île en flammes, au milieu de l'océan rouge, la jeune fille dénoua lentement ses nattes couleur de jais, longues de presque un mètre, sur toute la longueur desquelles étaient attachés des rubans de couleur, qu'elle noua autour de son poignet.

Sous la table, Yong Sheng releva la tête, pour observer la lanterne rouge suspendue au plafond par une longue chaîne, dont la cire fondue des bougies tombait goutte à goutte sur les dalles du sol, où elles formaient de petites flaques, couleur de sang, qui séchaient rapidement.

Sur le lit, au milieu des dix-huit dragons sculptés sur les colonnes, la jeune mariée finit par s'endormir. Lorsqu'elle se réveilla, les bougies de la lanterne étaient presque toutes consumées, et la chambre baignait dans une sombre lumière pourpre. Par ennui, elle refit ses tresses, les dénoua à nouveau, et les refit à plusieurs reprises.

Toujours caché sous la table, Yong Sheng vit soudain l'ombre noire de la jeune fille se déplacer sur le mur.

Elle venait vers lui. Bien qu'il n'entendît pas le bruit de ses pas, il voyait sa silhouette s'allonger et prendre l'apparence du python de la grotte. Il en eut les cheveux qui se dressèrent sur la tête.

L'ombre grandit de plus en plus, légèrement chaloupée.

De rouge et noir, les taches sur la nuque du python étaient devenues cramoisies. Sa tête était auréolée d'un halo rubis, qui brasillait comme la lanterne suspendue au plafond.

Dans le silence, le python apparut soudain, en un éclair, devant la table.

La silhouette de la jeune épouse passa tout près du nez du jeune marié.

Il entendit le python prendre la lampe à pétrole posée sur la table et en retirer l'abat-jour en métal.

Ses chaussons de satin rose étaient à portée de sa main, de même que le bas de son pantalon en soie jaune, qui, au gré de ses mouvements, prenait des reflets mordorés.

La lampe s'alluma, et peu à peu, une lumière légèrement verdâtre éclaira le sol devant la table.

« Elle allume la lampe pour venir me chercher », pensa-t-il.

Sa respiration s'accéléra.

Enfin, éclairée par la lampe à pétrole qu'elle tenait à la main, l'ombre noire s'éloigna.

Il l'entendit marcher vers un coin de la chambre, derrière un rideau, d'où elle tira le seau d'aisances, qui résonna bientôt d'un bruit de cascade.

Le jet s'affaiblit peu à peu et laissa place à un léger ruissellement. Soudain, un hurlement affreux monta hors de la pièce, qui marqua la fin de l'holocauste chinois de Putian.

«Maman, comment peux-tu partir comme ça, et nous laisser seuls au monde?»

Ce projet de mariage précoce, censé contrarier l'agonie de la grand-mère, fut un échec, et certains murmurèrent même qu'il avait précipité sa mort.

CHAPITRE 4
Heling

« Papa pochard », le beau-père de Yong Sheng, était le seul peintre de la région à réaliser des fresques murales. Sur un mur de la maisonnette à toit de chaume, récemment construite pour les jeunes mariés, il avait peint une grue blanche qui, au cœur d'un marais, tournait la tête en direction d'un escargot, sa nourriture préférée. Le vieux peintre avait su rendre avec une grande vérité l'attitude de l'échassier, tête haute, pattes écartées, et, surtout, le frémissement de contentement de sa tête, que la lumière du soleil couronnait d'un diaphane halo doré.

Yong Sheng se souvenait d'une autre fresque, celle du temple shaolin de Putian, où il avait jadis accompagné son père, et qui représentait les démons des Enfers. Il n'avait jeté qu'un coup d'œil à la peinture, mais depuis, il n'avait jamais osé retourner dans ce temple, et si le chemin le plus court impliquait de passer devant, il préférait faire un détour, de peur d'entendre les cris déchirants des suppliciés. La grue peinte par son beau-père était pareillement le genre d'œuvre qui parlait à l'oreille. Il suffisait de rester devant, fût-ce quelques secondes, pour croire entendre le léger frémissement de ses plumes, l'impalpable frisson de son duvet dans le vent, le doux grattement de ses longues pattes, à la maigreur disproportionnée, sur la terre du marais.

Yong Sheng s'approcha du mur et tendit la main pour caresser la grue blanche. Le vieux peintre avait employé la meilleure peinture, celle utilisée pour les barques et les bateaux. Parfois, il avait réalisé un détail en un coup de pinceau, parfois il avait passé des heures à fignoler l'ongle d'une patte. Il avait d'abord recouvert le mur granuleux d'une épaisse couche d'enduit noir, fait d'un mélange de suie grasse, de poudre de coquillages noirs, de condensé d'encre noire, de poudre de perles noires et autres minéraux de la même couleur. Contrairement à la laque, cet enduit n'était pas brillant, mais il donnait l'effet d'un lourd rideau de velours, comme on en accroche sur une scène d'ombres chinoises. Sur cette tenture noire, il n'y avait ni fleurs épanouies, ni oiseaux dans le ciel, ni poissons dans l'eau, juste une grue blanche.

Sur le ventre du grand échassier, à la jonction des pattes, il avait peint une clochette de cuivre étincelant, et en bas de la fresque, il avait calligraphié ces deux vers :

Une clochette tinte au-dessus de la rivière Mulan.
Une grue s'est posée sur la colline de la famille Yong.

Le premier nom de chacune des deux phrases formait le nom de sa fille, l'épouse de Yong Sheng : Heling, Clochette de la Grue.

La colline où se dressait la maison du charpentier Yong faisait partie du mont Longquan, à l'extérieur de la bourgade de Jiangkou. Le mont Longquan s'étendait d'est en ouest sur cinq ou six kilomètres, et plusieurs villages étaient disséminés le long de ses plus basses collines, constituées de rizières et de terres agricoles. Sur le versant derrière sa maison, le charpentier Yong possédait un hectare de terrain, qu'il offrit à son fils, mais comme celui-ci travaillait principalement, comme son père, à fabriquer des sifflets pour les colombes, il en confia l'exploitation à Heling, qui décida d'y créer un verger.

Des années plus tard, une plantation d'arbres fruitiers se dressait fièrement sur la colline, comme une silhouette découpée dans de la tôle, qui attirait le regard à des kilomètres à la ronde.

Elle commença par planter des litchis et des longaniers, au pied desquels elle fit pousser du lierre à croissance rapide, pour former une barrière, de chaque côté de laquelle elle planta des faux acacias et des thuyas de Chine, en rangs très serrés, pour protéger le verger du vent. Dans les ravines, en bordure du torrent, elle choisit de mettre des saules.

Le lopin de terre, dont elle voulait faire son verger, mesurait environ huit cents mètres carrés, et elle se donna beaucoup de peine à en enlever toutes les pierres. La terre était maigre. Avant de planter les arbres, elle creusa de grands trous, puis ramassa du limon fertile de la rivière, qu'elle répandit tout autour des plants, pour les aider à prendre racine. Au centre du verger, elle installa une immense jarre (par bonheur, peu après sa naissance, la tradition des petits pieds bandés avait été abandonnée), et chaque matin, elle se rendait à pied dans le bourg de Jiangkou, où elle récupérait chez les bouchers de l'eau grasse, des boyaux et autres déchets de cochons invendables pour les transformer en fertilisant. Elle en remplissait deux seaux, accrochés aux deux extrémités d'une palanche, qu'elle portait sur les épaules. Chaque jour, elle faisait plusieurs allers-retours, chargée de son fardeau. Au retour, les seaux étant pleins et la pente ascendante, elle s'arrêtait régulièrement pour éponger la sueur qui coulait sur son visage et se reposer un peu. Une fois arrivée dans le verger, elle vidait les seaux dans la grande jarre à purin ; puis, à l'aide d'une louche en bois, à manche de bambou, elle en arrosait les jeunes plants.

Quatre ans après le mariage de son fils, le charpentier Yong fut engagé par un colombophile fortuné pour fabriquer des sifflets, et il quitta Putian avec son épouse pour s'installer dans le très chic quartier des Trois Rues et Sept Ruelles de Fuzhou. Avec l'argent qu'il leur envoya, les jeunes mariés achetèrent le demi-hectare de terrain qui jouxtait le sud de leur verger, dont la terre était plus riche, et où ils plantèrent encore des litchis, entre lesquels ils semèrent des petits pois et des fèves. En fait, ils semèrent des légumes partout où ils le purent, le long du chemin qui menait au verger et tout autour de leur chaumière.

Après qu'un typhon eut entièrement détruit la vieille maison du charpentier, Yong Sheng en construisit une nouvelle, à toit de chaume, qui comprenait trois pièces : une salle commune, une chambre et une cuisine, qui servait aussi de remise à outils. La salle commune était exposée plein sud, et le charpentier, qui avait demandé un congé pour rentrer à Putian, y avait fait montre de son talent. Il avait construit le mur extérieur avec vingt planches de bois, encastrées dans deux glissières verticales, de façon à pouvoir les enlever facilement, pour ouvrir la cloison sur l'extérieur. À gauche de la porte, les jeunes plantèrent des courges, qui étendirent leurs vrilles jusque sur l'auvent, et à gauche, des bambous domestiques.

Devant la chaumière, l'aguilaire, qui avait grandi avec Yong Sheng, se dressait fièrement, comme un immense parasol, prêt à affronter le monde. Il n'était plus un arbuste, comme en témoignaient son tronc couvert de mousse et ses solides racines aériennes, sur lesquelles les époux aimaient à s'asseoir, pour renifler le délicat parfum de son écorce.

Un jour, ils se rendirent tous les deux à Fuzhou pour voir les parents de Yong Sheng chez M. Ge, le riche colombophile chez qui travaillait le charpentier. Il vivait dans la Rue Jaune, à l'intérieur du fameux quartier des Trois Rues et Sept Ruelles. De chaque côté du portail de sa résidence, sur des panneaux verticaux, étaient calligraphiées ces phrases : « Le fondateur de cette famille, Ge Hong, de la dynastie des Jin orientaux, fut le premier alchimiste chinois. » Était-ce vrai, nul ne pouvait le dire.

Bien que la demeure de la famille Ge ne fût pas aussi prestigieuse que celle des protagonistes du *Pavillon rouge*, ni même aussi vaste que celle du pasteur Gu, avec ses sept cours, elle disposait toutefois d'une cour réservée à l'élevage des colombes, avec un grand bassin, où les pigeons s'égaillaient. Il était entouré de roches calcaires, extraites du lac Tai, et de pierres meulières aux formes contournées, trouées comme des éponges, sur lesquelles l'eau tombait d'une haute cascade, diffusant alentour une brume verdâtre, qui enveloppait les visiteurs de sa caresse humide. Le colombier était un riche ouvrage, dont les poutres du toit et les colonnes étaient sculptées et peintes. Chaque compartiment était pourvu d'une porte coulissante rouge corail, le sol était recouvert d'un épais tapis de gazon, et les murs d'une quantité de petits miroirs. À la tombée de la nuit, quand les compartiments s'allumaient, le reflet des colombes, multiplié à l'infini par les miroirs éclairés, les jeux d'ombre et de lumière féeriques sur les colonnes et les poutres sculptées, donnaient l'impression que le bâtiment, échappant à la gravité de ce bas monde, allait s'envoler dans le ciel, et disparaître avec tous ses locataires.

Dans un ouvrage intitulé *Généalogie de la famille Ge*, le célèbre savant chinois Ge Zaoguang écrit : « Mon grand-père, Ge Zicheng (1890 ?-1952), avait été, vers la fin des années vingt, commandant de marine, avant de gravir les échelons, pour devenir vice-amiral. À l'époque de la République, pour monter en grade, dans l'armée ou la fonction publique, il fallait être diplômé. Mon grand-père avait affirmé avoir fait partie de la sixième promotion de "l'Académie militaire de Baoding", ce qui faisait de lui le camarade de promotion de grands généraux du Guomindang et du Parti communiste, tels que Yi Ting, Gu Zhutong, Deng Yanda…, dont les noms prestigieux ont marqué l'histoire chinoise. À sa création, sous la dynastie des Qing, l'Académie de Baoding était un simple centre de formation d'arts martiaux, mais au début de la République, sa renommée n'était que très légèrement inférieure à celle de Huangfu, d'où Chiang Kai-shek était sorti. Entre 1921 et 1923, il y avait eu neuf promotions, qui comptaient, parmi les anciens élèves, de nombreux grands généraux. Bien des années plus tard, mon jeune frère, Ge Xiaojia, qui enseignait dans une université américaine, trouva dans les archives de la bibliothèque du Sénat, à Washington, des documents sur l'Académie militaire de Baoding, où le nom de Ge Zicheng figurait bien dans la liste des élèves. Mais au soir de sa vie, notre père nous raconta une anecdote amusante. En réalité, ce n'était pas notre grand-père qui avait étudié à l'académie militaire, mais son petit-cousin, qui portait le même nom que lui. Comme ce dernier, dont la seule passion sur terre était l'élevage des colombes, n'avait eu aucune envie d'embrasser une carrière militaire à la fin de ses études, mon grand-père s'était servi de son diplôme, au début des années vingt. »

Ainsi, le M. Ge, chez qui le charpentier Yong fabriquait des sifflets, n'était pas le général Ge Zicheng, mais son petit-cousin, à qui le grand-père de Ge Zaoguang et Ge Xiaojia avait offert une partie de sa fortune, pour faire construire le colombier de ses rêves.

Pendant leur séjour à Fuzhou, Yong Sheng et Heling entendirent une histoire, qui circulait dans le milieu des colombophiles, à propos de quatre couples de colombes de M. Ge.

Dans son livre intitulé *Quarante ans de scène*, le fameux chanteur d'opéra chinois Mei Lanfang faisait allusion à un portrait à l'huile de colombes gris-argenté, aux yeux vermillon : « Un jour, M. Feng, un de mes meilleurs amis, m'annonça, tout joyeux : "J'ai trouvé par hasard une antiquité, qui, je crois, va t'intéresser et que je veux t'offrir." Il sortit alors un cadre vitré dans lequel il y avait, sur fond noir, la peinture d'un couple de colombes gris cendré, avec des yeux et des pattes rouges, posé sur un rocher artificiel, couleur d'azur. C'était une peinture animalière très réaliste, de facture occidentale. Je crus d'abord qu'elle avait été réalisée sur du papier, que la vitre servait à protéger, mais en réalité c'était la face interne de la vitre qui était peinte (avec la technique employée pour peindre l'intérieur des tabatières en verre). Le tableau était attribué au grand peintre italien Castiglione [...]. Je l'ai trouvé si adorable, que je l'ai aussitôt accroché sur un mur de mon salon, où je l'ai maintes fois contemplé, et où il se trouve encore. Il m'accompagne depuis plus de vingt ans. »

En dépit de sa fortune et de ses nombreuses relations, Mei Langfang ne trouva jamais de colombe gris cendré, et il dut se contenter d'en admirer le portrait sur une vitre, ce qui donne un aperçu de la valeur d'un tel spécimen. Or, de ces oiseaux si précieux, M. Ge en possédait quatre couples, de quoi faire pâlir de jalousie le grand maître de l'opéra chinois.

Dans le deuxième volume de son ouvrage *Jin Hun Dui*, l'antiquaire et érudit Wang Shixiang parle en ces termes de sa propre colombe grise : « Elle est toute petite, mais très douée pour le vol, je peux même dire exceptionnelle. Malgré sa taille, elle porte avec aisance un gros sifflet de marque Min, sans jamais être à la traîne des autres, alors qu'un pigeon plus imposant qu'elle n'avait pu le supporter. Quand je l'ai essayé sur ma colombe argentée tachetée, elle n'a ressenti aucune difficulté. »

Cet oiseau, que Wang Shixiang appelait sa colombe argentée tachetée, présentait, au bout des ailes, une ligne plus foncée, et, sur tout le corps, une multitude de taches et fines rayures. C'était le nec plus ultra des colombes argentées. Le sifflet de marque Min était l'œuvre d'un fabricant pékinois, contemporain du charpentier Yong ; quant au pigeon plus imposant qui n'avait pu le supporter, c'était une colombe à plumage blanc immaculé.

Les colombes gris-argenté étaient donc fort rares et exceptionnelles, et M. Ge profita de la présence de Yong Sheng à Fuzhou pour commander au père et au fils deux paires de sifflets, afin de voir qui était le meilleur. Pour l'occasion, il employa deux opérateurs et loua deux caméras identiques, avec les mêmes objectifs et les mêmes pellicules, pour filmer le travail de l'un et de l'autre, chacun œuvrant dans une pièce différente. À la fin, il étudia ces images pour les comparer, et découvrit ceci : le père et le fils avaient creusé les sifflets et pratiqué des ouvertures avec les mêmes gestes. Ils avaient ensuite façonné quatre fins tuyaux, à partir d'une tige de bambou, les avaient sciés, limés, puis placés sur les sifflets, de façon que chaque ouverture correspondît exactement aux diamètres des tuyaux. Là encore, on eût dit que tout avait été fait par une seule et unique personne. L'un comme l'autre avaient peint les tuyaux et laissé les sifflets au naturel, afin de ne pas les alourdir inutilement. Sans davantage se concerter, ils avaient tous deux rehaussé le fond des tuyaux, afin d'améliorer la qualité des aigus. Seuls les amateurs les plus avisés étaient capables de remarquer une subtile différence entre leurs sifflets, et celle-ci se trouvait dans leur signature, « Yong », qu'ils avaient gravée au ciseau. Dans celle du père, les coups de lame se sentaient dans chacun des traits de l'idéogramme, tandis que celle du fils était plus ronde, avec des traits légèrement relevés à l'extrémité.

À la fin de leur séjour à Fuzhou, Heling fit un pèlerinage à la montagne du Tambour, qu'elle gravit jusqu'au sommet, en compagnie de sa belle-mère. Là, elle pénétra dans une grotte, qui, d'après la légende, favorisait la fécondité des femmes. Dans ce lieu sombre, on entendait vaguement murmurer une source. Elle alluma des bâtons d'encens et se prosterna devant un grand rocher, battu depuis des millions d'années par les vagues de la mer, qui avaient fini par y creuser, comme une blessure profonde, une fente verticale, symbolisant un sexe féminin.

Mais au printemps 1931 se produisit un événement, qui bouleversa la vie de Yong Sheng :

Le retour du pasteur Gu.

CHAPITRE 5

L'eau lustrale

Voici ce qui s'était passé : la petite-fille bien-aimée du pasteur Gu – la fille unique de Mary –, dont Yong Sheng avait partagé la chambre dans son enfance, était morte à Pékin, de fièvre typhoïde. Après son décès, toute la famille était allée exercer sa mission évangélisatrice dans la province du Shandong, où Mary avait épousé un missionnaire américain, un pasteur de l'Église presbytérienne, qui était une sérieuse adversaire de l'Église baptiste à laquelle appartenait le pasteur Gu. Elle l'avait suivi dans le sud-est de la Chine, où il avait été nommé, et n'avait plus jamais donné de ses nouvelles. Quant à l'épouse du pasteur, qui avait créé et dirigé l'école chrétienne de Hanjiang, elle avait été rappelée à Dieu quelques mois plus tôt, et le pasteur, qui avait soixante ans et une mauvaise santé, avait souhaité revenir à Putian, qu'il considérait comme sa seconde patrie.

Yong Sheng se rendit à Hanjiang, pour écouter son premier prêche, après son retour. À cinquante mètres de la résidence, il fut soudain enveloppé par une odeur qui lui coupa le souffle. Une odeur qui imprégnait toujours, tant d'années après, cette vaste demeure aux hauts murs d'enceinte, provenant d'un endroit secret, caché aux yeux de tous. Dans un bruit sourd, comme un coup de marteau sur une enclume, l'un des deux lourds battants du portail se referma, et soudain, les rumeurs du village s'éloignèrent, brusquement séparées de l'intérieur de cette maison si singulière.

Le haut mur d'enceinte qui, dans son enfance, semblait disparaître dans les nuages, ne lui procura plus la même sensation de vertige ; il n'était plus désormais une barrière infranchissable. Il avait entendu dire que le jour de sa « circoncision » la foule déchaînée avait tenté d'incendier ce bastion de la chrétienté. La tentative avait tourné court, mais le mur en portait encore les noirs stigmates. Il était couvert d'une pellicule de suie gris foncé, qui rappelait le cul des casseroles des gargotes crasseuses de la région.

Au sommet, dans les fissures des briques, poussaient encore quelques touffes d'herbes folles, des pervenches obstinées, et même un ou deux arbrisseaux.

Le long du mur, les deux corridors que parcourait le veilleur de nuit en annonçant l'heure, au cours de ses rondes nocturnes, étaient à présent envahis par le chiendent et les orties.

Soudain, dans le coin d'un mur lépreux, il fut surpris par le surgissement d'un fantôme du passé, qu'il reconnut aussitôt : l'épave de la bicyclette de Mary, qui le prenait souvent sur son porte-bagages. Elle n'avait plus de roue avant, la roue arrière avait perdu la moitié de ses rayons, ce n'était plus qu'un tas de ferraille rouillée, abandonné contre un mur. Yong Sheng s'en approcha, s'accroupit devant elle, et la tapota gentiment, comme il l'eût fait sur l'épaule d'un ami. Lorsqu'il posa la main sur les pédales, il crut sentir encore la tiédeur des pieds nus de Mary, et revoir sa jeune institutrice qui montait en danseuse, dressée comme une amazone sur les étriers d'un cheval au galop.

Il s'assit discrètement, au dernier rang, dans la salle de prière, puis il ferma les yeux, et se mit à somnoler. Les fidèles entraient et s'installaient sur les bancs, les hommes d'un côté, les femmes de l'autre.

Un soudain silence le tira de sa somnolence. On n'entendait plus un bruit de toux. Le pasteur Gu arrivait à la tribune. Courbé par la maladie, il leva les yeux, encore plus brillants que par le passé, en direction du plafond, comme pour en contempler une fissure, puis il balaya du regard le visage de ses paroissiens et s'arrêta sur Yong Sheng.

Il le fixa longuement, puis il bougea les lèvres, et, détachant chaque mot, à la manière de notes jouées d'un doigt sur un piano, il dit : « Le fils du charpentier. »

Durant un court instant, Yong Sheng fut un peu perdu, et se demanda si c'était bien lui qu'il désignait ainsi. Puis il se dit que, dans l'assistance, il n'y avait pas d'autre fils de charpentier, ni de Jiangkou ni de Hanjiang.

Ces premiers mots prononcés, d'autres s'échappèrent de la bouche du pasteur, des mots souvent inconnus de Yong Sheng, qui se rassemblaient pour former des sons, parfois des grondements, puis des murmures et, de nouveau, clairement prononcé : « Le fils du charpentier. »

Les prêches de Gu, issu d'une famille de trois générations de pasteurs, étaient toujours très vivants. Yong Sheng se souvenait l'avoir vu, dans son enfance, passer des heures à en rédiger les brouillons, sur des cahiers qui remplissaient les placards et s'entassaient en hautes piles sur son bureau. Mais il ne les utilisait jamais lors de ses sermons, comme si les mots qu'il avait couchés sur le papier s'étaient gravés dans sa mémoire.

Et voilà qu'il racontait à tous les fidèles la vie du fils du charpentier, avec des jeux de voix dignes d'un grand acteur de théâtre, qui interprète à lui seul tous les rôles : il était tour à tour juge, marchand, Juif, traître, apôtre... Porté par son élan oratoire, il volait de plus en plus haut sur les ailes du langage. On eût dit que, dans le ciel, il perçait les nuages de son œil d'aigle, et était témoin de chaque scène, aux portes de Jérusalem. Il décrivait le mont des Oliviers, à l'est de la cité ; Gethsemani, où le fils du charpentier se réunissait avec ses disciples et était arrêté ; le mont de la Désolation[1], où les concubines étrangères du roi Salomon venaient sacrifier à leurs dieux, et le dôme de l'Ascension[2], où il monta au ciel, le matin, à sept heures, au quarantième jour de sa résurrection.

Ici, le pasteur fit une pause, pour laisser ses auditeurs imaginer le frémissement des feuilles d'arbres, que le vent agitait au sommet du Dôme, enveloppé d'une brume évanescente et sacrée. Après avoir parlé une dernière fois à ses apôtres, le fils du charpentier s'éleva dans les cieux, happé par une nuée épaisse et laiteuse, qui se déploya sur le rocher où il se tenait debout, puis sur toute la colline, comme une aveuglante avalanche. Quand elle se fut dissipée, percée par les premiers rayons du soleil matinal, il avait disparu.

« Ils ne virent plus qu'une lumière diffuse, reprit le pasteur, dans laquelle on ne distinguait plus le ciel de la terre ; un brouillard argenté, dans lequel toutes les couleurs et toutes les formes avaient disparu. Ils eurent une vision fugace de ce qu'on nomme éternité. »

1. I Rois 11, 7-8. Aussi appelé mont du Scandale.
2. Actes des Apôtres 1, 9-12.

Depuis un moment, Yong Sheng avait compris que ce n'était pas lui le sujet principal de cette histoire, mais c'était sans importance. Plus le pasteur répétait ces mots « le fils du charpentier », plus il se sentait fier, car il se savait désormais lié à un dieu : « Nous avons l'un et l'autre passé notre enfance dans la maison d'un charpentier. Bon sang ! Je n'avais pas compris que les petites taches sur la tête de sa statue en bois, dans l'alcôve secrète de Mary, symbolisaient les copeaux tombés du rabot de son père, lorsqu'il jouait dans son atelier. »

À la fin de son prêche, le pasteur Gu distribua le pain de la sainte communion, en citant un passage des Évangiles : « Jésus souleva le pain, il le bénit, le rompit, et le donna à ses disciples en disant : Prenez et mangez-en tous. »

En recevant le morceau de pain que le pasteur lui tendit, il lui sembla que celui-ci avait une odeur familière de sciure de bois.

« Monsieur, dit-il au pasteur, pourriez-vous me donner le baptême ?

— Pourquoi voulez-vous vous convertir au christianisme ? »

Il avait l'intention de répondre : « Parce que j'ai passé une partie de mon enfance dans cette cour, et vécu dans la maison de Mary » mais, à sa grande surprise, la phrase qui sortit de sa bouche fut celle-ci :

« Je suis le fils du charpentier. »

Dans la cour des ancêtres, le bassin des baptêmes, qu'on n'avait pas utilisé depuis des années, était rempli d'eau croupie. De drôles de plantes aquatiques, en forme de pattes de crabe, en avaient infesté le fond ; un arbuste avait poussé sur le bord, envahi par les mauvaises herbes, et ses racines s'étendaient sur les parois, qu'elles commençaient à déformer. Yong Sheng passa deux jours à le nettoyer et à refaire les marches, par lesquelles on descendait.

Il n'y avait personne d'autre que lui et le pasteur Gu. Tout était silencieux. La résidence avait toujours été un lieu paisible, mais le silence d'aujourd'hui avait une densité toute particulière. Alors qu'ils se faisaient face, debout dans l'eau du bassin, il se mit soudain à pleuvoir. La pluie crépita sur l'eau, sur les touffes d'herbes folles, au sommet du mur d'enceinte, sur la carcasse rouillée de la vieille bicyclette, et ils furent bientôt encerclés par le crépitement de milliers de gouttes d'eau.

Le pasteur Gu, que la maladie empêchait de se tenir droit, commença à réciter l'article de foi de la Sainte-Trinité du baptême.

Sa voix se mêla au bruit de la pluie. Les mots et les gouttes tombaient ensemble, dans une subtile harmonie. Avec un léger tremblement, chaque syllabe sortait de la bouche du pasteur comme autant de perles invisibles échappées d'un chapelet, dont l'écho faisait paraître la cour plus vaste qu'elle n'était.

Allez donc et faites des disciples des gens de toutes les nations, les baptisant au nom du Père, et du Fils, et du Saint-Esprit[1].

Le pasteur souffla longuement à la surface de l'eau, et les sillons profonds qui ravinaient le front du vieil homme se confondirent un instant avec les rides de l'eau.

Il souffla encore une deuxième fois, puis une troisième, et bien qu'il n'eût pas l'air d'y mettre beaucoup de force, mais

1. Évangile selon Matthieu 28, 19.

d'accomplir seulement un geste symbolique du rituel, Yong Sheng remarqua que les veines de ses tempes étaient gonflées comme des racines.

« Seuls les pasteurs ont le droit de donner la bénédiction. Sais-tu avec quelle main on bénit ?

— Non.

— La main droite. C'est aussi avec elle qu'on baptise. Souviens-toi toujours de cette phrase : Baptiser un homme, c'est aussi le bénir. »

Il souleva sa main droite, et Yong Sheng remarqua sa peau flétrie, sur laquelle l'eau ruisselait jusqu'au bout des doigts. Les grosses veines qui couraient sur sa main avaient une couleur différente de celles des Chinois ; sous la pluie, elles étaient d'un bleu profond, légèrement verdâtre. Il ne parvenait à détourner son regard de cette main mouillée, dont la peau, entre le pouce et l'index, était un peu rouge.

Doucement, comme au ralenti, l'index et le majeur du pasteur plongèrent dans l'eau, puis se redressèrent vers le ciel, où ils tracèrent le signe de la croix.

De même que sa bouche avait soufflé à trois reprises à la surface de l'eau, ses doigts firent trois fois les mêmes gestes.

Yong Sheng, dont les yeux étaient fiévreux et pleins d'agitation douloureuse, regardait toujours, mais ne voyait plus rien.

La main du pasteur lui enfonça la tête dans l'eau.

« Je reçois le baptême. » Alors que, comme un enfant, il se parlait à lui-même, il avala une gorgée d'eau.

Il ouvrit les yeux dans l'eau, et vit une multitude de points lumineux, qui se divisaient chacun en poussières frissonnantes, pour former des traînées étincelantes. Soudain, il l'aperçut. Mary. D'abord comme une tache lumineuse insignifiante, qui s'approcha de lui, enveloppée d'une brume qui rendait tous ses gestes étranges. Elle tenait à la main des marionnettes chinoises, dont les vêtements, perlés de gouttes, miroitaient d'un merveilleux éclat argentin. Sur son bras droit, elle portait le petit Yong Sheng, âgé de cinq ans. Les unes après les autres, elle baptisa toutes les marionnettes, puis elle trempa l'index et le majeur dans l'eau et dessina trois fois le signe de la croix au-dessus de la tête du garçonnet, avant de le plonger tout entier dans l'eau. Il entendit sa voix, qui disait :

« Dans ce monde, qu'y a-t-il de plus naturel et de plus beau que l'eau ? Dieu, dans Sa miséricorde, a choisi l'élément le plus pur et le plus limpide pour le baptême. »

CHAPITRE 6

Le préposé aux colombes

Les quarante-six colombes blanches à pattes poilues, de race américaine, que le pasteur Gu élevait dans son ancienne résidence de Pékin, furent rapatriées à Putian, dans vingt-trois cages fabriquées par Wang Laogen, qui était chargé de s'occuper des volatiles. Elles effectuèrent un long voyage de plusieurs milliers de kilomètres, en train, en camion, en bateau, en canot, en cyclo-pousse, et même dans des brouettes poussées par des paysans. Enfin, trois semaines après l'arrivée du pasteur, elles parvinrent à bon port, sans la moindre perte, grâce aux soins minutieux de M. Wang.

Il dut toutefois repartir à Pékin dès le lendemain, car il avait trouvé un nouvel emploi chez un prince de l'ancien régime, lui aussi amateur de colombes. Bien des années auparavant, la première fois qu'il était arrivé à Putian, le pasteur Gu, colombophile depuis son enfance, avait apporté dans ses bagages un couple de colombes blanches à pattes poilues. À cette époque, les toits des maisons chinoises étaient recouverts de petites tuiles serrées, comme les dents d'un peigne, et, de crainte que les longs poils des pattes de ses volatiles ne se coinçassent dans les interstices, il avait fait changer la couverture de tous les toits. Les quarante-six colombes qu'il élevait aujourd'hui étaient les descendantes de ce premier couple, qui l'avait suivi dans ses déménagements, à la manière de la peinture sur vitre qui avait accompagné le grand maître de l'opéra chinois Mei Lanfang pendant plus de vingt ans. Seulement, il n'avait plus la force de s'en occuper.

Sa santé s'était gravement détériorée, et il disait souvent : « Dans la province du Shandong, ma santé s'est dégradée d'une année sur l'autre. À Pékin, elle s'est dégradée d'un mois à l'autre, et aujourd'hui elle se dégrade de jour en jour. »

Le jour de l'arrivée des quarante-six colombes, il remarqua un geste de son nouveau catéchumène : Yong Sheng en prit une dans la main gauche, plaça l'index et le majeur sous le cou du volatile, et le pouce sur la nuque. Le pasteur Gu reconnut aussitôt le geste d'un véritable colombophile, pour identifier le sexe d'un pigeon. Et alors que la petite femelle ouvrait délicatement ses yeux vermillon dans la main du jeune homme, il décida que ce serait lui son nouveau préposé aux colombes.

Yong Sheng s'installa donc dans la demeure du pasteur. Au premier abord, l'immense résidence, avec ses sept cours, semblait avoir gardé une certaine solennité, mais un coup d'œil lui suffit pour comprendre que sa splendeur passée n'était plus qu'un lointain souvenir. En dehors de la cour des ancêtres et de celle du pasteur, les autres, y compris celle où Yong Sheng avait passé deux ans, étaient fermées, et leurs portes condamnées par des planches clouées. Dans le bâtiment occupé par le pasteur, les seules pièces ouvertes étaient la chambre et le salon, qui servait aussi de cuisine, de salle à manger et de cabinet de toilette. Dans la première cour, celle du colombier de l'époque, la plupart des portes grillagées des cages étaient déjetées, et ne tenaient plus que par un gond, que leur propre poids menaçait d'arracher au chambranle pourri de la porte.

Des coups de scie, de burin, de ciseau à bois, de rabot, de marteau se relayèrent les uns après les autres, pour briser le silence de la demeure. Yong Sheng n'était pas étranger au métier de charpentier, et un nouveau colombier se dressa bientôt dans la cour, avec de grands compartiments carrés, entourés de plus petits. Afin de sublimer la blancheur immaculée des colombes, le pasteur lui demanda de le peindre en pourpre. Les nouveaux arrivants passèrent deux semaines dans la cour, sans pouvoir voler, afin de se familiariser avec leur nouvel environnement. Il suffisait d'attacher les plumes de leur queue (qu'elles soient d'origine américaine ou chinoise, les colombes ont toutes treize plumes sur la queue) avec du fil. Jadis, cette tâche était toujours réalisée par le pasteur lui-même mais, sa vue ayant considérablement baissé, il la confia à son nouveau commis, après avoir vérifié la finesse des aiguilles, s'être assuré de la solidité du fil de coton, et avoir contrôlé, avec une règle en fer, qu'il respectait bien les quatre centimètres qui devaient séparer le croupion de la couture. Yong Sheng cousit ainsi huit des plumes de la queue de chaque volatile, en terminant par un nœud solide, et le pasteur afficha un sourire de satisfaction.

L'une après l'autre, Yong Sheng plaça les quarante-six colombes ainsi attachées sur le toit du colombier, et il se cacha, avec le pasteur, pour observer leur comportement. Ce dernier le renseigna sur l'état de santé, la force et les traits de caractère de chaque élément, et très vite, le jeune homme parvint à distinguer de lui-même le leader, les suiveurs, les plus forts et les plus faibles. Quand l'interdiction de voler fut levée, et qu'il libéra les plumes de leur queue, il connaissait déjà par cœur tous les membres du groupe. Chaque matin, ganté de blanc, il agitait une longue perche, pour inciter le leader, flanqué de ses sentinelles, à s'envoler. Après quoi, il laissait les suiveurs rejoindre cette avant-garde, et lorsque ces derniers n'étaient plus que des taches étincelantes, éparpillées dans l'azur, il permettait aux plus jeunes, qui n'étaient pas encore adultes, de sortir du colombier. Ces derniers employaient toutes leurs forces à rejoindre leurs prédécesseurs. Quand ils étaient tous regroupés, ils décrivaient des cercles de plus en plus grands, s'élevaient de plus en plus haut, et l'on ne discernait plus de leur présence que quelques points minuscules, comme de petits flocons, d'un blanc de lys. Puis ils redescendaient vers la demeure du pasteur, en déployant leurs ailes virginales, que la lumière du soleil transperçait de ses flèches d'or, et, lentement, dans un ensemble parfait, ils se posaient sur le toit.

Cette année-là, le pasteur Gu, qui était âgé de soixante-trois ans, fut victime d'une affreuse maladie, plutôt rare en Chine, mais assez fréquente en Occident, dont Yong Sheng ne connut le nom que bien des années plus tard : l'atonie de la colonne vertébrale. Il ne se déplaçait plus que cassé en deux, comme s'il se fût profondément incliné pour saluer un visiteur, et n'avait pu se redresser. Il lui fallait en outre déployer une force surhumaine pour parvenir à mettre un pied devant l'autre, la tête tellement rentrée dans les épaules qu'on ne distinguait plus que l'arrière de son crâne et ses deux oreilles. Avec ses jambes raides, ses bras tendus à hauteur de la tête et son buste incliné à ras de terre, il ressemblait, de loin, à une langouste.

Le malheureux était en outre condamné à rester debout, car il n'y avait que dans cette position qu'il souffrait moins. Il demanda à Yong Sheng de lui faire installer des barres métalliques le long des murs de sa chambre, à la manière des salles de danse, pour mieux se déplacer, mais à cette époque, l'industrie était balbutiante, à Putian, et il fut impossible d'en trouver. Le jeune homme lui fabriqua donc de longues barres en bois, qu'il fixa non seulement sur les murs de la chambre, mais aussi du couloir et du salon. Puis il planta des poteaux dans la cour, de façon à y installer d'autres barres jusqu'à la salle de prière, où il prononçait des sermons dominicaux et célébrait les mariages.

Au début, en se tenant aux barres, le pasteur parcourait pas à pas les cinquante mètres qui séparaient sa chambre de la salle de prière en trois heures. Mais quelques semaines plus tard, sa maladie s'étant encore aggravée, il ne fut plus capable de marcher.

Alors, chaque dimanche, à l'heure de la prière, Yong Sheng allait le chercher dans sa chambre, où il l'attendait, tiré à quatre épingles, assis dans son lit. Tout, dans la maison, lui rappelait le passé, les fauteuils en bois précieux (dont le dossier était fait d'une seule planche de bois incurvée, et les bras attachés à l'assise par des plaques de cuivre incrustées), les deux tables carrées (dont les pieds n'étaient pas droits mais recourbés, et que seul le charpentier Yong savait fabriquer, à Putian), la paire de chandeliers qui trônait sur le guéridon, le paravent à deux panneaux laqués, la longue table sur laquelle le pasteur gardait les cartes de visite, tout, jusqu'au plus infime détail, parlait à la mémoire de Yong Sheng. Seule leur couleur avait changé, comme si tous ces objets avaient long-temps trempé dans une immense jarre de teinture bistre ; ou comme si un déluge était tombé sur la maison et que les meubles avaient mariné dans l'eau plusieurs jours, avant de sécher. La série de boîtes en fer-blanc, que Mary aimait tant, était toujours posée sur le buffet, mais les idéogrammes qu'elle y avait tracés à l'encre étaient aujourd'hui délavés. À peine pouvait-on y reconnaître les mots « café », « cassonade », « sucre en morceaux »... Elle avait orné ces boîtes de pendeloques de verre coloré, attachées avec des rubans de soie. À l'époque, au moindre courant d'air, ces breloques s'entrechoquaient dans un doux cliquetis, étincelants comme des diamants. Ils étaient à présent ternis et jaunâtres, comme s'ils avaient eux aussi trempé dans la grande jarre du temps, qui fait perdre son éclat à toute chose. Ces objets regardaient avec indifférence Yong Sheng entrer dans la chambre du pasteur, le saluer, et s'accroupir devant lui pour lui permettre de monter sur son dos. La charpente osseuse des Occidentaux étant plus dense que celle des Chinois, le vieil homme, bien qu'il eût considérablement maigri, pesait encore un bon poids, et Yong Sheng devait prendre appui sur une jambe pour parvenir à se relever. Puis il le portait pas à pas jusqu'à la salle de prière, et il l'installait à la tribune, où il avait également fixé une barre, afin qu'il pût s'y tenir, le temps de son sermon.

Un jour, la cuisinière chinoise du pasteur perdit son père, et demanda un congé de trois mois pour les funérailles. Malgré la rémunération médiocre, Heling, l'épouse de Yong Sheng, accepta de la remplacer durant son absence. Elle faisait les courses, lavait les légumes, préparait les repas, époussetait les meubles, frottait les parquets et, vêtue du tablier de la cuisinière, astiquait les casseroles en cuivre (sa plaisanterie préférée consistait à dire : dans les cuisines chinoises, on utilise des marmites en fer, dans les cuisines américaines des marmites en cuivre, et dans les cuisines du paradis on utilise quoi, des marmites en or ? Chaque fois qu'elle rabâchait ces mots, elle éclatait de rire, avant même d'avoir fini la phrase, tout en curant les casseroles, dont l'entrechoquement brisait le silence de la cour). Une autre de ses besognes était d'astiquer les cent huit poignées de portes en cuivre, que le pasteur Gu avait fait venir d'un magasin de Chicago, après avoir acheté la résidence. Elles étaient pour la plupart couvertes de vert-de-gris, et certaines, scellées par la rouille, étaient devenues inutilisables.

Son activité préférée était l'entretien des vêtements du pasteur, qu'elle lavait dans un baquet différent de celui de son ménage, avec un autre détergent. Les siens et ceux de son mari, elle les savonnait avec de la pulpe de gousses de févier, puis elle les dépliait sur une grande dalle de pierre, où elle les frottait à la brosse à chiendent. Les habits du pasteur, elle les frottait avec un vrai savon américain, au toucher un peu gras et légèrement glissant. Elle aimait écraser entre ses doigts les bulles de mousse, qui se cachaient dans l'étoffe, plonger et replonger le linge dans la bassine, l'en sortir, l'agiter, et le rincer dans l'eau propre, où elle faisait éclater les dernières bulles aux reflets irisés, qui gonflaient et s'étiraient à la surface du tissu.

Elle aimait aussi, en ce début d'automne, se promener dans la cour du pasteur, dont le sol était couvert de feuilles mortes, « comme un tapis moelleux », disait-elle. Yong Sheng l'avait vue se métamorphoser, depuis qu'elle vivait dans cette résidence. Elle n'était plus la jeune femme qui s'occupait jadis de leur foyer et de leur verger, mais une nouvelle personne. Elle disait à son mari que lorsqu'elle marchait pieds nus aux endroits de la cour où la couche de feuilles était la plus épaisse, elle n'entendait aucun bruit, mais sentait, sous la plante de ses pieds, le frémissement ténu des feuilles molles, qui commençaient à pourrir et à se fondre en une pâte visqueuse.

Le salon du pasteur était dans le noir, mais, dans sa chambre éclairée, on voyait son ombre se déplacer sur les rideaux. Bien que la fenêtre fût fermée et qu'on n'entendît pas ce qu'il faisait, on devinait que, debout devant sa table, le stylo à la main, il rédigeait le brouillon de son sermon dominical. La cour ne bruissait que des rumeurs de la nuit, du frémissement du vent, et du rongement des rats sur le parquet. Heling prétendait entendre le léger froufrou des feuilles mortes, qui tombaient sur les dalles.

Yong Sheng assistait avec plaisir à la métamorphose de la fille du vieux peintre ivrogne, et il se demandait même si le temps n'était pas venu pour elle de recevoir le baptême. À ce moment-là, l'ancienne cuisinière revint, un mois plus tôt, et l'épouse fut contrainte de regagner Jiangkou.

Un soir que le vent soufflait fort, les colombes s'envolèrent un peu trop loin, vers le sud, et tardèrent à rentrer. Ce ne fut qu'au soleil couchant qu'elles réapparurent, très haut dans le ciel, enveloppées d'un halo de lumière éblouissante.

Yong Sheng sentit qu'elles avaient un comportement différent des autres jours. Peut-être avaient-elles folâtré trop longtemps, ou rencontré d'autres colombes, qui les avaient affrontées, divisées, et en avaient emmené une ou deux.

Selon le pasteur Gu, d'un simple coup d'œil, le vieux Wang, l'ancien préposé aux colombes, pouvait dire combien de volatiles il y avait dans le ciel, quand leur nombre ne dépassait pas quarante. Le pasteur Gu lui-même pouvait les compter en un coup d'œil, si elles n'étaient pas plus de vingt. Mais

Yong Sheng, qui n'était qu'au début de sa formation, était obligé de les compter une à une.

Dans l'étrange halo de lumière qui les enveloppait, il les recompta à plusieurs reprises, et toujours, il en trouva une de trop.

Il était facile de distinguer l'intrus : c'était un oiseau noir, qui faisait tache dans le groupe des colombes blanches du pasteur. Lorsqu'elles se déployèrent en file indienne, comme un long dragon blanc, le pigeon noir, placé en avant, forma l'œil.

Sous la lumière changeante et imprévisible, le jais des plumes de l'étranger prit soudain un éclat rougeoyant, qui lui donna l'aspect d'un oiseau en fonte noire, piqué de rouille. Était-ce un « Buffle de Fer », l'oiseau qui excitait l'envie de tous les colombophiles ? Tout le monde parlait de cette merveille de la nature, mais personne n'en avait jamais vu. Yong Sheng en eut un pincement au cœur. Alors que les dernières lueurs du couchant disparaissaient à l'ouest, la tête du dragon se rapprocha, et il constata avec dépit que la colombe noire avait disparu, comme avalée par le soir.

Cette nuit-là, il rêva que l'oiseau volait en décrivant des courbes, qui formaient un chiffre 8 parfait. Au même instant, la voûte céleste tourna lentement sur elle-même, et les constellations du Cygne, de Cassiopée, du Cocher (dans son enfance, Mary lui avait appris le nom des étoiles) tombèrent du ciel en brasillant, comme de minuscules grains de poussière.

Le lendemain, il chercha à savoir qui pouvait être le propriétaire de cette merveille. Il apprit que c'était He le Quatrième, un malfrat bien connu de Putian, qui venait d'acquérir un couple de colombes encore plus rares et exceptionnelles que le

« Buffle de Fer » : des « Jade à Fissure », une espèce quasi divine, ainsi nommée à cause de la fine ligne blanche qui divisait en deux son corps d'un noir profond, du bec à la queue.

« Seigneur, se dit-il, il existe dans ce monde des colombes de cette nature ? » Il décida alors de les capturer, pour se les approprier. Dans cet objectif, il sélectionna dix de ses meilleures colombes blanches, qu'il entraîna à la tactique du rapt. Un matin que les oiseaux de He le Quatrième s'étaient aventurés jusqu'à Hanjiang, à une dizaine de kilomètres de Putian, il les revit et, de nouveau, ressentit un pincement au cœur. Elles volaient si bas qu'il crut distinguer la ligne blanche qui parcourait leur dos. Aussitôt, il saisit sa longue perche pour lancer son escouade, qui partit à l'assaut et brisa la formation des colombes de la famille He, qui s'éparpillèrent dans le plus grand désordre. Le groupe qu'il avait entraîné fut très efficace. Profitant de la dispersion de l'autre groupe, les siennes firent volte-face et rentrèrent directement dans leur cour. Cette tactique, bien connue des éleveurs sous le nom de « capturer-rentrer », porta ses fruits, car les pigeons de Yong Sheng ramenèrent quatre volatiles de He le Quatrième.

Malheureusement, les captifs n'étaient pas des « Jade à Fissure », mais des colombes plus ordinaires, que Yong Sheng chassa de la cour à coups de perche.

Quelques jours plus tard, le ciel récompensa enfin ses efforts. Le couple de « Jade à Fissure » réapparut. Quand il fut encerclé par le groupe des colombes américaines, on eût dit deux perles noires. Aussitôt, Yong Sheng lâcha une femelle, qu'il avait jusque-là gardée dans le colombier (c'était la reine de l'élevage du pasteur, pour qui bien des mâles s'étaient battus jusqu'au sang). Sitôt qu'il la posa sur le toit, les mâles de son escouade se hâtèrent de rentrer, pour roucouler près d'elle.

Résultat, le couple quasi divin fut emporté par le groupe jusque sur le toit, où Yong Sheng le captura et le plaça dans son colombier. Il récompensa ses dix héros avec du maïs de la meilleure qualité, et fabriqua à chacun un nouveau sifflet. Toutefois, il lui restait à résoudre un problème : comment cacher le couple de « Jade à Fissure » aux yeux de son maître ? Parmi tous les colombophiles de Putian, une seule personne refusait de capturer les colombes des autres, allant jusqu'à les chasser, quand elles se posaient d'elles-mêmes sur son toit. Cette personne, c'était le pasteur Gu.

Pour la fête de la Lune, il eut quelques jours de congé, pour rentrer chez lui. Il se leva à l'aube. La veille, il s'était fait couper les cheveux par un coiffeur ambulant. Il mit des habits propres en coton blanc, qui lui donnaient meilleure allure que ceux de couleur foncée, des chaussettes blanches, et une paire de chaussures en toile neuves.

Le ciel était d'un pur bleu d'azur, de nombreux arbres avaient perdu leurs feuilles, les rizières étaient au repos, et la plaine de Putian offrait un aspect vide et plat.

Non loin de chez lui, à Jiangkou, sur le petit pont en pierre qui enjambait la rivière, il rencontra un jeune vendeur d'huile, assis à côté de ses seaux, qui frappait deux planchettes de bambou, pour signaler sa présence. Son tablier et ses manches luisaient de taches grasses.

« Petit Yong, dit-il, attention à ne pas salir tes beaux vêtements, en passant à côté de mes seaux d'huile. »

Yong Sheng lui donna deux sapèques de cuivre.

«Aujourd'hui, c'est la fête de la Lune, je veux que tout le monde soit content», ajouta-t-il.

Le jeune vendeur pointa le doigt en direction du grand aguilaire, dressé sur la colline, devant la chaumière : « Regarde ce qui flotte dans le vent, petit Yong. Tu vas bientôt être père. »

L'aguilaire était devenu si grand que seuls deux bras d'adulte pouvaient embrasser son tronc. Sur une branche, à gauche, flottait une plume rouge sang. Non, ce n'était pas une plume. Il gravit la colline en courant jusqu'à l'arbre, qui sembla frissonner de plaisir en le voyant. Ses feuilles froufrou-tèrent d'excitation. Deux oiseaux, perchés sur une branche, se mirent à gazouiller, puis s'envolèrent, dans un battement d'ailes, pour se poser sur une autre branche, au bout de laquelle était attaché ce qui avait éveillé la curiosité du jeune vendeur d'huile, et à quoi les oiseaux aussi semblaient s'inté-resser.

C'était le ruban de satin rouge que la famille Yong espérait depuis huit ans, car, selon la coutume, à Putian, on accro-chait un ruban rouge à un arbre de sa maison, pour annon-cer au monde que l'épouse était enceinte.

Sur le paisible miroir de l'eau se reflétaient le ciel, les nuages et les arbres. Quand le couple de « Jade à Fissure » vint se poser sur les bords épais du baquet, chacun gonfla ses plumes, comme pour montrer à son partenaire les fils qui attachaient les pennes de sa queue, avec des petits cris qui glissèrent sur l'eau tranquille. À travers, on distinguait le fond du baquet, composé de morceaux de bois de tailles différentes, enduits d'huile d'abrasin, attachés ensemble par un fil de fer invisible.

Le mâle courba délicatement le cou vers l'eau, si argentée qu'on eût dit du mercure, et la femelle, plus courageuse, se risqua à y tremper le bec. Elle était plus petite que son compagnon. Comme toutes les colombes de noble extraction, son bec était très court, et elle dut faire plusieurs tentatives, avant d'atteindre la surface de l'eau. Puis elle rejeta sa tête en arrière, dans un mouvement très féminin, et aspergea de gouttelettes les plumes du mâle.

Assis sur un tabouret bas, à l'ombre d'un arbre, Yong Sheng observait ce couple à fort caractère, qui refusait de se soumettre. Depuis le début de leur captivité, ils dédaignaient toute nourriture, et lorsqu'ils étaient enfermés dans le colombier, ils passaient des heures à essayer de casser, à coups de bec, les fils qui attachaient les plumes de leur queue, jusqu'à arracher leur duvet et se faire saigner.

Il savait que les colombes, qu'elles fussent d'origine noble ou plus humble, chinoise ou étrangère, aimaient par-dessus tout se baigner. Aucune ne pouvait résister à l'attrait d'un baquet d'eau propre, à plus forte raison en plein soleil. Ce plaisir sans pareil venait à bout des volontés les plus farouches, et si elles acceptaient d'entrer dans l'eau, ce serait le premier pas vers leur conquête.

La femelle, qui était la plus coquette, se jeta la première dans le baquet, qu'elle effleura d'abord de sa poitrine, sans déployer les ailes. Au contact de l'eau, ses plumes devinrent plus sombres. Très vite, elle s'enfonça tant qu'on ne vit plus que sa tête. Comme s'il craignait qu'elle ne se noyât, le mâle, en héros prêt à se sacrifier sur l'autel de la beauté, plongea bravement, en battant des ailes.

Soudain, on toussa dans le dos de Yong Sheng, qui sursauta. Il sut qu'il était fichu. La toux était celle du pasteur.

Le vieil homme, cassé en deux, était arrivé jusque-là, en se cramponnant aux barres en bois que Yong Sheng avait prolongées jusque dans la cour des colombes.

C'était la première fois, depuis plusieurs semaines, qu'il se risquait de nouveau à faire tant de chemin.

Le jeune homme se leva d'un bond, et se plaça devant le baquet pour tenter de masquer la paire de « Jade à Fissure », mais il était trop tard.

Le regard du pasteur était rivé sur les deux inconnues.

Dans le baquet, elles avaient fini par oublier leur statut de captives et batifolaient en déployant leurs ailes et dandinant joyeusement du croupion, dans un déluge d'éclaboussures. L'eau vernissait leurs plumes de jais, et les rayons du soleil faisaient étinceler, comme un trait de peinture à l'huile, le filet blanc qui partageait leur manteau.

Conscient d'avoir enfreint les règles fixées par le pasteur, Yong Sheng attendit, penaud, que celui-ci exprimât sa colère.

La femelle fut la première à sauter hors du baquet, et à s'ébrouer sur le sol, qu'elle aspergea de milliers de gouttelettes cristallines. Comme une vedette, qui savoure les regards de ses admirateurs, braqués sur elle, elle fit un pas, tourna la tête, s'ébroua encore, jeta un nouveau coup d'œil à son public, et s'approcha d'un carré d'herbe, où elle finit par s'allonger, avec des allures d'aristocrate, pour lisser du bec son aile gauche. Puis, comme si elle craignait qu'on ne l'eût point remarqué, elle peigna avec soin l'extraordinaire duvet blanc, qui longeait sa colonne vertébrale.

Une chose incroyable se produisit alors : le pasteur fit demi-tour et, se soutenant aux barres en bois, il s'éloigna lentement.

Quel soulagement pour Yong Sheng, qui tenta de se persuader que le vieillard n'avait pas remarqué les nouvelles colombes. Peut-être était-il physiquement présent, mais son cerveau, déjà accaparé par son prochain sermon, n'était-il plus capable de distinguer le noir et le blanc. Peut-être cette demeure n'était-elle plus qu'un vaisseau naufragé dans l'océan biblique, chargé de brouillons de prêches dominicaux. Peut-être la forme et la couleur de toute chose n'étaient-elles plus pour lui que des visions furtives, où le noir et le blanc n'avaient plus d'importance. Il était probable que sa santé se dégradait de plus en plus, que son cerveau se détériorait de jour en jour, et que ce qu'il était encore capable de discerner la veille, le lendemain, il ne l'était plus, au point de ne plus reconnaître ni son préposé aux colombes, ni sa cuisinière, ni les lézardes qui fissuraient les murs, ni les cafards qui grouillaient dans tous les coins, ni l'armée de rats qui envahissait chaque nuit sa cour.

Dans les semaines qui suivirent, le couple de « Jade à Fissure » montra de grandes capacités pour le vol, et Yong Sheng caressa l'espoir de les voir jouer le rôle de leaders, dans le groupe d'avant-garde. Malheureusement, les hommes de main de He le Quatrième mirent un terme à ses projets.

Comme son épouse était enceinte, il rentrait souvent à Jiangkou, avant la tombée de la nuit, pour revenir chez le pasteur le lendemain matin. Quand le drame se produisit, il était absent, et la cuisinière chinoise dormait à sa place, dans une petite pièce, à côté du portail d'entrée.

« Il y a eu de la lumière dehors, lui raconta-t-elle à son retour. Vers deux heures du matin, des rayons ont filtré dans la pièce, à travers les fissures du mur. Je m'en suis approchée, pour regarder à l'extérieur, et j'ai vu six ou sept personnes escalader l'enceinte et entrer dans la cour. L'un d'eux a appelé celui qui semblait être leur chef "He le Cinquième", sûrement le petit frère du Quatrième, ou son cousin. Lui, je l'ai seulement entendu parler, sans le voir. Ils sont restés dans la première cour, avec leur torche électrique, pour aller directement vers le colombier, où ils ont pris ta paire de colombes noires. Ils étaient venus pour elles, car ils avaient prévu une cage rectangulaire, dans laquelle ils les ont enfermées, après avoir vérifié qu'elles avaient bien une ligne blanche sur le dos. C'est là que j'ai vu He le Cinquième, un boiteux avec une casquette en cuir et une veste grise. Il avait un couteau à la main, plutôt un poignard. Deux hommes, habillés de noir et coiffés d'un large feutre, ont tenté de l'empêcher de commettre l'irréparable, mais il était si remonté, que personne n'a pu l'arrêter. "Je tuerai quiconque voudra m'en empêcher", hurlait-il, en levant son poignard. Tous ont eu peur. En silence, ils se sont cachés les uns derrière les autres. "Tant qu'il me restera un souffle, je massacrerai toutes ces colombes étrangères." Armé de son poignard, il est entré dans le colombier comme un forcené. À partir de cet instant, je ne l'ai plus vu, mais je l'ai entendu ouvrir les compartiments, les uns après les autres. J'ai entendu les horribles convulsions des colombes, qui se débattaient encore. À la fin, il n'utilisait même plus son arme, mais leur rompait la nuque de ses mains. Je pouvais entendre craquer leurs os, et battre leurs ailes, dans leur agonie. »

Les murs du colombier étaient maculés de sang. Le sang ruisselait dans les compartiments, et une mare si épaisse s'était formée sur le sol que quand Yong Sheng marcha dedans, il en eut jusqu'aux chevilles. Sous ses pieds, la terre semblait trembler. Quand He le Cinquième avait décapité les colombes, le sang avait fusé de leur nuque en jets puissants, qui avaient teint en rouge leurs plumes immaculées. Leur corps entier était imprégné de leur sang et de celui de leurs compagnons. Dans la flaque de sang, à la surface de laquelle la lumière jetait des reflets irisés, certaines des têtes tombées avaient les yeux fermés, d'autres écarquillaient leurs pupilles effarouchées sur les têtes coupées des autres victimes. Ce qui troublait le plus Yong Sheng, c'étaient les yeux ouverts, car il se disait que ces colombes n'étaient sans doute pas mortes au premier coup de couteau, ou à la première torsion de leur nuque. Combien de temps s'était-il écoulé entre le premier coup et le second, quelques secondes, une minute ? Leur mort l'horrifiait, mais plus encore cet espace de temps, cette attente du choc suivant, qui avait dû leur sembler durer une éternité.

He le Cinquième avait sans doute accompli le massacre les pieds dans la flaque de sang, car, jusqu'au portail, le sol était couvert des empreintes sanglantes des pas d'un boiteux, l'une plus appuyée, l'autre plus superficielle.

À deux reprises, il compta le nombre de cadavres (avec le faible espoir que certaines eussent échappé à la tuerie), mais il dut se rendre à l'évidence : il y avait bel et bien quarante-six dépouilles de colombes blanches à pattes poilues. Dans la dernière cour, il creusa un grand trou, où il les enterra. Tout en nettoyant le sang, dans la cour des colombes, il se disait : « C'est arrivé à cause de moi. Si je n'avais pas capturé le couple de "Jade à Fissure", cette tragédie n'aurait pas eu lieu. » Tantôt, il pensait à partir très loin et ne jamais revenir à Putian, tantôt il pensait se rendre à la ville, armé d'une barre de fer, pour briser la jambe valide du boiteux.

Ce soir-là, il détruisit le colombier ensanglanté. Il le démonta planche par planche, il les entassa au milieu de la cour, et il y mit le feu. Une fumée gris bleuté monta lentement du brasier, et se dispersa au loin, où elle se mêla peu à peu à celle qui sortait de la cheminée de sa chaumière, à Jiangkou.

À la nuit tombée, il entra dans la chambre du pasteur Gu, plongée dans le noir.

« Vous êtes là ? demanda-t-il.

— Je suis au lit, répondit le pasteur. J'avais très mal, tout à l'heure, mais à présent, je vais un peu mieux. »

Yong Sheng alluma une lampe à pétrole. Le vieillard était assis dans son lit, calé contre un empilement de couvertures. Sa main droite serrait sa canne. Le repas que la cuisinière lui avait préparé était toujours à son chevet. Il n'y avait pas touché. Elle avait prévenu Yong Sheng qu'elle n'avait pas osé l'informer du massacre de ses colombes.

« Je démissionne, dit le jeune homme. Vos colombes sont toutes parties, vous n'avez donc plus besoin de quelqu'un pour s'en occuper.

— Où vas-tu aller ? » demanda le pasteur étonné.

Yong Sheng n'osait le regarder en face, conscient que chacun de ses mots était une balle tirée à bout touchant sur le faible vieillard.

Pourtant, il lui raconta toute l'histoire, depuis le début. Le pasteur ne dit pas un mot, mais ses deux mains osseuses serraient fébrilement la canne, grâce à laquelle il gardait son équilibre et ne roulait pas au bas du lit.

Parfois, Yong Sheng avait envie de le prendre dans ses bras. Parfois, il se demandait s'il n'était pas préférable de partir sur-le-champ.

Une bible était posée sur la table, et il se souvint alors d'un passage du Livre de Job, que le pasteur avait cité dans un de ses sermons. Il ouvrit les Saintes Écritures.

101

La lampe à pétrole projetait son ombre sur le mur. C'était la première fois de sa vie qu'il lisait la Bible, et le mandarin, dans lequel elle était rédigée, ne lui était pas familier. Ses premiers mots furent hésitants, et sa voix monocorde, dénuée de sentiment. Il ne parvenait pas à trouver la juste intonation, le bon rythme des mots, l'exacte cadence des phrases.

L'Éternel dit à Satan : As-tu remarqué mon serviteur Job ? Il n'y a personne comme lui sur la terre ; c'est un homme intègre et droit, craignant Dieu et se détournant du mal[1]. *[...] Et Satan répondit à l'Éternel : Peau pour peau ! Tout ce que possède un homme, il le donne pour sa vie. Mais étends ta main, touche à ses os et à sa chair, et je suis sûr qu'il te maudit en face*[2]. *[...] Et Satan se retira de devant la face de l'Éternel*[3].

Soudain, la voix du pasteur se mêla à la sienne. Très doucement, presque dans un murmure, il récita en même temps que le jeune homme lisait, à la différence près que l'un lisait en chinois et l'autre récitait en anglais.

Un jour que les fils et les filles de Job mangeaient et buvaient du vin dans la maison de leur frère aîné, il arriva auprès de Job un messager qui dit : Les bœufs labouraient et les ânesses paissaient à côté d'eux ; des Sabéens se sont jetés dessus, les ont enlevés, et ont passé les serviteurs au fil de l'épée. Et je me suis échappé moi seul, pour t'en apporter la nouvelle.
Il parlait encore, lorsqu'un autre vint et dit : Le feu de Dieu

1. Job 1, 8.
2. Job 2, 4.
3. Job 2, 7.

est tombé du ciel, a embrasé les brebis et les serviteurs, et les a consumés. Et je me suis échappé moi seul, pour t'en apporter la nouvelle.

Il parlait encore, lorsqu'un autre vint et dit : Des Chaldéens, formés en trois bandes, se sont jetés sur les chameaux, les ont enlevés, et ont passé les serviteurs au fil de l'épée. Et je me suis échappé moi seul, pour t'en apporter la nouvelle.

Il parlait encore, lorsqu'un autre vint et dit : Tes fils et tes filles mangeaient et buvaient du vin dans la maison de leur frère aîné, et voici qu'un grand vent est venu de l'autre côté du désert, et a frappé contre les quatre coins de la maison ; elle s'est écroulée sur les jeunes gens, et ils sont morts. Et je me suis échappé moi seul, pour t'en apporter la nouvelle[1].

Le pasteur n'utilisa pas les nuances du ton et du phrasé de la langue anglaise, mais récita comme Yong Sheng lisait, d'une voix blanche. Les deux mains posées sur ses jambes, il sentit bientôt qu'il ne récitait plus, mais priait, dans une langue ancienne. À son tour, Yong Sheng poursuivit sa lecture, non plus en mandarin, mais dans le dialecte de Putian. Aussitôt, il parut plus calme, plus confiant, et son ton et sa prononciation s'améliorèrent.

Alors Job se leva, déchira son manteau, et se rasa la tête ; puis, se jetant par terre, il se prosterna, et dit : Je suis sorti nu du sein de ma mère, et nu je retournerai dans le sein de la terre. L'Éternel a donné, et l'Éternel a ôté ; que le nom de l'Éternel soit béni[2] !

1. Job 1, 13-19.
2. Job 1, 20-21.

Traversant l'espace et le temps, ces quelques phrases du Livre de Job – ou plutôt, l'écho des prières de Yong Sheng et du pasteur – résonnèrent longuement.

« Je te remercie d'avoir choisi ce passage, dit le pasteur. En vérité, quand je le disais avec toi, tout à l'heure, en même temps que je priais pour l'âme des colombes, je pensais que…

— Que quoi, s'il vous plaît ?

— Je pensais que tu n'étais pas venu au monde pour seulement fabriquer des sifflets, mais que, par nature, tu étais fait pour être pasteur. »

Cette phrase surprit le jeune homme, qui resta un instant silencieux.

« Mais les pasteurs sont toujours des étrangers, reprit-il enfin.

— Si tu voulais être pasteur, je pourrais te faire entrer à la faculté de théologie de Nankin.

— Pourquoi je deviendrais pasteur ?

— Tu es fils de charpentier, affirma le vieillard en posant une main fiévreuse sur la tête de son protégé. Ce n'est peut-être pas tout à fait un hasard, si celui qui sera le premier pasteur chinois de Putian est le fils d'un charpentier. »

Une vingtaine d'heures après le massacre des colombes blanches à pattes poilues, une colombe noire blessée apparut, à l'aube, dans les rues de Hanjiang. Son dos portait une fine ligne de duvet blanc. C'était un « Jade à Fissure », qui tentait de regagner la demeure du pasteur à pied, car une de ses ailes, blessée, dont les plumes n'étaient plus noires mais rouge foncé, l'empêchait de voler. Elle traversa la rue. Autour d'elle, les maisons semblaient gigantesques. Les premières lueurs de l'aube éclairaient l'enseigne dorée d'une auberge. À côté, un restaurant ouvrait ses portes. Les cuisiniers allumaient le feu pour préparer la cuisine, et les commis réceptionnaient les victuailles commandées la veille. Nul ne prêta attention à l'oiseau, et personne ne se demanda comment il avait été blessé.

Longtemps après, on connut enfin l'histoire du couple de colombes noires : après que He le Cinquième, responsable du massacre des pigeons du pasteur, eut ramené les «Jade à Fissure» dans la résidence de sa famille, il demanda aux domestiques des aiguilles et du fil. Il sortit la femelle en premier, et, la serrant d'une main, il cousit de l'autre les plumes de sa queue. Mais alors qu'il allait faire le nœud, le mâle profita de ce qu'il avait mal refermé la cage, pour s'échapper et se jeter sur lui. Il n'eut pas le temps de réagir que déjà l'oiseau lui plantait son bec dans l'œil. Dans un même élan, les deux colombes s'envolèrent, mais le mâle vit bientôt briller le canon d'un fusil de chasse. He le Cinquième, fermant son œil blessé, visa et tira. Le coup de feu retentit, le mâle tomba. Au deuxième coup, la femelle vit du sang, comme un jus épais d'un rouge profond, jaillir de son aile.

La rescapée fut longtemps au cœur des discussions des habitants de Putian : comment, avec une seule aile valide, avait-elle pu traverser une plaine d'environ dix kilomètres et franchir le large lit de la rivière Mulan, qui était en crue et dont les berges étaient inondées, à cause des marées montantes ?

S'était-elle traînée sur les pattes jusqu'à Hanjiang ? Nul ne le savait, mais certains témoins affirmaient l'avoir vue clopiner sur une pente de la ville.

Elle avança lentement dans le labyrinthe des ruelles étroites, tournant tantôt à gauche, tantôt à droite, sans jamais se perdre. Elle entra dans le marché, où les femmes faisaient leurs courses avant le lever du jour, mais, dans ce lieu bruyant, rempli de paysannes chargées de paniers de légumes et de vieilles femmes claudiquant sur leurs pieds bandés, nulle ne remarqua la petite blessée, qui se traînait dans la pénombre.

Enfin, elle atteignit son but : la demeure du pasteur.

Le portail était entrouvert, car la cuisinière était sortie en oubliant de le refermer derrière elle.

Dans la cour, le feu était éteint, mais les cendres du colombier étaient encore tièdes. Une odeur de brûlé se répandait dans l'air, et les dalles de pierre qui couvraient le sol étaient toujours sanguinolentes.

Déshydratée par son long périple, elle chercha de l'eau, sans en trouver. Elle avait du mal à respirer dans l'atmosphère étouffante de cette cour, et elle marcha jusqu'à la salle de prière.

Elle pénétra dans la pièce plongée dans le noir, à l'exception d'une alcôve, derrière la tribune où le pasteur faisait ses sermons. Yong Sheng était à l'intérieur.

Il était étendu par terre, à plat ventre, les bras tendus devant lui.

Quelques heures plus tôt, après être sorti de la chambre du pasteur, il avait eu besoin de réfléchir à la décision à prendre pour son avenir. Allait-il étudier à la faculté de théologie et devenir pasteur ? Il ne le savait pas mais, sous le coup d'une impulsion soudaine, il était entré à tâtons dans la salle de prière, jusqu'à la paroi jadis coulissante, derrière laquelle se trouvait la chapelle de Mary, à présent condamnée. À cet instant, il était redevenu un enfant de cinq ans. Quand la petite colombe entra, il priait depuis un moment, prosterné sur le sol. En la voyant, il souleva la lampe à pétrole posée par terre, protégeant de son autre main la flamme, qui donna à ses doigts un éclat diaphane.

Elle éclaira la statue en bois du martyr, qui étira son ombre au-dessus de la tête de l'oiseau. Quand il la leva plus haut, tout le visage de Jésus, son front, son nez, ses lèvres, s'illumina.

La colombe marcha jusque devant la statue, qu'elle parut contempler à contre-jour.

«Merci de m'envoyer, comme un signe, cette colombe blessée», dit-il à Jésus.

Tous les rayons de la lumière convergèrent – non, ils furent absorbés par lui – vers le grand clou qui perçait les pieds du Sauveur. Un clou dont la tête, façonnée au burin, présentait plusieurs facettes marquées de lignes fines, comme si elle était enveloppée dans un filet.

«Seigneur, murmura Yong Sheng. Je veux vous servir toute ma vie, en tant que pasteur.»

CHAPITRE 7

La faculté de théologie

La lumière du jour, filtrant par la haute fenêtre et à travers les interstices des parois en bois du wagon, éclaira un œuf salé, que Yong Sheng tenait dans sa main.

Il avait, dans son enfance, entendu cette légende : le cosmos était un œuf, dont le blanc représentait l'atmosphère qui nous entourait, et le jaune, la terre. À l'aide d'une aiguille enfilée, longue de trois centimètres, il perça la coquille de l'œuf. Il sentit l'instant où l'aiguille entra en contact avec le jaune, car il était plus dense que le blanc. Sa pointe traversa le centre de la terre, puis le chas y entraîna le fil, centimètre par centimètre, avant de ressortir de l'autre côté.

Après avoir accompli la traversée du cosmos, la fibre était imprégnée d'infimes particules (les traces dorées, que le jaune de l'œuf y avait laissées). Yong Sheng tira la langue, et, de la pointe, il lécha les débris collés sur le fil. Ils laissèrent sur ses papilles une saveur salée, à l'arrière-goût d'œuf, qui lui réjouit le corps.

De son balluchon, il sortit une brioche à la vapeur, froide et rassise, dont il mordit une bouchée. Elle craqua sous ses dents comme un caillou, et lui égratigna la langue et le palais. De nouveau, il reprit son aiguille, qu'il fit prudemment entrer dans l'œuf, déjà percé de nombreux trous, et il récupéra encore quelques débris, dont le goût salé l'aida à avaler son pain dur. Il pensait : « Plus tard, je raconterai à mes enfants comment, avec un seul œuf salé, j'ai traversé, pendant un mois, la moitié du pays, pour aller étudier à la faculté de théologie de Nankin. »

La sirène de la locomotive poussait de longues plaintes, les roues grondaient sourdement, le wagon tremblait. Ce n'était pas un train de voyageurs, mais de marchandises, crasseux, poussiéreux, qui vacillait comme un tas de ferraille ivre, sans aucune maîtrise de ses innombrables vis, boulons, écrous et rivets, qui menaçaient de sauter au moindre choc. La charpente métallique du wagon bringuebalait, et, dans le tas d'êtres humains couchés sur le sol, on n'eût su dire qui était une femme et qui un homme. À peine distinguait-on de vagues silhouettes, au milieu des bagages, des coqs, des poulets, des canards, attachés dans des paniers, qui se balançaient au rythme sauvage du fer et de l'acier.

C'était la fin de novembre, le soleil tardait à se lever. Les noms des lieux, tracés à la peinture sur des panneaux de bois blanc, défilaient les uns après les autres. Le train progressait vers le nord, sur une voie ferrée récemment construite. Yingtan, Jinhua… À ces noms succédèrent d'autres noms. À travers la fenêtre, on voyait des temples incendiés, des barbelés, des terres abandonnées et des canaux d'irrigation, qui se croisaient, comme une immense toile d'araignée grise, dans les rizières désertes. Après avoir ingéré son mauvais repas, Yong Sheng sentit de nouveau le sang battre dans ses veines, et il lut un à un les noms des lieux qu'il traversait, dont la consonance évoquait les poèmes de la dynastie des Tang : Jiading, Hangzhou, Suzhou, Zhenjiang, Wuyi, Changzhou… Pour lui, ils ne représentaient pas encore des villes remplies de tramways, de voitures, de magasins et de cinémas. Ils étaient simplement des noms, de simples idéogrammes composés de différents traits, sans sens particulier, juste des noms devant lesquels il passait, sur le chemin qui le menait vers son objectif.

Ces lieux convergeaient tous vers la faculté de théologie de Jinling, à Nankin.

Le train roula longtemps. La nuit, le vent glacial qui pénétrait par la fenêtre et les interstices du bois faisait régner dans le wagon un froid paralysant. Un diseur de bonne aventure était assis par terre, à gauche de Yong Sheng : il avait des sourcils épais, et ses cheveux clairsemés étaient divisés en trois grandes mèches, une au milieu et deux sur le côté. Il avait rejoint le convoi au passage d'une petite gare, et, sitôt monté dans le wagon, il avait commencé, pour quelques sapèques, à dire la bonne aventure à qui le voulait. Il portait une capote militaire trop grande pour lui, et Yong Sheng soupçonna qu'il l'avait obtenue d'un soldat américain, car le pasteur Gu en possédait une semblable, à cette différence que celle du diseur de bonne aventure était pourvue d'une capuche, légèrement pointue. Quand il faisait trop froid, avant le lever du jour, il se recroquevillait dans son manteau. Son visage disparaissait alors dans la capuche, et à peine distinguait-on ses yeux. On eût dit un sac, posé à côté de Yong Sheng.

« On va bientôt arriver à Nankin. Si tu veux, je te dis ton avenir.

— Je n'ai pas d'argent, répondit Yong Sheng avec un sourire.

— Alors, je vais de le dire gratuitement. »

Il sortit un dé à jouer, de la taille d'un dé à coudre, un peu comme ceux qu'on utilise au mah-jong, pour déterminer l'ordre des joueurs, mais dont les faces n'étaient marquées ni de points ni de chiffres, mais de trigrammes noirs, formés de lignes pleines ou brisées, qui composaient ensemble les soixante-quatre hexagrammes du Yijing.

« C'est un dé spécial pour dire la bonne aventure, sur lequel sont dessinés les huit trigrammes », expliqua-t-il.

Il lui demanda de se concentrer sur ce qui lui importait le plus, puis de prendre le dé, de le lancer et de le laisser rouler jusqu'à son arrêt complet, afin de pouvoir interpréter le signe inscrit sur la face supérieure.

Le jeune homme souleva son balluchon, repoussa avec grand sérieux la poussière autour de lui, et souffla de grandes bouchées d'air sur le sol, comme si le moindre grain de poussière pût contrarier la réponse augurale.

Il prit le dé avec respect, le secoua entre ses paumes, et, le souffle suspendu, il se concentra corps et âme sur la pensée de la petite vie qui se formait dans le ventre de sa femme. Ses lèvres bougèrent légèrement : « Mon Dieu, dites-moi si mon enfant va venir au monde sans problème. »

Il fit rouler le dé entre ses paumes mouillées de sueur, une fois, deux fois.

Il agita fiévreusement ses mains, mais à l'instant où il allait laisser le dé s'échapper, il s'arrêta.

Il le rendit au diseur de bonne aventure, et son visage plein de douceur prit une expression presque enfantine.

« Je suis désolé, mais dans un an, je serai pasteur, et nous autres, chrétiens, ne pouvons croire qu'en la parole de Dieu. »

Dans une chambre de neuf mètres carrés, huit élèves devaient se partager quatre lits superposés. Le dortoir ne se situait pas au sein de la faculté, mais dans la rue Hongwu, à l'intérieur d'une ancienne fabrique de sauce de soja, à l'arrière-cour encore encombrée de grandes jarres en faïence, certaines cassées, d'autres intactes, où la sauce de soja avait formé, au cours des années, une épaisse couche noire et craquelée comme du fromage séché, dont l'odeur de pourriture agressait les narines, lorsque le vent du nord soufflait. La faculté de théologie avait acheté le bâtiment situé devant cette cour et l'avait transformé en dortoirs pour ses étudiants.

Ceux qui venaient de la province du Fujian, quel que fût leur district, avaient, pour la plupart, une réputation de travailleurs. À côté de son lit, Yong Sheng avait affiché sur le mur ce passage de la Bible :

Va vers la fourmi, paresseux ;
Considère ses voies, et deviens sage.
Elle n'a ni chef,
Ni inspecteur, ni maître ;
Elle prépare en été sa nourriture,
Elle amasse pendant la moisson de quoi manger.
Paresseux, jusques à quand seras-tu couché ?
Quand te lèveras-tu de ton sommeil ?
Un peu de sommeil, un peu d'assoupissement,
Un peu croiser les mains pour dormir !...
Et la pauvreté te surprendra, comme un rôdeur,
Et la disette, comme un homme en armes[1].

Comparée à l'immense bibliothèque universitaire, qui prétendait posséder quarante mille ouvrages, celle du quartier sud de Jinling n'était qu'un lieu de lecture, à l'usage des élèves et

1. Proverbes 6, 6-11.

des professeurs de la faculté de théologie et du département de philosophie. Construit autour d'une cour ronde, c'était un bâtiment de deux étages et une vingtaine de salles, où, sur des étagères en bois, étaient conservés des ouvrages en chinois, à reliures cousues, dont certains étaient rares, ainsi que de nombreuses éditions originales, en japonais, anglais, français ou allemand, dont très peu étaient illustrées, à l'exception d'un volume des *Carnets* de Léonard de Vinci. Yong Sheng y venait tous les jours, parfois deux fois par jour, pour consulter des ouvrages ou discuter avec Xiao Ming, un employé de la bibliothèque – on dirait plus tard qu'il avait changé le destin de Yong Sheng. Jamais il n'oubliait de rendre visite à son étagère préférée, où trônaient les *Carnets* de Léonard, dans lesquels il contemplait, comme il l'eût fait d'un objet sacré, un dessin, dont le titre était : « Étude anatomique du fœtus dans l'utérus ».

Un jour, un professeur leur montra une carte du monde, dessinée sur une feuille de papier transparent. À l'issue du cours, Yong Sheng lui demanda de bien vouloir la lui donner. Le soir même, malgré le vent affreux, il se rendit à la bibliothèque, où il passa des heures à reproduire, par-dessus les deltas, les fleuves, les montagnes, les plaines et les villes, le dessin de Léonard de Vinci. Peu à peu commença à apparaître le croquis en coupe d'un utérus, comme un globe ouvert en deux, et il était difficile de dire s'il était tout à fait rond ou légèrement ovale. Différent de celui des autres mammifères, qui comprenait deux chambres, l'utérus humain croqué par Léonard n'en possédait qu'une, qu'il reproduisit minutieusement au crayon noir, sans marquer d'ombre. Le dessin ressemblait beaucoup au plan d'une machine du début de l'industrie, car Léonard avait utilisé la même méthode que les ingénieurs pour représenter les vues tridimensionnelles. Le contour du globe présentait un tracé parfait, qui s'allongeait, se recourbait et s'arrondissait. Le peintre avait exprimé l'effet de coupe au moyen d'une mine plus épaisse. Yong Sheng s'appliqua le plus possible à respecter les lignes fines et les traits charbonneux de l'original, qui faisaient si bien sentir la chaude réalité des muscles intra-utérins.

Puis il abandonna le dessin au trait, et employa la méthode du clair-obscur pour reproduire minutieusement les trois membranes fœtales, qui ressemblaient à trois sacs de cuir bombés, dans lesquels était enveloppé le fœtus. Il dessina d'abord la première des trois, l'amnios, dont Léonard avait rendu avec exactitude chaque pli, repli, sinuosité et renfoncement. La deuxième – le chorion –, directement liée à la membrane interne de l'utérus, lui demanda davantage de temps et de concentration. Il tailla finement son crayon, afin de représenter, en gris léger, les nombreuses couches qui la constituaient, chacune étant couverte d'un duvet particulièrement fin, presque imperceptible (un peu comme sur les pétales des jeunes chrysanthèmes), qui absorbait les sécrétions de la membrane interne de l'utérus. Le fœtus lui évoquait une petite statue, ou plus exactement, un de ces hauts-reliefs grecs qu'il avait vus dans les livres d'histoire, comme si Léonard l'eût découpé et incrusté dans le dessin de l'utérus. À l'instar du maître, il n'oublia ni les ombres réalistes sur les muscles du fœtus ni les veines sur certaines parties de son corps, qui occupait tout l'espace de la matrice.

Le fœtus, dessiné assis et de profil, était recroquevillé, la tête entre les genoux, de façon qu'on ne pouvait voir son visage. Peut-être était-il plongé dans un rêve d'avant la création du monde. C'était surtout son crâne chauve, d'une grosseur inattendue, qui attirait le plus le regard car il représentait environ un tiers de son corps. Étant donné sa position, ses parties intimes étaient invisibles, et il était impossible de connaître son sexe. Yong Sheng dessina les courbes parfaites de ce corps minuscule, sous l'épiderme duquel on devinait les côtes et les os, traités avec une douceur qui faisait sentir les premières vibrations de la vie. La reproduction de l'avant-bras droit, posé sur la cuisse droite, exigea de lui plus d'application pour restituer, sous la peau fine, le réseau de la circulation sanguine, qui, comme un filet subtilement tissé ou les menues radicules d'un jeune plant d'aguilaire, descendait, sinueux, jusqu'à la main. Il traça d'abord la ligne des artères et des veines, avec un crayon à pointe dure, et représenta l'effet de la circulation du sang à la craie grasse. Les veines se divisaient en de nombreux vaisseaux, ténus comme des cheveux, qui irriguaient les doigts jusqu'à leur extrémité. Quand on regardait bien la main, on remarquait que la couleur du bout des doigts était légèrement plus foncée, comme pour marquer la palpitation sanguine d'une légère rougeur.

Sous sa reproduction du dessin de Léonard, il recopia quelques phrases de Martin Luther, qu'il avait étudié en cours :

Qui a bien pu donner à Dieu l'idée de créer les êtres mâle et femelle, et de les unir ? L'homme, voilà qu'il lui donne la femme. Elle a deux tétons sur la poitrine et un petit pertuis entre les jambes. Mettez là une petite goutte de semence humaine, et il en naîtra un corps grand comme ça : cette pauvre petite goutte deviendra chair, sang, os, nerfs, peau[1]...

---

1. *Les propos de table de Martin Luther. Revus sur les éditions originales*, traduit par Gustave Brunet, Éditions Garnier frères, libraires, Paris, 1844, p. 217.

Après avoir recopié ce passage, il ne fut pas entièrement satisfait, car le texte de Luther n'exprimait pas ce qu'il ressentait. Le fœtus dessiné de façon si mystérieuse par Léonard le reliait à la création divine. Avant cela, la petite vie dans le ventre de sa femme était pour lui une nébuleuse, mais à présent, c'était une créature de Dieu, un soleil qui irradiait son cœur.

Il sentait que, grâce à cet enfant, il était devenu un élu de Dieu. Aussi effaça-t-il sur la feuille de papier transparent le texte de Luther, et, avec reconnaissance, il le remplaça par un passage de la Genèse :

Dieu dit : Que la lumière soit ! Et la lumière fut. Dieu vit que la lumière était bonne. [...] Dieu dit : Que les eaux qui sont au-dessous du ciel se rassemblent en un seul lieu, et que le sec paraisse. Et cela fut ainsi. Dieu appela le sec terre, et il appela l'amas des eaux mers. Dieu vit que cela était bon. [...] Puis Dieu dit : Faisons l'homme à notre image[1].

Il posa son crayon et contempla longuement son dessin. Il était convaincu, au plus profond de son être, qu'aucune création humaine ne pouvait atteindre une telle perfection, et qu'il ne pouvait que s'agir d'une création de Dieu.

Alors qu'il finissait de copier le passage de la Genèse qu'il avait choisi, il sentit pareillement qu'aucun homme n'eût pu parler ainsi, et que seul Dieu en était capable.

Dieu vit tout ce qu'il avait fait et voici, cela était très bon[2].

---

1. Genèse 1, 1-26.
2. Genèse 1, 31.

« Voici ma profession de foi », pensa-t-il.

À partir de ce jour, à la manière d'une photo de leurs enfants que les parents gardent dans leur portefeuille, la reproduction du dessin de Léonard de Vinci, qu'il avait dessinée sur une carte du monde, l'accompagna partout, bien qu'il n'eût pas de portefeuille, car il avait trop peu d'argent. Il la plaça dans la poche de sa chemise, à travers le mince tissu de laquelle il lui semblait sentir le fœtus palpiter contre sa poitrine.

Avec le temps, cette feuille, qu'il ne cessait de déplier et replier, se tacha de la sueur qu'il perdit lors de ses examens de latin et d'araméen, et surtout de celle dont il fut trempé lors de sa première prédication, car ce jour-là, sa poitrine ruissela comme un étang glacé en période de redoux. Toutes ces traces de transpiration, accumulées au cours de son apprentissage, qui se rejoignaient à certains endroits et se superposaient parfois, enrichirent son dessin de différentes nuances crasseuses.

Le premier du mois, les étudiants les plus pauvres touchaient la bourse que leur allouait la faculté de théologie. La plus élevée était la sienne, soit deux piastres d'argent. Il en utilisait la moitié pour ses dépenses personnelles, et envoyait l'autre à sa femme, restée dans leur province.

La première fois qu'il alla envoyer un mandat à la poste, ce fut en février. L'hiver touchait à sa fin, cependant, à Nankin, lorsque le vent du nord soufflait sur votre visage, vous aviez l'impression d'être bardé de coups de couteau. Ce vent affreux entrait par le col de vos vêtements et vous glaçait le corps. Bien qu'il partît avant l'heure du dîner, la nuit tomba très vite, et pour lui qui connaissait encore mal la ville, se repérer dans le réseau complexe des boulevards, des rues et des ruelles qui se croisaient, bifurquaient et s'entremêlaient, était bien plus compliqué que dans la journée. Dans cette immense cité, il n'y avait que quatre bureaux de poste : Xinjiekou, Zhonghuamen, Ninghailu et Xiaoximen. Heureusement, son ami Xiao Ming lui avait dessiné un itinéraire très détaillé.

La rue Hongwu, où se trouvait son dortoir, était une rue horizontale, qui, avant l'instauration de la république, s'appelait Lujikang, « ruelle de la concubine Lu », du nom de la concubine préférée de l'empereur Jiaqing, de la dynastie des Qing, qui y avait habité. On la nommait aussi « ruelle de la Jeune Beauté ». Il la longea en direction du sud jusqu'à une rivière surmontée d'un pont en pierre, sur lequel étaient plantés des arbres. Selon le commentaire ajouté par Xiao Ming sur l'itinéraire, ce cours d'eau était appelé « rivière des Douves du Nord » sous la dynastie des Tang du Sud. Mais si les anciennes douves existaient encore, le lit de la rivière n'était plus rempli que de boue noire, et le pont lui-même était si enfoncé dans le sol que son tablier était au même niveau que la rue.

Après avoir dépassé le pont, toujours vers le sud, il atteignit le lieu où se tenait jadis le palais impérial de la dynastie des Tang du Sud, à présent remplacé par d'humbles ateliers d'artisans, qui travaillaient encore, à la lumière de lampes à pétrole suspendues sous les avant-toits : des forgerons battaient le fer, des menuisiers, les cheveux en désordre, sciaient des planches, tandis que leurs côtes oscillaient, au rythme de leur respiration ; un petit âne faisait tourner un moulin en pierre, dans une fabrique d'huile… Aux ateliers succédèrent des jardins potagers, inondés à cause des averses des jours précédents qui avaient fait déborder les canaux d'irrigation dont l'eau se répandait jusque dans la rue en larges flaques entre lesquelles il sauta, comme un enfant de bonne humeur, au retour de l'école.

Au début de la rue Zhuque, les potagers firent place à de sombres ruelles, si étroites qu'il était impossible d'y circuler en voiture. Il courut à en perdre le souffle dans l'une de ces venelles, puis s'arrêta pour consulter son plan, et découvrit qu'il se trouvait justement dans la « ruelle de l'Habit Noir », la plus célèbre de l'histoire. Toutefois, contrairement au commentaire de Xiao Ming, il ne vit pas de somptueux portails peints en rouge qui barraient l'accès aux demeures de gens célèbres. À part une cour, qu'il aperçut un peu par hasard, le passage semblait plutôt habité par des familles modestes. L'espace était si étroit que dès qu'il entendait la sonnette d'un pousse-pousse il devait se coller contre un mur pour le laisser passer.

Il atteignit enfin une rue très animée, la Sanyuanjie, où se dressait le temple de Confucius, autour duquel se pressait une foule dense, mais il se contenta d'y jeter un coup d'œil, sans se mêler à la bousculade : c'était une sorte de pavillon plutôt sombre, où une multitude de bougies allumées enveloppait de fumée épaisse une statue de Confucius. Autour de lui, les pousse-pousse allaient et venaient, accompagnés par le tintement des clochettes suspendues sous leur châssis. De l'intérieur des boutiques de plats à emporter, dans lesquelles pendaient des rangées de canards laqués, s'échappait de la vapeur à l'odeur alléchante, et la voix des vendeurs, qui invitaient à goûter des brioches ou des œufs salés, bruissaient à ses oreilles comme un bienveillant murmure.

Jamais de sa vie, il n'avait connu semblable quartier, et avec la pièce d'argent qu'il avait en poche, il eût pu se distraire un peu, ne fût-ce que pour satisfaire sa curiosité. Non seulement il ne s'arrêta dans aucune de ces échoppes, mais au contraire il accéléra le pas, mû par l'excitation d'envoyer pour la première fois de l'argent à sa famille. S'il lui arrivait de ralentir, de temps à autre, c'était juste pour lire le nom des rues sur les panneaux. Soudain, il sentit le fil invisible d'un cerf-volant qui flottait dans le ciel le tirer pour lui faire traverser au pas de course la fameuse « rue des Examens », et franchir, en un souffle, la rue Zhujiang, l'artère la plus animée de la cité. Ce fil invisible, plus long que le fleuve Qinhuan, plus beau que le temple de Confucius, plus vaste que la ville de Nankin, c'était la petite vie qui grandissait dans le ventre de sa femme.

Le bureau de poste de Xinjiekou était situé sur un long boulevard, bordé des deux côtés de boutiques qui fermaient tard et étaient encore éclairées. En face du bureau de poste s'élevait un grand magasin étranger, qui faisait paraître le bâtiment postal si insignifiant qu'il faillit passer devant sans le voir. Mais quand il en poussa la porte, il fut séduit par le lieu : un employé, perché sur une haute échelle, changeait une ampoule. Au centre de la pièce, un poêle allumé diffusait une douce lumière tamisée, ce qui lui donna l'impression de retrouver la chaleur de son foyer.

Une odeur de colle de farine flottait dans l'air, et la table réservée à la clientèle était maculée de traces séchées (les clients utilisaient la brosse laissée à leur disposition pour coller leurs enveloppes ou leurs timbres, et la colle débordait souvent sur la table). À gauche de la porte, dans une vitrine cadenassée – même à quelques mètres de distance, il en avait flairé le parfum du lointain ailleurs –, étaient exposés des timbres de pays étrangers. « Mon Dieu ! pensa-t-il. Il y a tant de pays dans le monde ! » De certains noms qui figuraient sur ces timbres, il n'avait même jamais entendu parler. Assis derrière un comptoir, deux employés travaillaient à la lueur d'une bougie, plantée dans un flacon (l'ampoule qui avait été remplacée n'éclairait toujours pas, et ils avaient été obligés d'allumer une bougie, qui projetait sur le mur derrière eux l'ombre de leur tête). Le premier tamponnait un tas de courrier, le second remplissait un mandat pour Yong Sheng.

« Dans l'espace blanc, vous pouvez écrire quelques mots, à l'intention du destinataire. Il y a un stylo à plume à votre disposition, sur la table », lui dit l'homme.

Il alla prendre le stylo. Mais alors qu'il se préparait à écrire une phrase du genre : « Mange bien pour notre enfant à naître », il se souvint que son épouse était illettrée. Aussi se contenta-t-il de tracer un signe de croix, pour symboliser la signature d'un futur pasteur.

Pour sa première prédication, un exercice auquel devaient se soumettre tous les étudiants de la faculté de théologie, il choisit « Le sermon sur la montagne », tiré des chapitres 5 à 7 de l'Évangile selon Matthieu, comme nombre de ses condisciples, car la première génération de théologiens chrétiens chinois considérait ce sermon comme l'essence de la pensée christique.

Comme c'était son premier prêche, il se concentra sur le troisième verset du chapitre 5 : « Heureux les pauvres, car le royaume des cieux est à eux ! » À la manière du pasteur Gu de Putian, son pays natal, il rédigea des brouillons, jusqu'à en avoir la vue troublée et ne plus arriver à distinguer les mots. Il en remit la dernière version au professeur qui dirigeait son travail, le missionnaire allemand Adams.

Le lendemain, l'Allemand entra dans la salle de classe, une écharpe de soie verte nouée autour du cou, ses cheveux grisonnants méticuleusement peignés. Il avait le front étroit et des lèvres qui se relevaient aux commissures. Avec mépris, il prit le texte de Yong Sheng entre deux doigts et l'agita devant les étudiants, comme un paquet de merdes de chien puantes.

« Vous pouvez creuser un trou dans la cour, devant la salle de classe, et y enterrer ce torchon », dit-il.

Un lourd silence s'abattit dans la salle. Yong Sheng était si gêné qu'il eût voulu disparaître.

L'Allemand dit encore : « Heureux les pauvres ? Si vous ne lisez pas l'hébreu, vous auriez pu consulter la version latine ! Vous n'avez pas suivi les cours de latin ? Le texte biblique dit : Heureux les pauvres en esprit ! »

Cette nuit-là, il se réveilla en sueur. La scène lui revint à l'esprit, et il versa des larmes d'humiliation.

Le lendemain, il choisit un nouveau texte, comme sujet de son sermon.

Quand je parlerais les langues des hommes et des anges, si je n'ai pas la charité, je suis un airain qui résonne, ou une cymbale qui retentit[1].

Il imagina maintes fois la scène : un rideau séparait les hommes des femmes, et lui, debout à la tribune, d'une voix emplie d'adoration pour Dieu, il commentait ce passage du Nouveau Testament, qu'il avait toujours aimé :

Maintenant donc ces trois choses demeurent : la foi, l'espérance, la charité ; mais la plus grande de ces choses, c'est la charité[2].

1. I Corinthiens 13, 1.
2. I Corinthiens 13, 13.

Il savait qu'à l'instant où il prononcerait le mot « charité », il tournerait la tête vers le missionnaire Adams, à qui il jetterait un regard plein de mépris. Il irait même plus loin, en imitant le retroussement de ses lèvres, pour ajouter : « Toi qui ne connais pas le sens du mot "charité", que peux-tu comprendre au Christ ? »

La salle de prière du temple était provisoirement fermée pour travaux, et il fit son sermon dans la grande salle des cérémonies de la faculté, construite par les jésuites français, au dix-septième siècle. Occupée, vers le milieu de la dynastie des Qing, par l'armée rebelle des Taiping, elle avait été, à cette époque, la salle de réception de Hong Qiuquan, le chef des rebelles. À présent, seul un vitrail rappelait qu'elle avait jadis été un lieu de culte catholique. Lorsqu'il monta à la tribune, il fut enveloppé par la lumière diffuse qui filtrait par le vitrail, et qui, par diffraction, formait une douce nébulosité au-dessus de lui.

Alors qu'il se tenait debout au pupitre, il se sentit comme un acteur de théâtre qui, une fois sur scène, a oublié le texte et les dialogues qu'il avait pourtant maintes fois répétés et connaissait par cœur. Pire encore, il était un acteur frappé d'amnésie, qui ne se souvenait plus qu'il était acteur, et se demandait : « Qu'est-ce que je fais là ? »

Puis il vit le missionnaire Adams, assis au premier rang.

Il s'efforça de se rappeler les mots de saint Paul, mais n'y parvint pas. La Bible n'était plus pour lui qu'une antique cité inconnue, comme la ville de Nankin, où il se perdait chaque fois qu'il devait en traverser les ruelles tortueuses, sombres et étroites, pour aller à la poste, envoyer un mandat à sa famille. Égaré dans cette ville immense, où, dans certaines venelles, on ne pouvait passer à deux, il entendait les clochettes des pousse-pousse rompre le silence. S'il se mettait à courir, le bruit se dissipait… Pareillement, les phrases bibliques, avec leurs mots, leur syntaxe, n'étaient plus que des signes, qui disparaissaient les uns après les autres, dans le brouillard.

Parfois, comme une lanterne allumée à la croisée des rues, une allégorie biblique clignotait dans son esprit, mais aussitôt elle s'éteignait.

Soudain surgirent devant lui des images de destruction, de vengeance d'un dieu qui punissait les hommes par des inondations, des famines, des épidémies et des crimes, juste pour montrer sa toute-puissance sur ses créatures.

Il leva les yeux, pour contempler la lumière tombée du vitrail, dans laquelle des grains de poussière scintillants dansaient comme de fines particules d'étoile, et il repensa soudain à cette autre étoile, que suivirent les Rois mages :

Et voici, l'étoile qu'ils avaient vue en Orient marchait devant eux jusqu'à ce qu'étant arrivée au-dessus du lieu où était le petit enfant, elle s'arrêta[1].

Il s'entendit alors prononcer un verset qui l'avait toujours bouleversé, et qu'il considérait comme l'un des plus beaux :

Alors que les étoiles du matin éclataient en chants d'allégresse,
Et que tous les fils de Dieu poussaient des cris de joie[2].

Sans qu'il comprît comment, un flot de phrases jaillit soudain de sa bouche, sans aucun rapport avec l'Épître aux

1. Matthieu 2, 9.
2. Job 38, 7.

Corinthiens, qui devait être le sujet de son sermon : il parla de la naissance de l'Enfant Jésus.

« Le jour n'était pas encore levé. L'horizon était gris, et devant l'horizon, tout était pareillement gris. »

En prononçant ces mots, il voyait devant ses yeux la vaste mer, à Putian. Il faisait froid. Au bord, l'écume argentée des vagues scintillait, mais les flots lointains étaient gris, et se fondaient dans l'horizon gris.

« Dans la lumière incertaine du crépuscule, se détachèrent les silhouettes de trois chameaux », poursuivit-il, en se demandant s'il n'avait pas emprunté cette phrase à une nouvelle suisse, traduite de l'allemand. Peut-être en était-il lui-même l'auteur. « Assis sur le dos des chameaux, c'étaient trois mages, venus d'Orient pour rendre hommage au futur roi des Juifs. Ils levèrent la tête et observèrent une étoile émeraude dans le ciel. Contrairement aux autres, elle n'était pas immobile, mais bougeait dans le firmament.

» Ils la suivirent. Au même instant, de la fenêtre rectangulaire d'une étable délabrée, une autre personne vit aussi apparaître l'étoile. C'était Marie. L'astre était tout petit, mais sa lumière rayonnait dans toute l'étable, et plus particulièrement en direction de la crèche, où la jeune mère venait d'enfanter. »

En mentionnant l'étable et la crèche, il pensait à la chambre de sa propre chaumière, qui avait elle aussi une fenêtre rectangulaire, et où sa femme allait accoucher. Ce qui paraîtrait à sa fenêtre ne serait certainement pas une étoile, car le phénomène ne s'était produit qu'une fois, en plusieurs dizaines de milliers d'années, mais peut-être un long nuage pisciforme, qui flotterait dans le ciel, au-dessus de la colline où se trouvait leur maison.

« Les premières lueurs du jour teintaient le ciel de pourpre, poursuivit-il. Un long nuage noir, en forme de poisson, vira peu à peu au brun clair, et, quand les premiers pleurs de l'enfant s'élevèrent de la crèche, il se colora de jaune orangé.

» À présent, il faisait jour. L'étoile avait disparu. Les trois mages remarquèrent le nuage entouré d'une aura dorée, qui flottait au-dessus de l'étable. Sur les écailles du poisson-nuage, des gouttes d'eau brillaient, comme si des étincelles en sortaient. Eux qui savaient si bien interpréter les nues, ils surent qu'ils étaient arrivés. Les rayons du soleil éclairaient un ancien temple à demi écroulé, dont le portail délabré, en forme d'arc, s'enfonçait dans la terre. Devant ce bâtiment en ruine se dressait un olivier. »

Ce qui apparaissait devant ses yeux, c'était en fait le grand aguilaire devant la porte de sa chaumière, que ses parents avaient planté à sa naissance. Il lui sembla même voir, à l'ombre de son feuillage, son épouse assise sur une pierre, avec leur bébé dans les bras.

« Je n'ai personnellement jamais vu d'olivier, enchaîna-t-il, seulement un rameau dessiné dans un livre, qui représentait l'arche de Noé, un grand vaisseau de trois étages. Une colombe le tenait dans son bec, au-dessus des flots.

» Marie, qui avait quitté l'étable, était assise sur un rocher, sous l'olivier, avec le petit Jésus dans ses bras. Un sourire presque timide éclairait son doux visage. Elle regarda les chameaux venir vers elle en soulevant la poussière, et les vit, à son grand étonnement, s'arrêter devant elle. Des sacs que portaient leurs montures, trois vieillards à l'allure de savants sortirent divers trésors d'ivoire, de grenat, d'émeraude, ainsi que de l'or, de l'encens et de la myrrhe, qu'ils déposèrent aux pieds de l'enfant.

» Ils entourèrent le nouveau-né. Ils semblaient fatigués. Sans doute avaient-ils lu trop de livres (des millénaires de connaissance humaine étaient imprimés dans leur cerveau et profondément gravés dans chaque ride de leur visage, comme un lourd fardeau). D'avoir tant lu, leur vue s'était affaiblie, et ils durent se pencher très près de l'enfant pour contempler ce miracle, sans doute le plus grand de toute l'histoire de l'humanité : Dieu fait homme. Ils avaient même entendu dire qu'un jour il parlerait ainsi à ses disciples… » Il se rappela alors un passage de l'Évangile selon Matthieu.

Les disciples s'approchèrent de Jésus et dirent : Qui donc est le plus grand dans le royaume des cieux ? Jésus, ayant appelé un petit enfant, le plaça au milieu d'eux et dit : Je vous le dis en vérité, si vous ne vous convertissez et si vous ne devenez comme les petits enfants, vous n'entrerez pas dans le royaume des cieux. C'est pourquoi, quiconque se rendra humble comme ce petit enfant sera le plus grand dans le royaume des cieux. Et quiconque reçoit en mon nom un petit enfant, comme celui-ci, me reçoit moi-même[1].

Pour ce sermon, le missionnaire Adams lui attribua un A, et le convoqua dans son bureau. Pour avoir consacré tant d'années à l'étude de la Bible, il savait que préparer un prêche en si peu de temps n'était pas chose aisée, et il voulait savoir pourquoi il avait renoncé à son sujet initial, « Le sermon sur la montagne ». Yong Sheng s'efforça de se contrôler et ne souffla mot de l'humiliation que lui avait infligée le missionnaire. Il reconnut simplement que sa prédication avait été improvisée et que son inspiration tenait au fait qu'il attendait lui-même la naissance d'un enfant.

1. Matthieu 18, 1-5.

On était alors dans la troisième semaine de juin, et son épouse était tombée enceinte en août, lorsqu'elle avait remplacé la cuisinière du pasteur Gu.

Peut-être que, à l'instant où il prononçait son prêche, son nouveau-né avait vu le jour, dans son pays natal.

Le missionnaire Adams l'écouta avec enchantement. Lorsqu'il entendit qu'en plus il avait traversé la moitié du pays avec un œuf salé pour toute nourriture, afin de venir étudier à Nankin, il se frappa le front de la main en criant d'admiration, et lui promit de faire une collecte de fonds auprès des professeurs, pour lui permettre de rentrer au pays voir son enfant.

Un jour qu'il était en cours, il fut convoqué au bureau du doyen. Il sortit de la salle de classe avec fébrilité, persuadé qu'il allait lui donner l'autorisation de retourner quelque temps à Jiangkou, grâce à l'intervention du missionnaire allemand.

Le cursus intensif qu'il suivait à Nankin était le concentré de quatre ans de cours de théologie en dix mois de séminaire (d'avril à janvier), et la moindre absence était irrécupérable. Il n'y avait ni vacances d'été ni vacances d'hiver, et les congés pour raisons personnelles n'étaient généralement pas autorisés.

La secrétaire du doyen, qui avait atteint l'âge de la retraite, somnolait à son bureau. Elle portait des lunettes à verres épais, et un léger duvet ornait les coins de sa lèvre supérieure. Yong Sheng se présenta, et elle alla fouiller dans les dossiers des élèves, à l'intérieur d'un classeur, sans rien trouver.

Elle chercha dans un autre fichier, puis, sans mot dire, sortit du bureau.

Lorsqu'elle revint, quelques minutes plus tard, en poussant un chariot, il comprit que la convocation était sans rapport avec son retour dans le Fujian.

Un paquet était posé sur le chariot, dont la secrétaire lui dit qu'il venait du pasteur Gu, que la maladie avait emporté, deux mois plus tôt. Dans son testament, il avait demandé à l'Église de remettre de sa part quelques objets à son ancien préposé aux colombes : une vieille capote de l'armée américaine ; la version chinoise de la Bible, pourvue d'une transcription en caractères latins, qu'il utilisait pour préparer ses sermons ; un calendrier épiscopal, sur lequel étaient inscrits les thèmes bibliques à commenter chaque dimanche, et une paire de chaussures en cuir plus très neuves. Elle lui proposa de les essayer, se courba pour l'aider à les enfiler et lui noua même les lacets. Bien qu'elles fussent trop grandes pour lui de deux bons centimètres, et qu'il lui faudrait mettre du coton au bout pour y être à l'aise, il décida de les porter tous les jours, pour aller en cours.

Dans un coin du paquet, il sentit par hasard un petit objet rond et dur, et il comprit que la colombe noire que Dieu lui avait envoyée était morte elle aussi. Avant de quitter Putian, il avait passé deux jours à employer le talent hérité de son père pour lui fabriquer un sifflet, à partir d'un noyau de litchi, sur lequel il avait gravé des ornements du plus grand raffinement, et qu'il avait lui-même attaché sur la huitième plume de son aile valide.

À Nankin, au mois de juin, il fit une chaleur que Yong Sheng n'avait encore jamais connue. La touffeur était assommante. Chaque soir, Xiao Ming, son ami qui travaillait à la bibliothèque de la faculté, venait le chercher, avec un seau et une natte végétale, pour aller prendre le frais au bord du fleuve Qinhuai. Le coin préféré de Xiao Ming était le delta de Bailuzhou. Là, il puisait de l'eau du fleuve, en arrosait la terre, y étendait la natte, et s'y installait, pour profiter jusqu'à l'aube d'un peu de fraîcheur. Il connaissait par cœur quantité de poèmes anciens, et parlait mieux que personne du décor qui s'offrait à ses yeux : les petits pavillons des courtisanes, source d'inspiration des poètes, qui leur avaient dédié leurs plus beaux chants d'amour ; les fameuses barques des prostituées, peintes de décors somptueux, dont il ne disait jamais qu'elles ressemblaient à un crustacé ou un ver luisant, mais « à un insecte de l'ordre des coléoptères, au thorax bombé couleur d'or brun ».

À toutes ces merveilles, Yong Sheng était indifférent. Même lorsque, dans sa chambre étroite, la chaleur était si étouffante qu'elle couvrait d'une pellicule opaque la cornée de ses yeux, et que tout son corps semblait fondre en une graisse crasseuse, il n'avait pas le cœur à aller prendre le frais au bord du fleuve. Juillet succéda à juin, sans qu'aucune lettre ne lui parvînt de sa famille. Il ignorait toujours s'il avait un fils ou une fille.

Il ne pouvait le reprocher à sa femme. Comment une illettrée eût-elle pu rédiger un courrier ?

Août arriva, sans davantage apporter de nouvelle. Dans l'espace réservé à la correspondance du formulaire de mandat, il dessina un grand point d'interrogation, qui resta sans réponse. Alors, n'y tenant plus, il écrivit à son père (le seul membre de sa famille à savoir lire et écrire) une lettre dans laquelle il lui demanda de se rendre à Jiangkou. Il connaissait l'avarice du charpentier, mais il ajouta pourtant : « Dépense un peu d'argent pour m'envoyer un télégramme dès ton arrivée, que je sache enfin le sexe de mon enfant, car dans la bibliothèque de la faculté, j'ai trouvé un ouvrage intitulé : *Science des dénominations*, dans lequel je voudrais lui trouver le meilleur prénom. »

Xiao Ming était sur le départ. Il avait lui aussi été un brillant étudiant de la faculté de théologie, et avait fait partie des premiers pasteurs chinois que cette institution s'apprêtait à offrir au pays. Il était issu d'une riche famille protestante de Suzhou, qui bénéficiait d'importantes relations. Il possédait naturellement un remarquable talent oratoire, et le doyen avait même déclaré que le compter parmi ses étudiants était un don de Dieu. Toutefois, il avait participé à un meeting d'étudiants contre les Japonais (qui, à cette époque, occupaient déjà la Mandchourie), et, quand des heurts avaient éclaté entre la police et les manifestants, il avait blessé un policier, délit pour lequel il avait été arrêté et emprisonné. Dans l'affrontement, le jeune homme avait été frappé au visage par le sabre d'un autre policier, et il en avait gardé une longue balafre. Comme presque tous les intellectuels du temps, il portait une petite moustache, et depuis cet événement, elle était traversée par cette vilaine cicatrice, qui s'étirait du coin gauche de sa bouche jusqu'à son oreille. Sa famille avait fait intervenir ses relations, et il avait fini par sortir de prison, mais sa future carrière de pasteur était ruinée. Le doyen de la faculté, qui appréciait ses talents, lui avait permis de travailler dans la bibliothèque ; toutefois, le coup de sabre de la police montée avait rompu d'un coup la foi chrétienne qu'il avait héritée de sa famille. Il avait à présent remplacé la lecture de la Bible par celle d'une autre sorte d'Écriture sainte, dont l'auteur appartenait lui aussi au peuple de l'Ancien Testament. Il disait souvent : « Mon second Moïse rend le Dieu créé par le premier encore plus parfait. »

Il s'apprêtait à partir pour le sud de la province du Jiangxi, rejoindre l'Armée rouge. Un de ses lointains parents, Xiao Ke, était commandant de la sixième Armée de route.

La veille de son départ fut caniculaire. La petite rivière, au sud de la faculté, était complètement asséchée, et du limon qui tapissait le fond de son lit se dégageait une puanteur qui empoisonnait l'air à tel point que plus personne n'osait se rendre à la bibliothèque. Yong Sheng et Xiao Ming tentèrent de trouver refuge au bord du fleuve Qinhuai, mais sa surface était couverte de poissons morts et d'ordures ménagères. Ils décidèrent alors d'aller faire un tour de barque, sur le lac Xuanwu.

Yong Sheng était d'humeur maussade. Une sorte de pellicule blanchâtre flottait sur l'eau du lac, l'air était étouffant, semi-opaque et couleur d'huître, comme dans les bains publics. La barque en bois, chauffée par le soleil de l'après-midi, était brûlante. Tout en ramant, Xiao Ming parlait de ses convictions politiques, comme un homme qui raconte ses histoires d'amour, sans imaginer un instant qu'il ennuie son interlocuteur ; ou comme un qui montre la photo de sa bien-aimée, en ne doutant pas que tous feront l'éloge de sa beauté. Il récita soudain le passage qu'il tenait pour le plus beau de la Bible :

Jésus dit à ses disciples : Je vous le dis en vérité, un riche entrera difficilement dans le royaume des cieux. Je vous le dis encore, il est plus facile à un chameau de passer par le trou d'une aiguille qu'à un riche d'entrer dans le royaume de Dieu[1].

1. Matthieu 19, 23-24.

Enfin, il prononça avec conviction cette phrase, jaillie du cœur d'un chrétien devenu communiste : « Jésus haïssait tellement les riches que, s'il était né à notre époque, il serait communiste. »

La balafre se tordit au coin de sa bouche. Au même instant, la barque heurta la pile d'un pont avec fracas. Dans le choc, la feuille du papier calque, sur laquelle Yong Sheng avait reproduit le dessin de Léonard de Vinci, s'échappa de sa poche et tomba à la surface brûlante de l'eau, dont la couleur laiteuse se confondait avec celle de l'air ambiant. À partir de ce jour, les traces de sueur grasse, qui maculaient déjà le dessin, se fondirent en une teinte jaunâtre plus régulière, qui, comme la patine sur un tableau ancien, lui donna l'apparence d'appartenir au passé.

La lettre du charpentier Yong arriva à Nankin au début d'octobre, trois mois avant la fin du séminaire.

Rien ne pouvait changer la nature profonde d'un homme. Le père n'avait pas voulu dépenser le prix d'un télégramme, et dans cette période troublée, où plusieurs provinces du Sud étaient en guerre et où les services postaux étaient paralysés, c'était presque un coup de chance que sa lettre n'eût mis que deux mois pour arriver à destination.

En fait, Yong Sheng reçut deux lettres ce jour-là. La première fut un mot de Xiao Ming. Comme tous les matins, il alla prendre son petit-déjeuner à la cantine de la faculté, où, après avoir fait la queue, il tendit son bol au cuisinier. Ce dernier se pencha vers un grand seau en bois, rempli de bouillon de maïs, dont il préleva le contenu d'une louche qui heurta la paroi avec un bruit étouffé. Il remplit le bol de Yong

Sheng et tira de la poche de son tablier crasseux un papier plié, qu'il lui glissa discrètement dans la main, en prenant son ticket de cantine.

« C'est de la part de Xiao Ming. Il est au Hunan. Brûle-le après l'avoir lu. »

Aussitôt, il disparut dans la vapeur chaude, qui sortait du seau de bouillon de maïs.

Yong Sheng avala son petit-déjeuner, sans trouver d'endroit assez discret pour prendre connaissance du message de son ami. Et alors qu'il se dirigeait vers les salles de classe, il rencontra le concierge Zhang, qui l'informa qu'une lettre l'attendait à la loge.

« Elle vient du Fujian. »

Il se précipita à la conciergerie et, avant que son cœur et ses poumons n'eussent retrouvé un rythme normal, il serrait entre ses doigts la lettre de son père.

Sur l'enveloppe, son nom et son adresse étaient écrits au pinceau ; les traits, assez grossiers, et à certains endroits presque naïfs, semblaient avoir été tracés avec un mauvais pinceau, auquel manquait une partie des poils.

La lettre comportait deux paragraphes.

Quarante-neuf caractères.

Cinq lignes verticales. La première comptait douze mots ; la deuxième, neuf ; la troisième, seize ; la quatrième, onze ; la cinquième, un seul.

Debout à côté de la porte de la conciergerie, il n'eût su dire combien de fois il avait lu cette lettre. Trois minutes, puis dix, et encore trente passèrent. Il était toujours debout à la même place.

Ou plutôt, il semblait debout, car en fait, ne tenant plus sur ses jambes, il avait été obligé de s'appuyer contre le mur.

Enfin, il releva la tête et remarqua que, d'un coup, le soleil de Nankin s'était voilé de noir.

Machinalement, son regard revint se poser sur la lettre, et ce qu'il y lut, ce ne fut plus seulement des phrases de quarante-neuf caractères, mais l'échec de sa vie. Quand la ficelle qui ferme un sac de blé se relâche soudain, les grains se répandent à terre. Il en va de même pour l'être humain. Ses sentiments – ses désirs, ses passions, ses contradictions, son animalité, sa douceur, sa fierté, sa jalousie –, tous ces éléments qui forment son identité, sont contenus dans un sac de peau, fermé par une corde invisible. Ce jour-là, le nœud qui serrait son propre sac fut violemment rompu.

Le fleuve grondait à ses pieds.

Il se tenait debout, au sommet du récif des Hirondelles.

Il y était venu, quelques mois plus tôt, avec Xiao Ming. Ensemble, ils avaient escaladé ce haut rocher, dressé au bord du Yangzi. Ils avaient emprunté des bicyclettes et roulé plusieurs heures, depuis le centre de Nankin. C'était en hiver, le vent était glacial. Lorsqu'ils parlaient, ou simplement respiraient, une buée légèrement bleuâtre sortait de leur bouche. Xiao Ming avait emporté de l'alcool, dans une gourde de soldat, mais le froid était si intense qu'il avait gelé, et quand, tête renversée, ils en avaient bu une gorgée, ils avaient été surpris de ne sentir sur leur langue que des paillettes de glace, au fort goût de métal. Ce n'était qu'après les avoir croquées qu'ils avaient enfin éprouvé le goût de l'alcool et senti ses effets se répandre dans leur corps. Le récif était nu ; il n'y avait rien, hormis une pancarte, sur laquelle était inscrit ce qu'ils avaient, de loin, supposé être un poème composé par un empereur, ou la dédicace d'une quelconque célébrité. Mais non. Quand ils s'en étaient approchés, ils avaient lu : « Réfléchis bien avant de mourir. » Yong Sheng s'était avancé du bord de la falaise et s'était penché, pour jeter vers le bas un regard craintif. C'était étrange. Le long trajet de plusieurs heures à vélo ne lui avait pas fatigué les jambes, mais soudain, au bord du précipice, il les avait senties molles et instables. Le vide était vertigineux. Quelques arbustes s'accrochaient désespérément à la paroi rocheuse, au pied de laquelle s'écrasaient les flots gris du Yangzi. De temps à autre passait un sampan ou un bateau à vapeur.

Quelques mois plus tard, quand il remonta au sommet du récif, la pancarte avait disparu.

« Cela veut sûrement dire que pas mal de gens viennent ici, comme moi, pour se jeter dans le fleuve », pensa-t-il.

Un groupe d'hirondelles tournoyaient au-dessus de lui. D'autres nichaient en bas de la falaise, et lorsqu'il se pencha, il les vit s'envoler comme des flèches vers le côté le plus ensoleillé du rocher.

« Au moins, ce ne seront pas des corbeaux, mais des hirondelles, qui assisteront à mes funérailles. »

Cette pensée lui rappela les corbeaux à bec court qui envahissaient les sépultures des ancêtres de la famille Yong, à Putian. Le jour de la fête des morts, il se levait tôt, enfilait des habits propres, et partait avec ses parents dans l'arrière-montagne, pour se recueillir sur les tombes de leurs défunts. Chaque fois, ils y trouvaient une multitude de corbeaux, qui ne volaient pas furtivement comme les hirondelles qu'on parvenait à peine à suivre des yeux, mais en battant lentement des ailes. Ils étaient plusieurs centaines sur le flanc de cette montagne couvert des tombes de sa famille, dont bien des stèles étaient illisibles et enfouies dans la terre. Ils tournoyaient au-dessus des sépultures, en cercles parfaitement ronds ; parfois, quelques-uns s'en écartaient, mais aussitôt, ils rentraient d'un battement d'ailes à l'intérieur de la formation, en poussant des cris perçants.

« Je ne serai pas enterré dans l'arrière-montagne, avec les autres membres de ma famille. »

Il pensait cela sans regret, et même avec un certain orgueil.

« L'eau est le plus pur liquide du monde, qu'on utilise pour le baptême. Normalement, je devrais terminer mes études dans deux ou trois semaines, et je pourrais moi-même donner le baptême, mais maintenant, il est trop tard. Je suis fini en tant qu'être humain, et aussi en tant que pasteur, avant même d'avoir exercé. Tout est fini. Je ne suis plus à présent que l'ombre d'une personne, et cette ombre dispa-raîtra bientôt dans les flots, pour recevoir le baptême le plus radical qu'on puisse imaginer. Un baptême au cours duquel on entre dans l'eau pour n'en jamais ressortir. Je ne consi-dère pas mon suicide comme une trahison envers Dieu. Non, ce n'est pas une trahison ; mon corps va étinceler, au gré des vagues qui l'emporteront en aval du Yangzi, jusqu'à la mer, où il nourrira les poissons, en demandant à Dieu de lui rendre justice. »

Enfin, les derniers touristes s'éloignèrent, et le récif se mit à flamboyer, sous les feux du soleil couchant. Autour des grottes creusées dans chacune de ses trois terrasses, il rou-geoyait comme du cuivre incandescent, dans le four d'un forgeron. La première fois qu'il était venu avec Xiao Ming dans ce lieu magnifique, ils avaient, devant la première grotte, rencontré un handicapé, qui les avait harcelés ; il voulait de l'argent pour élever à cet endroit une statue de Bouddha.

Dans la deuxième grotte, ils n'avaient trouvé que quelques arbres sombres, dépouillés par l'hiver. Dans la troisième, un portrait de Guanyin, gravé dans la roche, dont l'auteur prétendait être Wu Daozi, leur avait fait forte impression. Au-dessus de cette dernière grotte se dressait un petit pavillon, dans lequel ils étaient devenus frères jurés : chacun s'était entaillé le bout d'un doigt et avait versé quelques gouttes de son sang dans la gourde d'alcool. Puis ils s'en étaient frotté les lèvres, avant d'en boire une gorgée et de verser le reste dans l'eau du fleuve.

Debout au sommet du rocher, il ne ressentait aucune tristesse. Il avait plutôt le sentiment de s'apprêter à s'envoler, pour devenir immortel.

En plongeant son regard en contrebas, il n'avait nul regret de bientôt quitter ce monde. De même que la roche autour de lui, l'eau, à ses pieds, s'était embrasée, et il lui sembla même voir des flammes ardentes danser à sa surface.

Des morceaux de papier déchiré flottèrent dans l'air, emportés par le vent, et retombèrent lentement dans le fleuve ; c'était la reproduction du dessin de Léonard, « Étude anatomique du fœtus dans l'utérus ». Il contempla une dernière fois les flots incandescents, qui battaient le rocher, où, en jaillissant, ils prenaient des formes indistinctes, qui évoquaient parfois de grands arbres, un groupe d'animaux, ou encore ce fœtus, dont ils avalaient le dessin.

Soudain, il repensa au mot que lui avait fait parvenir Xiao Ming, et il se dit que, par amitié, il devait le lire, avant de se jeter dans le vide.

Sur la feuille, il n'y avait que trois lignes, non pas tracées au pinceau, à la verticale, mais écrites au stylo, à l'horizontale. L'écriture en était précipitée, mais lisible :

138

« Je suis arrivé dans la province du Guizhou, avec la sixième Armée de route. Quand on a pris la ville de Jiuzhou, on a rencontré un couple de missionnaires américains, dont la femme, qui se prénomme Mary, a prétendu avoir enseigné à l'école de la mission de Putian, et s'être occupée de toi comme de son propre fils. »

CHAPITRE 8

La Longue Marche

Il reçut la lettre de Xiao Ming le 8 octobre 1934.

Si l'on considérait une carte militaire de ce jour-là, on voyait qu'aucune bataille ne se livrait dans la province du Jiangxi. On ne trouvait, à cet endroit, ni de flèches qui représentaient les avancées de l'armée révolutionnaire, ni de points qui figuraient les positions des différents bataillons, et la raison en était simple : les 86 000 soldats de l'Armée rouge ne prirent la route que le 10 octobre 1934, de Yuedu, dans la province du Jiangxi, et la fameuse Longue Marche ne débuta que ce jour-là. Deux jours plus tôt, le 8 octobre, tout ce que l'on pouvait voir, sur une carte militaire, c'était une fine ligne, un peu comme le tracé de la source d'un fleuve, qui sinuait avec hésitation entre les montagnes de la province du Guizhou (la province chinoise la plus pauvre, à cette époque), où elle étendait ses ramifications, à la manière d'un mille-pattes. Les montagnes étaient représentées par leurs lignes de crête, en forme d'éventail, les collines étaient brun clair (les terres où généralement les paysans cultivaient l'opium), le brun foncé étant réservé aux plus hautes montagnes, dont les sommets ressemblaient à d'énormes bosses de chameau. Le fin mille-pattes représentait la sixième Armée de route, que Xiao Ming avait rejointe, et qui constituait l'avant-garde de l'Armée rouge. Elle était partie du village de Hengshi, dans le district de Suichuan de la province du Jiangxi, au début du mois d'août, soit deux mois avant le gros des troupes. Le commandant de cette sixième Armée de route était justement Xiao Ke, le lointain parent de Xiao Ming. À la différence de celles qui représentaient le Yangzi ou le fleuve Jaune, dont la source élargissait rapidement son lit et dont les flots fertiles étaient alors figurés par un trait large et puissant, la fine ligne qui matérialisait, sur les cartes militaires, la sixième Armée de route ressemblait plutôt à la rivière Dalimu, qui avançait timidement dans le désert du Taklamakan, et disparaissait presque aussitôt dans les hautes montagnes de la province du Guizhou. Tantôt, elle s'amincissait tant qu'elle finissait par se transformer en pointillé, qui devenait de plus en plus ténu et dispersé, comme prêt à s'évaporer, mais qui continuait cependant à avancer avec obstination, vers l'ouest du Hunan.

Après avoir pris connaissance de la lettre de Xiao Ming, Yong Sheng décida d'aller chercher Mary au Guizhou, mais il ne partit pas sur-le-champ. Il se rendit d'abord dans le quartier de la gare de Nankin, où régnait un certain désordre. L'atmosphère était si fétide qu'il passa deux jours dans un bain public bon marché, où, par l'intermédiaire du masseur de l'établissement, il entra en contact avec un forgeron dont l'atelier se trouvait dans une ruelle voisine. En dehors de battre le fer pour fabriquer des outils, l'artisan réparait aussi de vieilles armes, et c'est ainsi qu'en échange de quatre piastres d'argent, soit deux mois de bourse, il fit l'acquisition d'un fusil.

Le forgeron lui demanda pourquoi il avait besoin d'une arme. Il lui répondit qu'il comptait se rendre dans les montagnes du Guizhou, où les terres cultivables étaient des plantations d'opium et où les paysans étaient armés. Quand venait la morte-saison, et qu'ils n'avaient plus grand-chose à faire dans les champs, ils se regroupaient pour attaquer en bandes les voyageurs qui s'aventuraient dans leur contrée. Cette situation étant connue, il parut naturel au forgeron qu'il voulût un fusil pour assurer sa propre sécurité.

C'était un vieux fusil de fabrication japonaise qui datait de 1906, dont la crosse en bois était toute fendillée et la culasse mobile très rouillée. Dans la nuit, ils allèrent l'essayer. Ils marchèrent un kilomètre, le long de la voie ferrée, traversèrent une rizière asséchée, où les tiges de riz coupées crissèrent sous leurs pieds, et atteignirent enfin une pente montagneuse, plantée d'un côté d'un champ de navets, dont les feuilles, en cette fin d'automne, étaient ratatinées par le gel et encore plus noires que la nuit qui les environnait. L'autre côté était couvert de tombes abandonnées, desquelles montait une odeur de terre humide. Le forgeron ouvrit le long paquet rectangulaire qu'il portait sur le dos, déballa le fusil enveloppé dans une épaisse feutrine, l'arma et le passa à Yong Sheng.

Surpris par le poids de l'arme, celui-ci faillit la laisser tomber.

Le forgeron lui montra comment l'utiliser, un genou à terre, la crosse appuyée contre l'épaule gauche, le menton contre la crosse.

Les parties métalliques de l'arme (le canon, la culasse mobile, la queue de détente) étaient glacées, et Yong Sheng sentit ses muscles se durcir à leur contact. Ses doigts, plus particulièrement l'index de sa main droite, posé sur la détente, semblaient ne plus lui appartenir, comme si, anesthésiés par le froid contact du métal, ils avaient perdu toute sensation et étaient devenus indépendants du reste de son corps.

Sous le nébuleux clair de lune, les tombes abandonnées semblaient trembloter dans le brouillard qui les enveloppait. Sur la pente, la nappe avait d'abord englouti le champ de navets, avant de se répandre au-dessus des sépultures. Déjà, il ne distinguait plus clairement le visage du forgeron, mais il entendait sa voix. Toutefois, dans l'atmosphère macabre que le vent charriait de ce côté, elle paraissait dématérialisée. L'homme ne cessait de répéter avec insistance comment il avait trouvé l'arme dans les ruines d'un camp militaire, comment il l'avait démontée, pièce par pièce, et comment, grâce à son savoir-faire, il avait ajusté la détente et fabriqué lui-même le ressort qui manquait, afin de lui redonner vie.

Un chien efflanqué se mit à aboyer. La voix blanche du forgeron s'éloigna peu à peu, bientôt absorbée par la nuit. Il marcha vers une tombe, à côté de laquelle gisait un chausson brodé de femme, qu'il ramassa. Quelqu'un l'avait-il oublié là, ou était-il sorti d'un cercueil ? Il y avait même une chaussette, à l'intérieur, dont la couleur passée était indéfinissable. Il l'accrocha à un arbre, à dix mètres de distance, puis il revint vers Yong Sheng, lui prit le fusil des mains et appuya sur la détente.

Yong Sheng sursauta. Il lui sembla qu'une bête en acier venait de pousser un cri, déchirant le silence alentour. Une bande de corbeaux, effrayés par la détonation, s'envola. Le chien osseux s'enfuit en glapissant. Le lourd battement des ailes des oiseaux se mêla aux aboiements apeurés. Le chausson de femme avait éclaté en menus morceaux, que le vent dissipa dans la montagne.

Pour Yong Sheng, la froideur de la saison était un avantage, car il pouvait dissimuler son fusil, qui n'était pas très long, sous son manteau.

Très vite, il se prit à aimer le contact de l'arme avec les muscles de son dos. La froideur de l'acier non seulement s'infiltra dans sa chair mais, bientôt, elle fit partie intégrante de son être. À chacun de ses pas, le léger bruit métallique de la culasse vibrait contre son corps. Il avait jeté les souliers américains du pasteur et portait une paire de bottes ferrées que lui avait laissées Xiao Ming, avant son départ. Cette nuit-là, l'ombre noire de son corps secrètement armé s'allongea sur un quai de la gare de Nankin. Il attendait un train, à destination de Nanchang, où il prendrait un car jusqu'à Changsha, puis un autre jusqu'à Chaoyang, où il ferait du stop jusqu'à Liping, une petite ville de la région montagneuse du Guizhou. Sur le quai, le vent était si glacial, qu'il piétinait d'un pied sur l'autre, pour se réchauffer. Le bruit des fers de ses bottes sur le ciment, qui résonnait dans la gare vide, lui plaisait. Il ressentait l'excitation du soldat qui partait au combat.

Qui eût pu croire – lui-même l'avait presque oublié – que quelques jours plus tôt il n'était encore qu'un bon élève de la faculté de théologie, destiné à une carrière de prédicateur ?

Il prépara une carte pour ce voyage. Le professeur de géographie de la faculté lui avait appris à en dessiner. Puisqu'il était armé, il s'inspira de la cartographie militaire : chacune de ses journées était symbolisée par un rectangle, et chaque rectangle séparé par une flèche. Partout où il s'égarait, rencontrait des obstacles, ou même ne trouvait pas de bois pour faire du feu, il recourbait la pointe de la flèche en forme de hameçon, comme le faisaient les officiers d'état-major quand leurs troupes affrontaient des ennemis. Sa carte n'était presque qu'une succession de hameçons, qui témoignaient de la difficulté de ses aventures au cours de ce long trajet. À Liping, ses travaux de cartographie furent interrompus.

Le bourg était situé au fond d'une vallée et entouré de prairies, où les enfants faisaient paître les buffles. Il ne consistait qu'en une seule et unique rue, plutôt étroite, où s'alignaient deux ou trois boutiques de riz, de sauce de soja et de sel, un bureau de poste, un atelier de forgeron et quelques habitations; le jour, leurs occupants enlevaient les planches en bois des façades, et elles se transformaient en échoppes. Le soir, ils remettaient les planches en place, et elles redevenaient de simples maisons. Au bout de la rue se dressait le bâtiment d'une organisation caritative allemande, que les missionnaires qui y travaillaient avaient déserté avant l'arrivée de l'Armée rouge.

À partir de Liping, il ne marcha plus que dans de hautes montagnes aux parois escarpées, où les défilés n'étaient parfois pas plus larges que le pied. Des ponts suspendus traversaient le fleuve. À côté, des paysans déterraient, à coups de pioche, les pommes de terre, qu'ils avaient plantées dans le sol rouge foncé. Yong Sheng était tellement épuisé par la marche qu'il n'eut plus l'énergie de continuer à établir la carte de son périple.

Les habitants du Guizhou disaient souvent: « Au Guizhou, il ne fait jamais beau trois jours de suite, et la terre n'est jamais plate trois pas d'affilée. » Effectivement, la région était presque tout le temps sous la pluie, pis encore, toujours enveloppée d'un brouillard glacial, et le paysage n'était constitué que de pics montagneux. La région semblait dévastée, et cependant, la guerre n'y était pour rien. Elle était ainsi même en temps de paix. Depuis des milliers d'années, sa configuration géologique en faisait un lieu hostile à la vie, sous toutes ses formes. Dans cette mesure, la guerre était moins terrible. Après avoir passé Guiyang, il vit encore quelques rizières inondées et des champs couverts de givre blanc, mais rapidement, il n'affronta plus que des escarpements rocheux de plus en plus abrupts, dont les contours flous se perdaient dans le brouillard, tantôt dressés comme une foule d'étranges géants, tantôt alignés à l'infini comme d'immenses tombeaux. Des aigles tournoyaient au-dessus de sa tête en glatissant, et l'écho de leurs cris effrayants déchirait l'épais silence. De temps à autre, il voyait un corbeau tomber, raide mort, au fond d'une falaise. Des siècles de pluies, de froid paralysant et de chaleur insupportable avaient dénudé les pentes des montagnes, et formé d'immenses crevasses dans la terre dévastée. Parfois, quelques arbustes décharnés s'accrochaient encore à la roche, à la manière de squelettes humains. Des villages de la minorité Miao étaient dispersés à flanc de falaise. Leurs maisons basses à toit de chaume et murs peints en brun, sans aucune fenêtre, ressemblaient à de petits bunkers sinistres, posés au détour des chemins, sur lesquels on s'attendait, à tout moment, à voir surgir un bandit armé ou un tigre. Dans ces endroits, les voyageurs ne se déplaçaient qu'en groupe, et quand il escaladait un raidillon étroit et dangereux, Yong Sheng ne pouvait que fixer les talons de celui qui le précédait, suivi de si près par un autre qu'au moindre faux pas, ses bottes lui eussent écrasé le visage. Au fond des falaises, il voyait souvent des cadavres de chevaux, encore chargés de leurs bâts.

Trois semaines plus tard, à la fin du mois d'octobre, il arriva enfin à Jiuzhou. Malheureusement, la sixième Armée de route était déjà partie avec le couple de missionnaires américains.

Jiuzhou était une très petite bourgade, où cohabitaient Chinois et Miao. Elle n'était en rien comparable à Putian, et même le modeste bourg de Hanjiang était beaucoup plus grand. Cependant elle était ceinte de hautes murailles, percées de quatre portes. De chaque côté des portes, un escalier de pierre permettait d'accéder au sommet des remparts. Quand la ville était assiégée par des bandes armées, chaque famille devait envoyer un de ses membres la défendre depuis les fortifications, d'où, comme ils n'avaient pas d'armes, ils jetaient de grosses pierres sur les assaillants. Le pasteur Samuel Brown en personne, toujours vêtu de son costume sombre et de son nœud papillon, assistait à la bataille. À plusieurs reprises, sa très vaillante épouse Mary l'avait accompagné, pour observer avec une longue-vue la réaction des ennemis.

Au début du mois d'octobre 1934 (dans les archives, la date de la prise de Jiuzhou par la sixième Armée de route est imprécise, et se situe entre le 1er et le 15 octobre), quand, du haut des remparts, elle observa les nouveaux attaquants, elle comprit qu'ils étaient différents des bandits auxquels le bourg était habitué.

« Ils ne portaient pas d'uniformes et avaient tous des casquettes disparates. Cependant, sur chacune, je remarquai la même étoile rouge à cinq branches. »

D'après ce témoignage, elle ne connaissait pas encore cet emblème. Ni elle ni son mari Samuel n'avaient, jusqu'à ce jour, rencontré de soldats de l'Armée rouge.

Sur les remparts se dressait un vieux canon, qui avait été utilisé pour la dernière fois par des soldats de la dynastie des Qing pour écraser une rébellion des Miao. Depuis, le brouillard givrant et les pluies incessantes l'avaient transformé en tas de ferraille rouillée, qui s'enfonçait dans la terre du remblai, comme si les fortifications eussent entrepris d'engloutir cette arme superflue. Un jour, le pasteur Brown s'était mis en tête de le réparer, puis, avec un long bout de bois, il l'avait bourré de soufre, de charbon, de billes de fer, de verre brisé, de débris de baguettes et de bols cassés. Quand les habitants de Jiuzhou racontèrent l'aventure à Yong Sheng, leurs voix étaient encore remplies de respect à l'égard du missionnaire : « D'abord, il y a eu une grande explosion, et quand on a regardé l'endroit où étaient tombés les projectiles, on a vu la terre se soulever, et s'élever une colonne d'épaisse fumée, haute comme une tour, qui resta un moment suspendue dans l'air, avant de retomber lentement, projetant en tous sens des mottes de terre et des cailloux. »

L'ancien canon rafistolé par le pasteur n'avait pas long-temps résisté à l'assaut de l'Armée rouge. « Ces gens-là étaient quand même plus forts que les bandits auxquels nous étions habitués, et très vite, le bourg est tombé entre leurs mains. » Les hommes dont les casquettes étaient ornées d'une étoile rouge à cinq branches avaient envahi la mission en criant : « Nous sommes l'avant-garde de l'Armée rouge ! » Samuel et Mary avaient alors compris qu'ils appartenaient à cette fameuse armée dont ils avaient entendu parler sans l'avoir jamais vue.

Selon la jeune femme Miao qui était leur bonne, leur cuisinière et leur enseignait aussi sa langue : « Quand ils ont entendu ce nom d'"Armée rouge", Monsieur et Madame ont été rassurés, et lorsque les soldats ont commencé à fouiller la maison, Madame, qui avait gardé son sang-froid, m'a chuchoté : "Je préfère avoir affaire à eux qu'aux bandits." » Selon

la domestique, quand les bandits capturaient des missionnaires, et au Guizhou, c'était arrivé des dizaines de fois, ils
finissaient le plus souvent par les tuer.

Les soldats de l'Armée rouge avaient réquisitionné le temple
et la maison du pasteur Brown. Par curiosité, Yong Sheng se
rendit sur les lieux, et il constata que même si les presbytériens
étaient les rivaux des baptistes, la résidence du pasteur Brown
ressemblait étrangement à celle du pasteur Gu. Bien sûr, sa
taille était incomparable, mais c'était quand même la maison
d'un riche marchand, dans la cour de laquelle Mary avait fait
planter, non pas des fleurs, mais des courges, et plusieurs
rayons de choux, de tomates et de haricots grimpants, qui
donnaient à l'ensemble une allure de jardin potager, au milieu
duquel des poulets grattaient la terre.

La salle de séjour, très spacieuse, avait été transformée en
salle de prière, décorée d'images pieuses. Bien que la bourgade
fût si reculée, il lui sembla que Mary et Samuel y menaient
une vie agréable. On voyait qu'ils faisaient l'effort d'apprendre
la langue des Miao, car des mots et expressions étaient épin-
glés un peu partout sur les murs, accompagnés de leur transcription phonétique.

Il s'étonna de ne voir, ni dans cette salle ni dans la chambre
des époux, de photos de mariage ou de famille. Il apprit plus
tard que les soldats les avaient confisquées.

On devinait que le couple n'avait pas d'enfant, car il n'y
avait qu'une chambre, meublée d'un grand lit à cadre de
bambou, entouré d'une moustiquaire ; nulle part il n'y avait
de jouets. Derrière la maison, dans une autre cour plus petite,
un âne faisait tourner une meule en pierre, comme chez le
pasteur Gu. Il ne put s'empêcher d'approcher l'animal, dont le
piétinement des sabots sur les dalles se mêlait au grincement

de l'essieu en bois et au crissement de la meule. Ses yeux étaient couverts d'un bandeau rouge, son licol et sa bride étaient trempés de sueur, et la transpiration donnait à son pelage gris des reflets plus sombres. Comme chez le pasteur Gu, il broyait du soja, car Mary, faute de trouver du lait de vache, buvait du lait de soja au petit-déjeuner.

« Après son départ, lui dit la domestique, j'ai continué à lui en préparer tous les matins, car si, par hasard, elle rentrait, elle serait bien contente d'en trouver. »

À deux reprises, elle était allée dans le camp de l'Armée rouge porter des vêtements propres et de la nourriture à ses maîtres, enfermés avec une vingtaine de prisonniers de l'armée du Guomindang, hommes et femmes séparés dans deux pièces différentes.

Mary, qui ne semblait pas terrifiée par la situation, lui avait demandé de contacter un missionnaire et médecin britannique, dont le nom chinois était Bo Gefei[1]. Il était leur ami, mais aussi celui de He Long, grand général de l'Armée rouge, car il avait sauvé la vie de son neveu, et il lui avait écrit personnellement pour l'en remercier. Le général lui avait même rendu visite en son église de Zhenyuan. S'il acceptait de lui faire passer un message, Xiao Ke serait obligé de les relâcher.

Mary et Samuel ignoraient où ils se trouvaient, au jour le jour, mais, comme tout le monde, ils savaient que le but du sixième corps d'armée de Xiao Ke était de rejoindre He Long, à l'ouest du Hunan.

---

1. Rudolf Alfred Bosshardt, qui a marché avec la sixième Armée de route du commandant Xiao Ke durant cinq cent soixante jours et a décrit cette expérience dans son livre *The Restraining Hand*, publié par Hodder & Stoughton, à Londres, en novembre 1936.

Partout où ils passaient, les paysans et commerçants locaux connaissaient tous le nom de He Long, ainsi que le but poursuivi par l'Armée rouge. Cela faisait deux semaines que Yong Sheng avait quitté Jiuzhou pour se lancer sur les traces des soldats de la sixième Armée de route, engageant une véritable course contre la montre. Il devait impérativement la rattraper avant qu'elle n'eût rejoint les troupes de He Long, car si ce dernier décidait de libérer le couple de missionnaires, comment pourrait-il retrouver Mary ? Après sa captivité, retournerait-elle à Jiuzhou, ville dévastée et loin de tout ? Certainement pas. Elle choisirait sans doute d'atteindre Shanghai, pour prendre le premier bateau à destination des États-Unis. Ce qui signifiait la perdre à jamais.

Tout au long du chemin, les gens lui parlèrent du couple de missionnaires, qui chantaient des cantiques aux soldats, et il comprit que Mary et Samuel n'avaient pas baissé les bras.

« Dès qu'ils en avaient l'occasion, ils sortaient leur bible et la lisaient à voix haute, lui raconta le patron d'une auberge de Shibing. Le mari pour la femme, et la femme pour le mari. Ils passaient le reste du temps à réciter des prières et à chanter des cantiques. Peu à peu, les gardes qui les surveillaient ont commencé à apprécier leurs chants, et parfois, c'étaient eux qui leur demandaient d'entonner un air. »

Shibing était une bourgade à flanc de montagne, qui dominait une vallée toujours plongée dans l'ombre, arrosée par un torrent. La nuit, quelques lanternes accrochées devant les maisons tachaient le versant de faibles lumières. Les habitants se souvenaient encore de la présence des soldats, deux semaines plus tôt. Ils avaient envahi les rues et les cours. Sous les auvents des maisons, ils nettoyaient leurs fusils, lavaient leurs chevaux à côté des puits, ou écrivaient des slogans sur les murs, avec un mélange d'eau et de chaux. Dans tout ce branle-bas, on entendait les deux missionnaires chanter des cantiques...

Yong Sheng imaginait que, lorsqu'ils chantaient, la vallée leur répondait en écho. N'était-ce pas extraordinaire ? Il lui sembla entendre, traversant le temps et l'espace, la voix faible de Mary, aussi faible que la lueur vacillante des lointaines étoiles de l'univers. « Je reconnaîtrais ta voix entre toutes, Mary », pensait-il. Il imaginait cette voix, au début dominée par le grondement du torrent, dans la vallée, qui s'imposait peu à peu, pour devenir de plus en plus forte et maîtrisée.

Il demanda au patron de l'auberge quel cantique elle chantait. N'était-ce pas « Quand je vois ta croix, ô mon Sauveur[1] » ? L'homme lui répondit qu'il n'en savait rien, alors il lui fredonna l'air, mais l'autre ne put lui certifier qu'il s'agissait bien de celui-là.

Shibing n'était habité que par quelques dizaines de famille. C'était une bourgade minuscule. Comme dans la plupart des autres que Yong Sheng avait traversées dans la région du Guizhou, l'auberge n'avait ni nom ni enseigne. Seules quelques couvertures ouatées, empilées devant la porte, indiquaient que c'était une auberge. Il y dîna de pousses d'ail et de soja, cuites à l'eau. À côté, on lui apporta une petite assiette, sur laquelle un morceau de sel jaune était posé, comme un écueil, contre lequel il frotta les légumes, au bout de ses baguettes, pour leur donner un peu de goût.

1. « When I survey the wondrous cross », cantique du pasteur et poète Isaac Watts (1674-1749), écrit en 1707 : « Quand je vois ta croix, ô mon sauveur, où tu mourus, mon Rédempteur, s'effondrent toute gloire, orgueil, tout vain éclat qui frappe l'œil. »

Le sel provenait non pas de la mer, mais de la province du Sichuan, où on le fabriquait en le faisant bouillir dans un chaudron. C'était le type de sel qu'on utilisait la plupart du temps au Guizhou, mais à cause des voies d'accès rares et difficiles qui compliquaient son acheminement et de l'impôt très lourd qui pesait dessus, c'était une denrée très chère. Cinq cents grammes coûtaient une piastre d'argent, et la plupart des gens s'en passaient. En avoir dans une écuelle, pour y tremper ses légumes, était un vrai luxe.

Selon le patron, l'Armée rouge avait réquisitionné son auberge pour y loger les captifs, dont faisaient partie Samuel et Mary, qui furent d'ailleurs les seuls à avoir du sel avec leur nourriture. C'était la preuve qu'ils bénéficiaient d'un traitement de faveur.

Il entendit, quelques jours plus tard, de nouvelles révélations, qui prouvaient que Mary était mieux traitée que les autres. Ce fut à Shancongpu, village d'une centaine de maisons, où il arriva à la nuit tombée. Des soldats en armes stationnaient à l'entrée. Un détachement de l'armée du Guomindang, lancé à la poursuite de l'Armée rouge, faisait halte à cet endroit, et, pour assurer sa protection, des gardes en faction interrogeaient chaque voyageur, fouillaient ses bagages et le contrôlaient, avant de le laisser passer. Craignant que le fusil japonais qu'il cachait sous sa capote ne fût découvert, il n'osa s'approcher plus près du village, et décida de passer la nuit dehors, tapi dans les hautes herbes et abrité du vent derrière un gros rocher. Il s'endormit bientôt, mais soudain un bruissement dans l'herbe le tira de son sommeil. Imaginant que c'était un serpent, il prit son fusil, le chargea et fouilla les alentours, sans rien trouver. Toutefois, il ne parvint pas à se rendormir. Le brouillard nocturne était tombé, il grelottait. Il se recroquevilla sur lui-même, en relevant le col de son manteau, mais en vain. Le froid le paralysait. Vers minuit, voyant que les gardes étaient rentrés, il se risqua dans le village, mais les auberges étaient pleines, et les soldats avaient réquisitionné la plupart des maisons d'habitation. Enfin il trouva une famille qui accepta de le loger, après d'âpres négociations, et il fut conduit dans une sorte de remise à outils sinistre et sans éclairage, où, à sa grande surprise, il n'y avait ni paille ni couverture sur le sol, seulement des corps humains. C'étaient des porteurs de sel, dix en tout, qui dormaient, collés les uns contre les autres. En s'allongeant dans le noir, il marcha sur une jambe, dont le propriétaire l'injuria copieusement, et le poussa sur le côté, où il écrasa le ventre d'un autre... Alors il n'osa plus bouger, de peur que son fusil ne heurtât, au moindre de ses mouvements, ses voisins, qui pouvaient avoir des réactions incontrôlables.

Bien qu'il ne vît pas grand-chose dans le noir, ses autres sens le renseignèrent sur l'endroit où il se trouvait. L'odeur moite et fétide que dégageaient cette dizaine de corps lui agressa les narines. Elle imprégnait toute la pièce. Elle lui rappelait l'âne en sueur de la résidence du pasteur Gu, avec, en plus, la puanteur des pieds sales. Il entendait le bruit fort de leur respiration, leurs ronflements, les grincements de leurs dents et les murmures de deux hommes qui discutaient à voix basse. Dans un demi-sommeil, il voulut libérer sa jambe, coincée sous le corps de son voisin, tellement engourdie qu'elle semblait morte, mais au même instant, il perçut quelques bribes de phrases de la discussion des deux autres :

« Une femme était sur un cheval.

— Une étrangère ?

— Une étrangère belle comme une bodhisattva. »

Il en oublia sa jambe écrasée, et resta immobile, savourant, dans la puanteur épaisse, le doux mot d'«étrangère», qui lui rafraîchit la poitrine comme une bouffée d'air frais.

Pourquoi les soldats de l'Armée rouge la laissaient-ils monter à cheval ? C'était un grand privilège, pour une captive, mais à quelles conditions l'avait-elle obtenu ? Elle devait avoir fière allure, sur le dos de sa monture. D'ailleurs, l'homme l'avait comparée à une bodhisattva. Il l'imagina, ses deux mains – peut-être couvertes d'engelures – sur la bride. Elle devait avoir un problème de santé. Au minimum, ses pieds abîmés l'empêchaient-ils de marcher.

Lui-même avait terriblement mal aux pieds. Il avait d'ailleurs renoncé à porter ses bottes, dont il aimait tant le bruit des fers, et les avait remisées dans son balluchon, car leurs semelles glissaient sur les rochers et risquaient de le faire tomber. Elles étaient aussi trop usées, percées au bout. Comme il ne cessait de pleuvoir, elles prenaient l'eau, et il devait s'arrêter régulièrement pour les vider, à cloche-pied. C'était réellement fatigant, et il finit par acheter une paire de sandales en paille, un type de chaussures qui n'existait pas dans le nord de la Chine, encore moins dans le Fujian, au bord de la mer. C'était une création exclusive du Sud-Ouest chinois. Paysans et coolies portaient tous des sandales en paille pour se déplacer dans la montagne, où presque personne ne portait de chaussures en tissu. Le premier jour, il les avait trouvées très inconfortables, et en moins de dix kilomètres, il avait eu les pieds écorchés par le frottement. De plus, il avait trop serré les lacets (eux aussi en paille), jusqu'à ce qu'un paysan du cru lui eût expliqué comment les porter : « Pour ne pas s'abîmer les pieds, dans des sandales en paille, il faut les laisser bien lâches, de façon à pouvoir les enlever juste en soulevant le talon. » Alors il relâcha ses lacets, sans penser qu'une grosse averse venait de tomber et qu'il y avait de la boue partout. Il s'y enfonça jusqu'aux mollets, et quand il réussit à s'en extirper, il ne put jamais retrouver ses chaussures. Il fut donc obligé de ressortir ses vieilles bottes. Chaque jour, il parcourait environ quarante kilomètres de sentiers montagneux, en souffrant le martyre, les pieds en sang et gonflés. À chacun de ses pas, il devait se retenir de gémir, et même la nuit, la douleur l'empêchait de dormir.

Dans son souvenir, les pieds de Mary scintillaient comme du mica, sous sa peau transparente. Il revoyait la courbure délicate de ses plantes, le tendre relief de ses chevilles, la subtile sinuosité de ses veines. Comment auraient-ils pu résister à la torture des sandales de paille du Guizhou ?

À vrai dire, durant les dix jours de route qui séparaient Jiuzhou de Shancongpu, la chance lui sourit, et il trouva tout au long du chemin des traces du passage de l'Armée rouge, tels leurs slogans tracés à la chaux sur les murs, qui exigeaient la suppression des impôts trop lourds et invitaient les paysans à se rebeller contre les potentats locaux, que les habitants appelaient « commandants », chacun ayant sa propre armée et sa sphère d'influence. Les slogans étaient souvent écrits par la même personne. Yong Sheng reconnaissait son écriture à la façon dont il traçait les traits horizontaux, dont l'extrémité était toujours relevée. C'était pour lui comme un repère, laissé par un guide.

À partir de Shancongpu, les traces disparurent. Après avoir escaladé cinq kilomètres de raidillons rocheux, en compagnie des porteurs de sel, sur un passage si ardu qu'il lui sembla grimper l'échelle céleste de Jacob, ils ne trouvèrent au sommet qu'une seule maison, gardée par un chien, qui se mit à aboyer. Les portefaix déposèrent leurs charges de sel sur le seuil, et entrèrent dans la demeure pour se reposer et tirer quelques bouffées d'opium avec la famille qui y habitait. Yong Sheng s'approcha du braséro creusé dans le sol en terre battue et il s'assit à côté. Le propriétaire, d'une maigreur à faire peur, attisait le feu, sur lequel grillaient des tubercules de taro. Il n'y avait en lui aucune étincelle de vie, et chacun de ses gestes faisait penser à un zombie. Il prenait mécaniquement un taro grillé dans la braise, le tapotait à trois reprises, soufflait trois fois dessus pour en ôter la cendre, le tapotait encore trois fois, et le portait enfin à sa bouche. Yong Sheng lui demanda si l'Armée rouge était passée par là. Peut-être que, trop épuisés par l'ascension, ils n'avaient plus trouvé l'énergie d'écrire leurs slogans.

D'une voix très douce, l'homme lui répondit : « L'Armée rouge ? Jamais entendu parler. Pas plus que de l'Armée noire. Les seuls que je connaisse, ce sont les commandants Wang et Zhang, les seigneurs du district. Elle a combien de paysans, cette Armée rouge dont vous parlez ? Le commandant Zhang, lui, il en possède soixante, et il a dix fusils, ce qui est plus que le commandant Wang. »

Yong Sheng pensa qu'il n'avait plus toute sa tête, considéré son grand âge, et il ne prit pas ses déclarations au sérieux. Après s'être reposé un moment, il descendit l'autre versant, jusqu'à Jinniupu, où vivaient une dizaine de familles. Il interrogea les habitants de chaque maison, et, apprenant que l'Armée rouge n'était pas passée par là, il comprit qu'il avait perdu sa trace. Elle semblait s'être évaporée, au détour d'un sommet.

En vérité, l'itinéraire emprunté par l'Armée rouge, à cette époque, était aussi mystérieux qu'imprévisible. Les troupes des seigneurs de guerre régionaux, et même l'armée du Guomindang, qui disposait d'avions survolant la région et d'indicateurs locaux, avaient eux aussi perdu toute trace de la fameuse sixième Armée de route.

Si l'on devait dessiner, sur une carte, l'itinéraire des troupes dirigées par Xiao Ke, la fine ligne du début, qui ressemblait au tracé de la rivière Dalimu se perdant dans le désert du Taklamakan, s'était transformée en cet accessoire de magicien composé de cercles qui entrent les uns dans les autres, et où chacun en produit un nouveau. Après leur départ de Jiuzhou, ils s'étaient dirigés vers le nord, avaient pris Shibing, puis bifurqué en direction de l'est, où, de façon inattendue, ils avaient été surpris et repoussés par les troupes des seigneurs de guerre du Guangxi, dans le village de Ganxi. Ils s'étaient alors repliés vers l'ouest, en direction de Shibing, mais à Daqing ils avaient été refoulés par l'armée du Guomindang, et obligés de se cacher au fin fond de la montagne. À Baling, Xiao Ke avait décidé de contre-attaquer, et ils avaient rebroussé chemin vers Ganxi. Arrivés à Shancongpu, ils avaient fait route au nord et livré bataille à Shiqian contre les seigneurs de guerre du Guizhou. Cette fois vainqueurs, ils avaient brisé l'encerclement, poursuivi leurs ennemis jusqu'à Shiqian, et continué vers Yingjiang.

Comme il avait perdu leur trace, il décida de retourner à Shancongpu. Le versant qui lui avait paru plus escarpé que l'échelle de Jacob était encore plus dangereux, quand il s'agissait de le descendre. Les jambes tremblantes, il avança à petits pas, déployant tant d'efforts, qu'il fut vite épuisé. Il atteignit une fourche comme un somnambule, choisit le mauvais côté, et parcourut ainsi plusieurs dizaines de kilomètres, avant de découvrir qu'il n'arrivait pas à Shancongpu, mais dans un autre lieu, appelé Sinan. Ce nom, pourtant si doux à l'oreille, le plongea dans un profond abattement, car il comprit que plus jamais il ne retrouverait l'Armée rouge.

De Sinan, il continua vers Tongren, histoire de marcher, mais sans plus aucun but. Le premier jour, il atteignit Jiucaipu ; le deuxième, Liangshuijin. Depuis plusieurs dizaines de jours qu'il avait quitté Liping, il s'était toujours levé avant l'aube, pour manger un bouillon de maïs, avant de prendre la route, mais après Sinan il passa parfois des heures, allongé dans la paille, à regarder un pou sur la manche de son manteau. La première fois, il était dans un tel état d'hébétude qu'il ne reconnut pas tout de suite que c'était un pou. Il pensa d'abord que c'était une minuscule crevette. Il retira son manteau, puis sa chemise, et finit par se mettre nu. Il découvrit alors une multitude de poux, qui grouillaient sur ses parties intimes malodorantes, poisseuses de sueur et de crasse. Sur le coup, il voulut les tuer mais, finalement, il se contenta de les regarder, indifférent, faire bombance sur ses bourses.

Il ignorait à quelle heure il s'était réveillé. Le ventre vide, il marcha plusieurs kilomètres, en direction de l'est. En bordure de sentier, il traversa un hameau, et entra se reposer dans une maison, où il apprit que non loin, à Shuicaopu, l'Armée rouge livrait bataille contre les troupes locales du commandant Liu. Il sauta de joie et courut vers le lieu de l'affrontement. Après deux ou trois kilomètres de marche, il entendit des bruits de tirs au loin, puis vit quelques hommes venir de cette direction. Il les rejoignit, pour se renseigner auprès d'eux. Ils lui apprirent que les combats s'étaient soldés par des dizaines de morts, du côté des troupes locales, qui avaient fini par renoncer.

Lorsqu'il arriva à Shuicaopu, il vit un groupe d'individus armés, à côté de deux cadavres allongés sur un sentier. Il ne leur jeta qu'un coup d'œil. Pourtant l'image de ces deux morts frappa son esprit : le premier, plutôt bien habillé, était couché sur le ventre, le visage contre terre ; le second portait une longue robe sale et un pantalon relevé sur ses jambes osseuses, à la peau jaunâtre. Il n'avait pas de chaussures.

Le commandant Liu était penché au-dessus du second mort, et Yong Sheng l'entendit dire : « La balle a fait un si gros trou qu'elle lui a éclaté le crâne ! »

Il tourna la tête pour regarder. Effectivement, un énorme trou transperçait le crâne, par lequel le sang ruisselait, et duquel un œil pendait.

« Il n'y a qu'une balle en plomb pour faire un trou pareil, observa un autre homme.

— J'ai entendu dire que les troupes de He Long avaient des balles en plomb. C'est pour cela qu'il a osé venir jusqu'au Guizhou secourir Xiao Ke », répondit le commandant Liu.

Des balles en plomb, Yong Sheng en avait une vingtaine dans la poche, que le forgeron de Nankin lui avait fournies avec le fusil.

« Une balle en plomb peut transpercer un mur en brique d'une dizaine de centimètres, lui avait-il dit. Inutile de parler de ce qu'elle peut faire sur un corps humain. »

Le lendemain, après une nouvelle journée de marche, il atteignit Yanhe. Bien qu'il n'eût pas encore rattrapé l'Armée rouge, il trouva à nouveau les slogans révolutionnaires dont l'écriture lui était familière. Plus loin, il reconnut, sur une affiche, la signature de Mary.

Yanhe était un petit village, où toutes les maisons, particulièrement sales, avaient un toit en chaume et non en tuile. Il n'y avait pas d'auberge, et malgré ses supplications, personne ne voulut l'héberger. Il quitta ce lieu, en colère, et poursuivit sa route vers l'est, où il finit par trouver un temple taoïste – le temple des Cristaux –, où il pensa passer la nuit. Lorsqu'il s'approcha du portail de l'édifice, il fut surpris d'y trouver clouée une affiche, plus précisément une lettre, adressée à l'Église chrétienne par un couple d'impérialistes. Aux yeux des révolutionnaires, la noirceur des corbeaux était la même partout, et ils se fichaient bien de connaître la différence entre chrétienté et taoïsme. Pour eux, c'était sans importance ; les deux étaient des religions. La lettre avait été imprimée sur une machine à polycopier. Jusque-là, la propagande de la sixième Armée de route se limitait à des slogans inscrits sur les murs, et cette soudaine fabrication de tracts était peut-être le signe que les troupes de He Long, parties de l'est du Hunan, avaient rejoint celles de Xiao Ke, car elles étaient non seulement pourvues de balles en plomb, mais aussi de machines à polycopier.

Il va sans dire que le contenu de cette lettre publique était tout simplement une critique de la religion, cet opium qui anesthésiait le peuple, développée en sept ou huit phrases, écrites en anglais et en chinois. Il était facile d'imaginer qu'elle avait d'abord été rédigée en chinois par un officier de l'Armée rouge, traduite en anglais par le couple Brown, puis revue et corrigée par un autre officier, qui maîtrisait l'anglais, car dans une phrase, les missionnaires avaient traduit une expression chinoise par « to act as agents », ce qui avait été rayé et remplacé (avec une autre écriture) par « to be agents ».

La signature du pasteur Brown était tracée avec minutie, chaque lettre de son nom était soignée et précise. Quant à celle de Mary, elle s'envolait comme un dragon dans le vent, qui, s'il ne sortait les griffes en tous sens, était tout de même un peu agressif. Les cinq lettres qui composaient son patronyme étaient tout simplement illisibles, et de son prénom, on ne reconnaissait vraiment que la lettre « m », librement tracée, ni en minuscule ni en majuscule. On eût dit que, dès qu'elle soulevait un crayon pour griffonner la première lettre de son prénom, elle entrait dans un état second. Les trois jambages du « m » se multipliaient fébrilement en une série de jambages, qui montaient et descendaient comme les montagnes du Guizhou.

À la lecture du tract, Yong Sheng fut soulagé, car il semblait signifier que He Long ne s'était pas hâté de relâcher le couple. Sans doute l'intervention du Britannique Bo Gefei, sur qui Mary comptait, avait-elle échoué.

Les informations qu'il glana trois jours plus tard, dans la ville de Youyang, confirmèrent cette hypothèse.

Lorsqu'il atteignit Youyang, l'Armée rouge avait déjà quitté la ville, mais les habitants, encore très excités, lui rapportèrent que c'était là que s'étaient déroulées les célébrations de la jonction de la deuxième Armée de route de He Long et de la sixième de Xiao Ke, devant le beffroi de la porte est de la vieille ville. Les rues étaient pavées de mauvais cailloux, et les toits des maisons et des magasins couverts de longues pierres plates, rangées en lignes serrées. Seul le beffroi avait un toit en ailes d'hirondelle. En bas, une marée humaine avait agité des drapeaux rouges, crié des slogans et chanté des chants révolutionnaires qui avaient envahi la ville en vagues déferlantes. Jamais, depuis des dizaines d'années, les habitants n'avaient assisté à un événement si spectaculaire.

« Encore une révolution ! avaient marmonné les vieux. Tous les soixante ans, on en a une ! »

Effectivement, soixante-sept ans plus tôt, en 1868, avait eu lieu, dans cette même ville, une affaire explosive concernant des chrétiens : un missionnaire catholique français, Jean François Rigaud, aussi connu sous le nom chinois de Li Guo, y avait bâti une église entourée de remparts. Il avait également acheté des fusils et formé une troupe pour assurer sa sécurité. Pour son malheur, il était entré en conflit avec les autochtones, qui, excités par He Cai, un commandant local, avaient brûlé l'église et capturé Rigaud pour le pendre au sommet du beffroi. La France avait voulu envoyer ses soldats punir les responsables, mais l'ambassadeur avait préféré négocier avec Li Zao, le Premier ministre chinois de la dynastie des Qing, qui avait fait décapiter He Cai devant le beffroi, et versé trente mille onces d'argent à la France, pour l'indemniser.

He Long portait un chapeau en cuir, marqué en son milieu d'une étoile rouge à cinq branches ; celle qu'arborait Xiao Ke était cousue sur sa casquette rapiécée en tissu gris. Debout côte à côte au sommet du beffroi, ils avaient passé en revue leurs troupes, qui avaient vaillamment livré tant de batailles. Les soldats au garde-à-vous, en formation carrée, avaient défilé devant la tour, le visage tourné vers leurs chefs, qu'ils avaient salués par des slogans et des fusils levés.

Le moment le plus spectaculaire de la manifestation avait sans aucun doute été la cérémonie de reddition des captifs.

Plusieurs dizaines de soldats et officiers de l'armée du Guomindang, vêtus de leur uniforme, parmi lesquels le général Cang Han, qui commandait quarante et une garnisons, étaient agenouillés derrière le couple de missionnaires.

Un officier de l'Armée rouge était monté sur le beffroi, où il avait lu leur acte d'accusation, long de deux pages, dans lequel un paragraphe précisait : « La veille de notre arrivée à Youyang, à l'issue de leur entretien avec He Long, les Brown comprirent que l'intervention du missionnaire Bo avait été inutile, et le soir même, ils tentèrent de s'évader. Mais ils connaissaient mal les lieux, et les habitants se firent un devoir de les dénoncer. Ainsi, nous les avons de nouveau capturés. »

À genoux par terre, le pasteur Brown avait rassemblé son courage, et crié : « Nous autres, gens d'Église, nous ne sommes pas des nantis, mais pratiquement des prolétaires. »

He Long avait rejeté la tête en arrière pour éclater de rire, et Xiao Ke l'avait imité. Les rires des milliers de soldats présents sur la place leur avaient répondu en écho.

« Bien sûr ! Il suffit de vous regarder, avec vos vêtements sales. De vrais prolétaires ! » avait ironisé He Long.

Xiao Ke avait enchéri : « Pasteur Brown, dites-moi pourquoi vous vouliez vous évader ? L'Armée rouge n'était pas assez gentille avec vous ? »

Brown avait répondu : « Bien que notre organisation soit connue pour son endurance, j'ai marché avec vous vingt-six jours durant, mais c'était trop éprouvant. Je ne pouvais en supporter davantage, cela me dépassait… »

Soudain, Mary lui avait coupé la parole pour crier :

« Nous voulons rentrer chez nous, pour célébrer Noël. »

Durant quelques secondes, un lourd silence s'était abattu sur la place, bientôt suivi par une vague de murmures.

Presque personne ne connaissait la signification du mot
« Noël ».

Un lointain parent de Xiao Ke – un jeune homme dont le
visage était barré par une longue cicatrice –, qui se tenait lui
aussi sur le beffroi, avait chuchoté quelques mots à l'intention des deux commandants, qui avaient échangé un regard
perplexe.

He Long avait fini par dire à Xiao Ke : « Ce sont tes otages,
c'est à toi de décider. »

Ils n'imaginaient pas que, trois jours après cette cérémonie,
Mary ferait une nouvelle tentative d'évasion, dans le mont
Biandan, au bord du fleuve You.

Ce fut justement grâce au désordre que provoqua sa dispa-
rition que Yong Sheng finit par rattraper les troupes de
l'Armée rouge, au pied du mont Biandan.

Après leur départ de Youyang, les soldats longèrent les provinces du Sichuan, du Guizhou et du Hunan, en direction de
l'ouest. Cet itinéraire les contraignit à traverser des montagnes
très complexes où vivaient des Han, mais aussi des minorités
Miao et Yi. Cette fois, Yong Sheng ne perdit pas leur trace,
grâce aux avions du Guomindang qui les poursuivaient.
Même s'ils n'étaient pas toujours visibles, il pouvait compter
sur le vrombissement de leurs moteurs pour le guider. Parfois,
il les voyait tournoyer dans le ciel, tels de petits insectes, au-
dessus de lointaines montagnes, et il savait que c'était là que
se trouvait l'Armée rouge.

Sans qu'il comprît pourquoi, la situation changea brusquement, et tout s'accéléra. De loin, il aperçut soudain son ami
Xiao Ming, et il courut vers lui, en criant son nom, mais
celui-ci ne l'entendit pas, et disparut dans le flot de ses camarades. Lorsqu'une autre garnison passa devant lui, un officier,

qui l'avait entendu appeler Xiao Ming, lui demanda s'il le connaissait et savait, comme lui, parler des langues étrangères. Il acquiesça.

« Nous étions tous les deux dans la même faculté.

— Parfait. La Révolution a besoin de gens comme toi. Le commandant Xiao Ke nous a ordonné de fouiller le coin, à la recherche d'une espionne impérialiste.

— Une espionne ? »

Soudain, sa vue se brouilla, et devant ses yeux, tout devint flou. Il l'avait de nouveau perdue !

Mon Dieu ! Il n'eut pas le temps de maudire Mary, ni celui de cacher son fusil, encore moins de coiffer une casquette ornée d'une étoile rouge que déjà il était enrôlé dans l'unité de recherches.

Mary n'avait pas prémédité son évasion. Elle avait seulement profité d'une attaque aérienne pour se sauver.

Ce jour-là, elle marchait, car elle avait laissé son cheval – elle avait conservé ce privilège – à son époux, qui souffrait d'une crise de paludisme. À Youyang, on lui avait administré une forte dose de quinine, mais l'effet n'avait duré que deux jours et, à la veille de franchir le mont Biandan, il avait été terrassé par une nouvelle crise. Tantôt il grelottait, tantôt il était brûlant de fièvre. Il lui fut impossible de dormir. À minuit, alors qu'il était enfermé avec les autres captifs, il fut pris d'une soif dévorante et demanda de l'eau, mais malgré ses supplications, on le laissa subir les affres de la soif. Au matin, sa fièvre avait baissé, mais tout son corps n'était que douleur. Il lui fut impossible d'avaler la moindre chose au petit-déjeuner, et, par égard pour son état de faiblesse, on lui permit de monter à cheval.

Afin de minorer les pertes humaines lors des attaques aériennes, la sixième Armée de route se scinda en plusieurs dizaines de bataillons, et les Brown furent séparés, sans être toutefois très éloignés l'un de l'autre.

Ce jour-là, il faisait beau. La lumière du jour éclairait la montagne, au sud de laquelle s'étendait une jungle épaisse. De temps à autre, un avion militaire, si haut qu'il n'était qu'un point argenté, perçait les nuages. On ne voyait pas les bombes qu'il larguait, la distance était trop grande ; on ne distinguait pas non plus la fumée provoquée par les explosions, mais on entendait au loin une suite de déflagrations, entre chacune desquelles se passait un court intervalle de temps, comme quand des ouvriers détruisent une maison à coups de bélier, heurtant en rythme les épais murs de terre. Un coup, deux coups, trois coups...

« Le mont Biandan, c'est la montagne des braves. Les pieds dérapent quand on descend, le souffle est coupé quand on grimpe. »

Après trois heures d'une pénible escalade, la troupe s'arrêta à Qingmenkou, pour se reposer, avant d'entamer la descente. Mary entra seule dans la forêt pour faire pipi et, à travers les branches d'arbres, elle vit scintiller, en bas de la pente, le fleuve You, qu'enjambait un pont suspendu. En levant la tête, dans le coin de ciel bleu qui apparaissait entre les feuilles, elle aperçut un point argenté, puis deux et trois, qui passèrent rapidement au-dessus d'elle. Presque aussitôt, elle entendit des tirs en rafales, et elle comprit que les avions du Guomindang tiraient, non loin, à la mitrailleuse. Tac-tac-tac-tac ! Le bruit lui évoquait celui d'une machine à coudre dont on actionnait la pédale.

Le détachement dont elle faisait partie se mit en route le premier. En se retournant, elle vit que le cheval de son mari boitait. Brown était penché sur son encolure, la bride enroulée autour de son bras, les deux mains dans les poches de ce qui avait été jadis un manteau, et dont on ne pouvait plus dire maintenant ce qu'il était vraiment. Au début de leur captivité, chaque fois qu'il y faisait un accroc, Mary le rapiéçait avec ce qu'elle trouvait. Au bout de quatre semaines, il était couvert de plusieurs dizaines de pièces, parfois cousues les unes sur les autres, en coton, en toile, en chanvre, de couleurs différentes.

Deux heures plus tard, ils atteignirent le fond de la vallée, et s'apprêtèrent à franchir le pont suspendu, au-dessus du fleuve You. Tout à l'heure, dans la forêt, elle n'en avait aperçu que la lointaine silhouette. À présent, elle se tenait devant : les eaux déferlaient entre les roches escarpées, sur lesquelles poussait une végétation luxuriante. Du fleuve, qui grondait comme le tonnerre, montait une brume épaisse qui avalait en partie les quatre chaînes tremblotantes tendues entre ses deux rives, sur lesquelles reposaient des planches ; de chaque côté, deux autres chaînes faisaient office de garde-corps.

Le groupe de Mary fut le premier à passer le pont et à entreprendre l'escalade du versant opposé. Alors qu'ils atteignaient un coude sur le sentier, où aucun arbre ne gênait la vue, elle aperçut trois avions qui volaient lentement et très bas. Elle se retourna en direction du pont suspendu, que franchissait le long cortège de la troupe suivante.

En apercevant son mari dans la brume, elle pensa « Mon Dieu ! comment va-t-il parvenir à passer de l'autre côté ? » Les planches étaient si peu stables qu'au moindre faux pas son cheval l'entraînerait dans le fleuve, où ils se noieraient.

Elle lui cria quelque chose, mais il ne put entendre sa voix dans le grondement de l'eau et le vrombissement des moteurs des avions, dont les ailes s'inclinèrent d'un côté, puis de l'autre, et dont les ombres menaçantes s'agrandirent. Enfin, les bombes explosèrent dans un fracas assourdissant.

« Je vais aider mon mari, dit-elle à son officier. Il a la malaria. C'est trop risqué pour lui de franchir le pont à cheval. »

Sans attendre de réponse, elle courut vers le pont, et manqua de chuter dans un ravin, à cause de sa précipitation.

Une bombe tomba dans le fleuve, soulevant une gigantesque colonne d'eau. Mary passa devant les soldats, qui s'inclinèrent devant elle, fusils levés, sans essayer de l'en empêcher.

Les avions repartirent. Lorsqu'elle atteignit le pont suspendu, noyé dans la brume, elle reconnut, malgré le bruit du courant, le trépignement des sabots d'un cheval sur les planches, à l'autre bout de la passerelle.

Alors qu'elle était presque au milieu, la monture déboussolée refusa d'avancer davantage.

Mary monta sur le pont. Les chaînes et les planches remuaient si violemment qu'elle en eut le vertige. Une planche manquait à un endroit, ouvrant une large béance, à travers laquelle elle vit le courant déferler sous ses pieds.

Soudain, les avions réapparurent, très bas. À nouveau, ils tirèrent des rafales de mitrailleuse.

Brown mit pied à terre et retira sa ceinture pour frapper le cheval à la tête, mais il refusa toujours d'avancer. Au contraire, jambes fléchies, tête baissée, il se mit à reculer.

Les cris du missionnaire furent engloutis dans le fracas des bombes, qui explosèrent dans le fleuve mais, par bonheur, celui-ci était si profond qu'elles ne soulevèrent que des gerbes d'eau écumantes à hauteur du pont.

Mary s'approcha du cheval dont la robe était en sueur. Elle tendit la main pour l'attraper par la bride, mais il se mit à galoper, les naseaux fumants, entraînant le pasteur.

« Lâche-le ! » cria-t-elle à son mari.

Il tourna la tête vers elle, comme pour lui répondre, et soudain, sans comprendre d'où lui en venait la force, il sauta sur le dos du cheval, dont il empoigna l'encolure.

Le pont suspendu remua fébrilement, comme pris de convulsions.

Tout sembla brusquement silencieux autour de Mary, puis une bombe explosa sur le pont, faisant voler en éclats une suite de planches, dont les débris rebondirent dans l'air, tandis qu'une main invisible faisait basculer le pasteur dans le fleuve. À la manière de celui d'un plongeur sautant d'un haut rocher, son corps resta un instant suspendu, avant d'être englouti par les tourbillons rageurs.

Il sembla à Mary qu'on lui assénait un coup brutal sur la nuque ; ses yeux ne virent plus que du noir. Elle pensa avoir été touchée par une balle, mais n'avait été que frappée par le souffle de l'explosion. Elle heurta lourdement la chaîne qui servait de garde-corps. En sentant le métal bringuebaler contre elle, elle crut un instant que la bombe en avait brisé les anneaux, mais quand elle rouvrit les yeux, elle constata qu'elle tenait encore.

Elle se mit alors à courir de toutes ses forces sur le pont, qui oscillait comme une balançoire, et alors qu'il s'élançait de plus en plus haut, elle en atteignit enfin le bout.

Elle descendit sur la rive et poursuivit sa course sans s'arrêter, comme une voiture dont les freins ont lâché. Instinctivement, elle ne se dirigea pas vers la pente où les soldats de l'Armée rouge l'attendaient, mais longea le fleuve, où ils supposèrent qu'elle cherchait le corps de son mari. Seulement, lorsqu'elle se lança à l'assaut d'une autre pente, ils comprirent enfin...

Elle s'était encore évadée.

Et elle avait disparu dans la forêt.

Plus tard, la troupe chargée de la rechercher aperçut quelque chose surnager à proximité d'un tourbillon. Ce n'était ni un panier en bambou ni un fragment de rame, encore moins le cordage d'un bateau, mais bel et bien le cadavre d'un homme. Ils dirent à Yong Sheng que c'était le missionnaire Brown, l'époux de Mary. D'énormes branches d'arbres, dans lesquelles s'étaient emmêlées de longues herbes, descendaient de l'amont, mais à l'instant d'entrer dans le tourbillon, elles furent portées plus loin par un courant plus fort. Elles croisèrent le cadavre du pasteur et poursuivirent leur descente.

Comme une ombre noire posée sur les flots couleur de boue, le manteau rapiécé était tantôt englouti par les remous, tantôt rejeté à la surface. Le visage du cadavre, aux traits insaisissables, avait pris une teinte terreuse, qui contrastait avec l'éclat de ses cheveux poivre et sel – bien qu'elle fût mouillée, il avait encore une chevelure épaisse et abondante comme la crinière d'un lion. Les eaux brunâtres le happèrent soudain, puis l'ayant digéré, elles le recrachèrent, et il tourna un moment au bord du tourbillon.

Chaque fois qu'il réapparaissait, il semblait avoir rétréci. Il était de plus en plus recroquevillé, ses pieds osseux de plus en plus crispés, tout son corps contracté. On eût dit qu'il priait.

L'un après l'autre, plusieurs troncs d'arbres, charriés par le courant, heurtèrent son cadavre, le dernier si violemment qu'il le projeta hors de l'eau, où il décrivit une courbe dans l'air, avant de cogner contre la rive et d'être renvoyé dans l'eau.

Cette fois, le fleuve l'engloutit pour de bon.

Fin des funérailles aquatiques.

Comme celui d'une bête traquée, tout le corps de Mary était en alerte. Elle observa le sentier, sur le versant opposé. Rien ne bougeait. On ne voyait pas l'ombre d'un soldat. En haut du chemin, il y avait une forêt ; en bas, une rivière. Elle retint son souffle pour écouter, et n'entendit pas plus le murmure de l'eau que les voix des hommes lancés à sa recherche. Tout était silencieux. Pas un chant d'oiseau. Pas un frémissement de feuille dans les arbres. Tout ce qui lui parvenait, c'était le bruit de sa propre respiration.

Elle tenta d'inspirer le plus d'air possible, afin d'accomplir ce qu'elle devait faire : courir.

Au fond de la vallée, les feuilles des lauriers blancs se mirent à grelotter, et un animal sauvage – un renard ? un lièvre ? – en surgit en bondissant. Ce gibier, lancé dans une course folle, qui n'était encore qu'une ombre floue, c'était Mary, au bord de l'asphyxie. Rassemblant ses dernières forces, elle sauta par-dessus un fossé, traversa une clairière, entra dans une forêt, puis dans une autre, où les arbres étaient plus petits, et où elle osa enfin ralentir le pas, avant de reprendre sa course, de faire à nouveau une brève halte, et de repartir, jusqu'à ne plus pouvoir courir. La forêt était de plus en plus dense et sauvage, et souvent, en se protégeant le visage des mains, elle était obligée de se frayer un chemin parmi les bambous étroitement serrés les uns contre les autres. Quand des broussailles épineuses et des branches cassées craquaient sous ses pieds, elle stoppait net, effarouchée comme un oiseau devant l'arc qui le menaçait. Bien qu'elle n'entendît ni les voix ni les bruits de pas des soldats, elle savait qu'ils la recherchaient. Parfois, elle se prenait les pieds dans les lianes et tombait, mais jamais elle n'osait pousser le moindre gémissement. Malgré l'épuisement elle refusait de se reposer sous un arbre ou dans un fossé. La faim et la soif la tenaillaient. Soudain, sa présence effraya une bande d'étourneaux, qui s'envolèrent en brisant le silence.

« Qui prêterait attention à un envol d'étourneaux ? tenta-t-elle de se rassurer. À la fin de l'automne, ils sont partout dans la montagne, pas de quoi attirer l'attention. »

Le plus embêtant était le nombre des volatiles, une centaine de petits oiseaux gris clair, battant des ailes, comme autant de morceaux de soie chatoyante, qui formaient une nuée sombre au-dessus de la forêt. Au début, ils n'étaient que de minuscules points gris, mais en se rassemblant, ils prirent l'apparence d'un nuage foncé, presque noir. Puis ils changèrent de formation, et le nuage prit l'aspect d'une lance pointue, dont la couleur s'atténua, lorsqu'ils volèrent à égale distance les uns des autres. Ils n'échappèrent pas au regard perçant d'un homme qui la traquait, mais n'était pas un soldat de l'Armée rouge.

Cet homme, debout sur une crête rocheuse, observait minutieusement le moindre mouvement dans chaque recoin de la montagne, et la nuée d'étourneaux accrocha son regard. À plusieurs reprises, comme attirés par un aimant, ils piquèrent tous ensemble vers le sol, mais à l'instant d'atteindre le sommet d'un arbre ils remontèrent dans le ciel, toujours dans la même formation lancéolée.

Est-il besoin de préciser que cet homme était Yong Sheng ?

Il se félicita d'être seul. Par chance, il n'y avait pas de soldat à ses côtés pour remarquer comme lui le groupe d'étourneaux. Le visage rougi, le regard fiévreux, il mit son fusil en bandoulière, et courut vers la forêt.

Le soleil pénétrait à travers les arbres, en longues lames de lumière. Il n'y avait personne. Il se concentra, pour traquer le moindre bruit. Comme ses bottes faisaient craquer les broussailles, il les retira et continua pieds nus. Un papillon blanc sortit de l'ombre, voleta sans bruit dans les rayons du soleil, et disparut à nouveau dans le sous-bois. Les branches cassées lui écorchèrent la plante des pieds, et il s'arrêta pour renfiler ses bottes. Soudain, quelque chose tomba d'un arbre, devant lui. Il sursauta, puis réalisa que ce n'était qu'une araignée, dont le ventre, conique et noir, était tacheté de rouge, de jaune et de blanc. La toile géométrique, qu'elle avait finement tissée entre les branches, frémissait au-dessus de sa tête. Elle se sauva rapidement, à la force de ses pattes cuivrées, en forme d'hameçons, et repartit dans une nouvelle direction.

À cet instant, le sentiment de bonheur brûlant de qui est proche de la victoire envahit le corps de Yong Sheng : à l'endroit où était tombée l'araignée, un peigne de femme brillait dans l'herbe.

Mary sentit autour d'elle une odeur marécageuse d'ajoncs et de mousse. L'air se fit soudain plus humide et plus lourd, et le bruit de ses pas prit une sonorité différente.

Un fin ruissellement mouillait l'herbe. Plus loin, elle aperçut une mare. Quand elle s'en approcha, ses pieds s'enfoncèrent dans la boue, qui pénétra dans ses chaussures. Elle les retira, pour avancer plus aisément, et marcha pieds nus dans la gadoue molle et sombre. Le soleil, qui se réfléchissait sur l'eau, entre les joncs, donnait à la mare l'aspect d'une pièce de métal brut.

Dans cette tranquillité, Mary goûta un instant le bruissement d'insectes invisibles, le doux frémissement de l'herbe et le tendre clapotement des feuilles mortes, qui pourrissaient sur le sol trempé, où elles formaient un tapis collant et spongieux.

Au loin, elle perçut quelques cris, mais elle devait se concentrer pour les entendre. Puis il y eut un coup de feu, mais à si lointaine distance qu'il lui sembla irréel, sans rapport avec le monde matériel. Tirait-on sur une bête sauvage, un python, un fantôme?

Elle s'allongea à plat ventre au bord de l'eau, où grouillait ce qu'elle prit d'abord pour des plantes aquatiques, mais qui était en fait un groupe de têtards, et ils se dispersèrent en un éclair, sitôt qu'elle tendit la main vers eux.

Elle enfouit sa tête dans l'eau, d'abord le nez, puis la bouche, pour boire avidement, comme une panthère. L'eau était glacée et avait un goût de vase.

Un aigle noir s'envola d'un arbre et piqua droit dans la mare, aussi rapide que l'éclair, et alors qu'il s'élevait de nouveau et tournoyait au-dessus d'elle, elle vit qu'il tenait un serpent entre ses serres.

Elle creusa les paumes de ses mains, qui firent de nombreux allers-retours entre l'eau et sa bouche, puis elle lava son visage, et appliqua le bout de ses doigts humides sur ses

paupières fatiguées. Mais quand, pour se recoiffer, elle chercha son peigne, son cœur se serra. Elle l'avait perdu.

Au même instant, elle entendit un bruit.

Non plus le bruissement d'insectes invisibles, le doux frémissement de l'herbe ou les faibles et confuses rumeurs de la
forêt.

Ce qu'elle entendait, c'était un bruit de pas, qui n'était pas
celui des sandales de paille que portaient les soldats de l'Armée
rouge, mais celui de bottes en cuir.

Elle n'eut d'autre échappatoire que se réfugier dans l'eau.

Elle entra dans la mare, en tentant de ne pas faire de bruit,
mais ce fut impossible, car la vase était profonde, et, pour faire
un pas, elle devait d'abord dégager son pied enfoncé dans la
gadoue, ce qui générait un fort bruit de succion et quantité de
bulles, qui montaient du fond en glougloutant, et éclataient à
la surface de l'eau.

Le mieux était de s'allonger entièrement.

Mais il était trop tard.

Un bruit de culasse résonna derrière elle. Elle leva les mains
en l'air.

Yong Sheng la contempla : ses cheveux mouillés, relevés en
chignon, dévoilaient sa nuque délicate. À contre-jour, elle
n'était qu'une silhouette sombre, mais le soleil qui filtrait à
travers les branches éclairait un côté de son cou, dont la peau
fine absorbait la lumière comme une éponge. Dans cette
atmosphère épaisse et marécageuse, elle resplendissait comme
un corail parcouru de légers frissonnements.

« Je suis là pour vous tuer », lui dit-il, en détachant chaque
syllabe.

Ces mots sinistres éclatèrent comme une bombe aux oreilles

de Mary, qui n'entendit plus rien. Il lui sembla qu'une balle pénétrait son dos sans défense.

Elle se retourna, craintive.

Il l'entendit dire quelque chose, ou plutôt pousser des cris.

Il ne comprenait rien à ce qu'elle criait, alors il entra lui aussi dans l'eau, et lorsqu'il fut près d'elle, il appuya le canon de son fusil contre sa poitrine.

Elle avait le souffle court, ses seins se soulevaient spasmodiquement sous ses vêtements mouillés. Elle tremblait de tout son corps.

Les gouttes d'eau ruisselaient de son corsage et tombaient en perles irisées sur le canon noir de l'arme.

D'une main, elle tenta d'écarter le fusil. Yong Sheng suivit son geste du regard, et il sentit, dans ses propres mains, la force avec laquelle elle repoussait l'arme. Enfin, il comprit ce qu'elle lui criait :

« Votre gouvernement révolutionnaire m'a déjà condamnée à six mois de prison. Un soldat de l'Armée rouge se doit d'obéir à son gouvernement, n'est-ce pas ? Alors comment osez-vous enfreindre sa décision, en prenant l'initiative de me tuer ? »

Les muscles de Yong Sheng se contractèrent, et de nouveau, il appuya l'arme contre elle.

« Je n'ai rien à voir avec l'Armée rouge. Je veux seulement vous tuer. »

Elle le considéra, sans plus rien dire. Effectivement, il n'avait pas de casquette ornée d'une étoile rouge, et son fusil était différent de ceux des soldats de l'armée révolutionnaire.

Un silence glacial tomba entre eux.

Elle continua un moment à le fixer, puis elle haussa les épaules et déclara avec mépris :

« Je vais y aller. Contente de vous avoir connu, mais maintenant, je dois chercher mon mari. »

Toutefois, elle ne bougea pas. Le canon du fusil était toujours fortement pressé contre sa poitrine.

« Vous me faites mal ! » gémit-elle, en tentant de déplacer l'arme.

Il lui saisit le bras.

« Lâchez-moi ! Ne me touchez pas ! » grommela-t-elle entre ses dents. Comme elle n'osait pas crier, de crainte d'être repérée par les soldats, son ton ressemblait à celui d'une femme qui tente vainement de repousser un amant.

Les doigts de Yong Sheng se crispèrent avec force autour de son bras. Il avait le sentiment d'empoigner non pas cette Occidentale déjà mûre, mais sa propre épouse, Heling, alors il planta méchamment ses ongles dans sa chair et serra si fort qu'il manqua de lui broyer les os.

« Pourquoi voulez-vous me tuer ? demanda-t-elle en se débattant.

— Ma femme a accouché d'un enfant, qui est celui de votre père, le pasteur Gu ! »

Elle cessa de lutter et le regarda avec curiosité. Un instant, ses yeux s'emplirent de douceur, puis de déception, et enfin de dégoût.

« C'est impossible, mon père est mort.

— Quelques mois avant sa mort, il m'a employé pour m'occuper de ses colombes, et ma femme est venue lui faire la cuisine. C'est à ce moment-là qu'il a commis son crime. Maintenant, il faut que quelqu'un paie.

— Et vous voulez que ce soit moi. »

Elle prononça cette phrase avec tant de précipitation que le souffle lui fit défaut.

Il hocha la tête.

« Celle que vous devriez tuer, c'est votre femme ! C'est plutôt moi qui devrais vous demander des comptes. Sans cette putain, mon père aurait peut-être pu vivre quelques années de plus ! »

C'était la première fois qu'il entendait le mot « putain » prononcé en chinois par une Occidentale.

Mary, après avoir été cruelle, se fit puérile. Avec une moue enfantine, qui voulait exprimer du mépris, elle toisa ce minable, repoussa fièrement le canon du fusil, lui tourna le dos et marcha vers l'autre bord de la mare, en répétant :

« Celle que vous devez tuer, c'est votre putain de bonne femme ! »

Un coup de feu retentit.

La balle, en sifflant, troua la surface de l'eau et se ficha dans la vase.

Mary tomba, puis elle se releva, étonnée de n'avoir pas été touchée. En riant, elle continua à traverser la mare, sans plus rien dire.

Mais la vase était si épaisse qu'à chaque pas elle s'y enfonçait davantage, comme aspirée vers le fond.

Il lui semblait être debout sur une échelle invisible, qui s'enfouissait toujours plus profond dans la fange. Bientôt, elle fut embourbée jusqu'aux genoux dans la gadoue, dont elle ne parvenait plus à s'extirper.

En pataugeant, Yong Sheng la rejoignit, et appuya le canon de son fusil contre son crâne, avec une force telle qu'elle bascula dans l'eau.

Elle tenta de se redresser, mais s'enlisa jusqu'aux hanches.

Elle voulut lever une de ses jambes, et se retrouva à plat ventre dans la boue. Il la regarda se débattre. Ses bras disparurent à leur tour, et elle fut bientôt emprisonnée jusqu'au cou. Il eut alors un pincement au cœur. Le souffle d'un vieillard emplit ses oreilles, sans doute celui du pasteur Gu, et il eut la vision de ces mains flétries, aux veines gonflées, qui caressaient le cou d'une jeune femme chinoise. Mary réussit enfin à se sortir de la boue. Son corsage trempé, plaqué sur ses seins, soulignait le frémissement de sa poitrine. L'eau boueuse ruisselait le long de ses courbes généreuses. Il sentit presque les doigts osseux du pasteur pincer les tétons de Heling, frissonnants comme la gorge d'un moineau. Il l'imagina, se cramponnant aux barres fixées le long des murs, pour la poursuivre d'une pièce à l'autre, et elle se cacher derrière l'armoire où il gardait les brouillons de ses sermons, comme derrière un paravent. Là, il l'attrapait, et elle restait immobile, haletante, mais souriante, car elle était de nature aimable. « Mon mari est allé faire des courses. Il va bientôt rentrer », lui disait-elle, les yeux brillants, tout en tendant les mains pour le prendre dans ses bras.

Il posa le doigt sur la détente, imaginant déjà le grand trou – les balles en plomb pouvaient transpercer un mur – qui allait s'ouvrir à l'arrière du crâne de la fille du pasteur.

Mais le coup ne partit pas.

La tête de Mary bougeait toujours devant son viseur. Et alors qu'il allait appuyer, il se sentit subitement si épuisé qu'il ne pensa plus qu'à trouver un endroit où s'allonger et dormir.

Était arrivé ce qui devait arriver. Nul ne pouvait rien faire contre ce qui était écrit dans le grand livre du Ciel. Tuer la fille du pasteur ne changerait plus rien.

Au même moment, des voix résonnèrent dans la forêt.

« Qui a tiré ? Vous avez trouvé la fugitive ?

— Elle s'est enfuie sur le versant est », hurla Yong Sheng.

Il sortit de la mare, le canon de son fusil pointé vers le sol, et il se dirigea vers la forêt, d'où venaient les cris des soldats.

Lorsqu'il eut disparu, Mary s'allongea dans la boue et réussit enfin à en sortir ses jambes.

Lentement, en rampant, elle atteignit le bord de la mare.

CHAPITRE 9

Helai

Le revenant qui arriva devant sa chaumière fut accueilli par un aguilaire à moitié déraciné.

Un grand trou béait à sa base, dont on voyait qu'il n'avait pas été creusé de main d'homme. Le toit de la cuisine n'avait plus un brin de chaume, et dans la salle commune, les vitres de l'unique fenêtre étaient brisées. Il se souvint que sur la route, deux jours plus tôt, il avait essuyé une violente tempête, et il supposa que c'était le vent qui avait fait tomber son arbre.

Ce géant avait son âge. Avec ses quinze mètres de haut, on pouvait vraiment le qualifier de géant. Son tronc était si gros que déjà, avant son départ pour la faculté de théologie, Yong Sheng ne pouvait plus en faire le tour complet, même en tendant les bras et les mains au maximum. À l'époque, sa frondaison touffue le coiffait comme le chapeau d'un énorme champignon vert, fait de milliers de feuilles de forme ovoïde à bord dentelé, au bout légèrement pointu. De ses branches, serrées les unes contre les autres, partaient des ramilles tire-bouchonnées comme la barbe d'un dragon. Son réseau de racines aériennes s'étendait très loin sur le sol, où elles rentraient de nouveau dans les profondeurs de la terre.

Un brouillard laiteux enveloppait le pied de la colline. Le tronc était à présent si incliné que sa ramure était à fleur de sol et que certaines de ses racines déterrées reposaient sur la margelle du puits couvert de mousse. Personne ne s'était occupé de lui, ou n'avait tenté de le redresser. Le géant blessé gisait à terre. Ses racines à nu se tordaient et s'enchevêtraient de façon telle que Yong Sheng en fut pétrifié. Elles lui rappelaient l'écorché qui trônait dans la bibliothèque de la faculté, ou encore le schéma de la circulation sanguine des amphibiens. Elles formaient un réseau entrecroisé de fleuves, rivières et ruisseaux, aux courbes parfois épineuses. Peu à peu, le brouillard escalada la pente de la colline et s'étendit jusque devant la chaumière, où, lentement, il recouvrit l'aguilaire, sur les racines duquel il déposa comme une mince couche de cire transparente.

La chaumière d'antan était désormais une maison vide. Quelques mois plus tôt, son épouse l'avait quittée avec son bébé, comme le précisait la lettre que son père lui avait envoyée :

« Mes mains ont brusquement retrouvé la force de leur jeunesse, tant elles ont envie de l'étrangler. Ta femme a mis au monde un enfant qui est celui du pasteur Gu, puis elle s'est sauvée comme une voleuse. »

À la manière d'un général sur un champ de bataille, à l'issue du combat, il alla inspecter le verger, où seuls deux poiriers, un magnolia et quatre litchis avaient été déracinés par la tempête.

Il les débita à la hache, entassa le bois sur un terrain vague, et y mit le feu. Malgré l'absence de vent, et bien qu'il n'eût pas versé de pétrole pour accélérer la combustion, le feu prit rapidement. Il était plus de minuit, et l'épais brouillard s'étant un peu dispersé, on pouvait voir, à des kilomètres à la ronde, l'énorme brasier, duquel montaient une fumée noire et un tourbillon rouge-orangé, qui tournoya longtemps au-dessus de l'aguilaire déraciné et de la chaumière abandonnée, avant de se disperser dans le ciel, où brillaient quelques froides étoiles.

Plutôt que d'attiser les flammes avec un bâton, il employa sa hache, qu'il fit tomber par inadvertance dans le brasier. Quand il la récupéra, le manche était en partie calciné. Il repensa avec regret à son vieux fusil japonais, qu'il avait jeté dans le fleuve You, quelques heures après avoir laissé Mary s'enfuir. Il eût volontiers attisé le feu du bout de son canon.

Finalement, il décida de brûler l'aguilaire. Il ramassa d'abord la grosse branche tombée sur la margelle du puits, de laquelle s'écoulait une résine blanche. Elle mesurait plusieurs mètres et était si lourde qu'il s'écorcha les mains à la traîner.

Le bois crépita, puis il s'enflamma, crachant à la ronde des gerbes d'étincelles. En un rien de temps, les flammes atteignirent plus d'un mètre.

Il remarqua alors une exsudation collante, qui tombait goutte à goutte de la branche sur le feu, comme de la cire fondue.

« S'il a encore de la sève, c'est qu'il n'est pas mort », pensa-t-il.

À l'instant où il se pencha pour examiner le suintement, un coup de vent violent souffla une délicate odeur, presque imperceptible, du sein du brasier.

« C'est quoi, cette odeur ? »

Plus qu'une odeur, c'était une sorte de pressentiment, une impalpable intuition.

Il ferma les yeux et gonfla ses narines pour la renifler à pleins poumons.

Mais elle s'était évaporée dans la fumée brûlante du bûcher. Soudain, alors qu'il la regrettait déjà, elle revint, dans une fulgurance, chatouiller son odorat. Jamais il n'avait rien senti de comparable. Cela dura une fraction de seconde. Une feuille, d'un vert lustré, tomba de la branche, glissa comme une plume de jade sur un rameau, et voleta, légère et silencieuse, jusque dans la gueule du brasier, où elle se fit dévorer par les flammes.

De nouveau, elle revint, cette subtile fragrance, pour disparaître presque aussitôt, dans un jeu de cache-cache, qui se répéta à intervalles réguliers, défiant le temps et l'espace que tantôt elle distendait, tantôt elle divisait en milliers de fractions minuscules. De la feuille tombée dans le feu ne resta bientôt plus qu'un jus verdâtre.

Quand l'odeur disparut, il craignit de l'avoir perdue à jamais, et alors qu'il redoublait d'efforts pour tenter de la retrouver, il comprit qu'elle provenait de la branche qui brûlait.

Jamais il n'avait humé si divine senteur. Il se souvint des offrandes apportées par les Rois mages à l'Enfant Jésus, l'or, la myrrhe et l'oliban, et il jugea que le parfum de la résine d'aguilaire était encore plus magique, car il laissait dans son sillage un léger effluve de ce nard, dont Madeleine avait oint les pieds du Christ[1]. Elle était en outre pleine d'une force sauvage, qui évoquait le musc que sécrétait, dans ses glandes abdominales, le chevrotin des hautes montagnes du Tibet, du Sichuan et du Guizhou.

1. Jean 12, 3.

L'odeur ayant encore disparu, il implora Dieu de la faire revenir. C'était la première fois, depuis sa tentative de suicide, sur le récif des Hirondelles, qu'il priait à nouveau. Merci Seigneur! L'odeur revint. Il la huma jusqu'à l'ivresse. Elle était cette fois plus forte et plus nette, et il y discerna des effluves de miel et de lait – ce lait qui avait jailli en perles blanches des seins de Mary, sur la paroi d'un vase en argent, et dont le délicat parfum avait embaumé une alcôve, lorsqu'il avait cinq ans.

Sa vue se troubla, et la divine senteur prit possession de tout son être, pour l'emporter ailleurs.

Le lendemain matin, il se réveilla à côté du foyer, le corps recouvert d'une épaisse couche de cendres. Il se frotta les yeux pour la faire tomber de ses paupières, et là, dans la brume matinale, il aperçut sur le mur de sa chaumière une fresque si dégradée qu'il put à peine y reconnaître l'œuvre du vieux peintre ivrogne du village de Zaolin. La crête dorée de la grue blanche avait complètement disparu, et une partie de la peinture écaillée révélait, en dessous, la terre argileuse du mur. Derrière, le bâtiment n'était pas en si mauvais état. Une grande partie de la toiture avait conservé son chaume, dont quelques tiges frissonnaient, sous le souffle du vent.

Il connaissait désormais la magie procurée par la combustion de la résine d'aguilaire.

« Dieu tout-puissant! pensa-t-il. Si, après m'avoir infligé tant d'humiliations, Vous m'avez accordé la grâce de me faire connaître ce divin parfum, est-ce pour me signifier que Vous voulez que je sois pasteur et passe ma vie à Votre service? »

Dans la brume apparurent deux hommes, pieds nus, sans manteau, coiffés d'un chapeau de paille. L'un d'eux portait un enfant, emmailloté dans des langes.

Ils s'arrêtèrent devant le mur pour contempler longuement la fresque endommagée. L'enfant devait dormir, car il ne faisait aucun bruit.

« Pas de doute, c'est ici, dit le premier, en se dirigeant vers Yong Sheng. Il est bien jeune pour être pasteur !

— Vous devez être Yong Sheng, si on en croit la grue sur votre mur.

— Oui, je suis le pasteur Yong.

— C'est papa pochard qui nous envoie. On est des pêcheurs de son village.

— Heling est morte, ajouta l'autre.

— Son père nous a demandé de vous remettre la fille qu'elle a laissée. »

Yong Sheng ne répondit rien, pas plus qu'il ne tendit les mains pour prendre l'enfant.

Il ramassa une pioche et se mit à agrandir le trou, autour de l'aguilaire déraciné. Les deux pêcheurs le regardèrent creuser la terre, d'où s'échappaient des scarabées et des vers, puis, celui qui avait les mains libres l'aida à enlever les mottes sèches et les cailloux. À son tour, l'homme qui tenait le bébé le mit dans les bras de Yong Sheng, et il alla dans le verger, récolter à mains nues de la terre noire et grasse, à la bonne odeur de fumier, dont il remplit tout un panier, qu'il renversa dans le trou.

Criant d'une même voix, comme on monte une maison à ossature en bois, ils tirèrent l'aguilaire jusque dans le trou, où ils le redressèrent.

Sur le sol, à l'emplacement du bûcher, ne restait plus qu'une couche épaisse de cendres, fines comme de la farine, qu'ils passèrent au tamis, et dont ils saupoudrèrent de grosses poignées, au pied de l'arbre.

L'enfant dans les bras, Yong Sheng leur demanda :

« Elle s'appelle comment ?

— Helai, dit l'un des pêcheurs, en relevant la tête. Yong Helai.

— Elle porte le nom de Yong ? s'étonna-t-il.

— C'est ton enfant ! Quel autre nom veux-tu qu'elle porte ? »

Il monta avec sa fille sur un sampan, qui transportait du sable, et débarqua au sud de Putian, d'où il se rendit directement au siège de l'Église protestante américaine, où se tenait le synode annuel.

Le siège de l'organisation, qui réunissait cinq congrégations, était un mélange d'architecture traditionnelle chinoise et de construction occidentale. De loin, il ressemblait à un petit palais, avec son toit en ailes d'hirondelle – qui symbolisait le désir de s'envoler –, ses marches en pierre blanche, issue des carrières du nord de la Chine, et surtout ses imposantes colonnes rouges.

À droite du portail d'entrée, le concierge se tenait à l'intérieur d'un guichet à fenêtre.

C'était un Chinois d'une quarantaine d'années, vêtu d'une chemise à l'occidentale et d'un gilet, sur lequel était épinglée une montre de gousset en or. Ses pieds étaient posés sur le rebord d'un poêle allumé.

En bégayant un peu, Yong Sheng lui demanda à voir un responsable.

« Un responsable de quelle Église ? » s'enquit le concierge.

Pris au dépourvu, Yong Sheng ne sut que répondre. Le pasteur Gu appartenait à l'Église baptiste, alors que, pour la plupart, ses professeurs de la faculté de Nankin étaient presbytériens. « Un responsable du synode, finit-il par dire.

— Vous voulez parler à un conseiller ? Nous en avons plusieurs qui sont chinois.

— Excusez-moi, je ne sais pas ce qu'est un conseiller.

— Vous ignorez ce qu'est un conseiller ? C'est un responsable de moindre importance. En anglais, on dit "exhorter", ajouta-t-il fièrement, avec un très fort accent de Putian.

— Non, il me faudrait plutôt…

— Au-dessus des "exhorters", il y a les "lay preachers[1]", qui sont tous de Putian. Si vous voulez parler à quelqu'un de plus important, ce sera un "preacher". Les "preachers" exercent depuis plus de quatre ans, et peuvent évangéliser à l'extérieur…

— Et au-dessus d'eux ?

— Il y a les "deacons[2]", parmi lesquels on trouve des Chinois et des Occidentaux. Encore plus haut, il y a les "pastors[3]", la plus haute fonction qu'un Chinois puisse atteindre. Puis il y a les "district-superintends[4]", et enfin les "superintends[5]", mais ces fonctions sont exclusivement réservées aux Occidentaux.

— Alors je voudrais voir un "superintend", dit Yong Sheng.

— Pour quelle affaire importante ? demanda le concierge chinois en singeant les Américains, avec un haussement

---

1. Prédicateurs laïcs.
2. Diacres.
3. Pasteurs.
4. Surintendants de district.
5. Surintendants ; évêques superviseurs.

d'épaules. Je regrette de vous dire qu'un "superintend" ne reçoit pas le premier venu. »

Sur ces mots, il voulut refermer la fenêtre de son guichet, mais Yong Sheng tendit la main pour l'en empêcher.

« Je veux faire baptiser ma fille.

— Pour cela, nous avons deux pasteurs, un Américain et deux Canadiens.

— Je suis moi-même pasteur.

— Vous, vous êtes pasteur ?

— Oui.

— Vous voulez certainement dire que vous voudriez être pasteur, corrigea le concierge, avant de laisser éclater sa colère, comme si Yong Sheng eût insulté ses ancêtres. Vous savez ce que cela signifie, être pasteur ? Un pasteur distribue le pain de la communion, prie, console les malades et les agonisants, prêche, préside aux mariages et aux enterrements. Le salaire d'un pasteur est de quatre piastres d'argent, et s'il a une femme et un enfant, il touche une piastre supplémentaire. Permettez-moi de vous dire qu'à Putian on n'a encore jamais vu un Chinois devenir pasteur ! »

Enfin il se calma et changea de ton : « On va faire comme ça : vous allez gentiment rentrer chez vous, et écrire une lettre expliquant que vous souhaitez vous convertir. Et quand vous serez converti, vous pourrez peut-être devenir conseiller, puis prédicateur laïc. Et qui sait ? Un jour, peut-être, en gravissant les échelons, vous pourrez prétendre à devenir pasteur. »

Sur ces bonnes paroles, il referma d'un coup sec la fenêtre de son guichet.

Sur l'aguilaire, les feuilles reprirent vite de la vigueur et de l'ampleur, et la frondaison devint encore plus dense qu'avant la tempête. Au début du printemps, Yong Sheng passa plusieurs jours à recouvrir de paille neuve le toit de sa chaumière. De là-haut, il contempla son domaine : son verger de litchis, de néfliers, de longaniers... dont les feuilles commençaient à se teinter d'une couleur gris argenté, et, surtout, son fier aguilaire, dont la ramure formait une haute voûte vert foncé. Bien qu'il n'y eût pas de vent, les feuilles frissonnaient comme autant de plumes, et il goûtait leur délicieux froufrou.

Il offrit son verger à l'Église, et transforma une partie de sa chaumière en salle de prière, ce qui en fit le premier temple protestant de Jiangkou.

Ce fut ici qu'eut lieu sa nomination officielle, en tant que pasteur, et le premier baptême qu'il donna fut à sa propre fille. Jamais il n'oublierait l'instant où il avait versé quelques gouttes d'eau sur son front, qu'il avait caressé du bout des doigts. Il débordait d'amour pour cette petite vie.

À compter de cette année-là, on ne l'appela plus que « pasteur Yong ».

Peu à peu, on oublia aussi le nom du grand aguilaire, qui se dressait sur la colline, devant sa maison ; il ne fut plus que « l'arbre du pasteur ».

DEUXIÈME PARTIE

CHAPITRE I

Être père

« Papa, demanda un jour Helai, alors qu'elle avait cinq ans, pourquoi certaines pierres sont foncées, et d'autres plus claires ? »

Ils ramassaient des coquillages dans le lit asséché d'une rivière, pour en faire des colliers. Le caillou que la fillette montrait à son père était vert clair, strié de veines blanches.

« Celui-ci a peut-être quelque chose à te dire. Parfois, les cailloux sont muets, et parfois très bavards, mais on ne comprend pas ce qu'ils disent, répondit Yong Sheng.

— À ton avis, ce caillou-là peut vivre combien de temps ?

— Papa ne sait pas si les cailloux ont une vie. »

Il était pasteur depuis cinq ans, et non seulement il était le premier Chinois de Putian à exercer ce ministère, mais il était un évangélisateur confirmé. Il savait qu'il eût pu dire à sa fille que Dieu avait créé le monde, et que lui seul décidait de la couleur et de l'existence des cailloux, mais il estimait qu'elle était encore trop jeune pour qu'il lui parle du Tout-Puissant. Chaque jour, à l'heure des repas, il disait les grâces, c'était pour lui chose naturelle, mais jamais il ne lui demandait de les dire avec lui.

Le lit de la rivière était très large, et son sable cendré

donnait à la lumière une tonalité blanchâtre, qui conférait à la vaste plage une beauté simple et dépouillée. Cette « rivière de sable blanc », comme tous l'appelaient, se situait au nord de Jiangkou, à un kilomètre environ de chez eux. Chaque année, en été, les crues des torrents de la montagne la remplissaient de flots tumultueux, dont le grondement pouvait sans rougir rivaliser avec celui des eaux de la rivière Mulan ; puis venait la saison des basses eaux, où la plage s'ornait d'une dense végétation aquatique et où ne subsistaient que de petits ruisseaux qui s'écoulaient en sinuant à travers bois, où ils formaient des mares. C'était l'endroit idéal pour faire paître les buffles, et quand Yong Sheng emmenait sa fille y ramasser des coquillages, ils rencontraient souvent les gamins qui gardaient les troupeaux. Rapidement, ils devinrent familiers. Souvent, ils jouaient ensemble, car dans le lit de la rivière, les enfants n'avaient plus besoin de tenir les animaux, qu'ils laissaient librement boire et pâturer.

Est-il besoin de le préciser ? La première fois que les petits gardiens avaient vu cette métisse aux yeux bleus, ils en avaient été éberlués.

Sans parler de ces enfants, Yong Sheng lui-même avait ressenti un choc, devant l'indicible beauté de sa fille. Ce fut par une nuit d'été, alors qu'il bavardait avec un ami dans la salle de séjour, en dégustant un verre d'alcool de riz. Vers minuit, elle était apparue en haut de l'escalier qu'il avait restauré, nue, à moitié endormie, ses cheveux noirs et bouclés dénoués sur ses épaules laiteuses. En la découvrant ainsi, il avait eu le sentiment de voir un ange, échappé d'un tableau de la Renaissance italienne.

La gamine trouvait étrange que les gardiens de buffles ne connussent point le pasteur Yong. En général, lorsqu'ils se promenaient ensemble, dans les rues de Jiangkou, tout le monde le saluait avec déférence. Si des hommes se querellaient, il suffisait que son père arrivât pour que s'apaisât la querelle, et les jeunes qui s'amusaient à dire des grossièretés redevenaient sages, sitôt qu'ils le voyaient. Mais les gamins qui faisaient pâturer les bêtes, et avaient entre sept et treize ans, étaient tous des fils de paysans de Guanhou, au nord de Jiangkou, et comme leurs parents n'étaient pas chrétiens, ils n'avaient aucune idée de ce qu'était un pasteur. Aussi étaient-ils très à l'aise quand ils jouaient avec lui.

Ils adoraient faire des compétitions de lancer de cailloux, et bien qu'ils fussent plutôt maigrichons, ils avaient plus de force dans les bras qu'une arbalète. Helai préférait faire des ricochets dans l'eau, avec les pierres plates que son père lui ramassait sur le sable. Le corps incliné à quarante-cinq degrés, comme une tour penchée, elle fermait un œil et clignait l'autre, pour observer longuement l'onde tranquille, qui prenait parfois la couleur de ses yeux quand la lumière changeait. Soudain, elle tendait le bras et lançait le caillou, qui effleurait la surface de l'eau, où il rebondissait, comme monté sur un ressort, et, à l'instant de tomber, s'envolait encore, imprimant, à la manière d'une libellule, son itinéraire sur la rivière. Quand il ricochait trop loin, elle finissait par ne plus vraiment le voir, et le devinait seulement aux minuscules ridules qu'il laissait dans son sillage. Enfin, l'eau redevenait un miroir immobile, où se reflétaient les nuages et le soleil, qu'elle s'amusait à briser de nouveau en d'innombrables fragments liquides.

Sur la plage, au loin, apparaissait un groupe de « tortues », qui avançaient avec maladresse, à quatre pattes, la tête baissée et le dos rond. Leur meneuse, une petite tortue rouge – Helai, vêtue d'un chemisier rouge –, s'approcha lentement du « buffle », suivie par les petits gardiens de troupeaux. Leur imitation de la démarche des tortues était saisissante de vérité. Ensemble, ils encerclèrent le buffle.

La tactique choisie par la fillette était celle de l'attaque frontale (les stratégies adoptées par les enfants dans leurs jeux ressemblent souvent à leurs choix d'adultes, aux moments clés de leur vie). Évidemment, cette décision l'exposait davantage, et elle regretta un instant de n'avoir pas opté pour une tactique plus rusée, comme la fausse attaque ou la simulation d'attaque d'un côté pour foncer de l'autre. Mais il était trop tard. Déjà, le sable et les cailloux, qui crissaient sous ses pieds, avertissaient le buffle du danger. L'espace entre eux se rétrécissait de plus en plus, et bien qu'il restât encore à Helai quelques mètres à parcourir, il percevait déjà le bruit de sa respiration, les battements de son cœur, et la fraîche odeur de sa sueur, qui mouillait son corsage rouge. À l'instant où elle s'arrêta, elle eut le sentiment que le monde entier, soudain silencieux, attendait qu'elle fît le premier geste.

Le jeu s'appelait « couver les œufs ». Celui qui couvait devait prendre l'apparence d'un buffle, les pieds et les mains posés sur le sol, comme les quatre pattes de l'animal, pour protéger de son corps un tas de cailloux ovoïdes, placés sous son ventre. Les tortues l'encerclaient, pour tenter de voler sa couvée, mais il ne pouvait pas les repousser avec les mains, seulement avec les pieds. Si un voleur d'œufs inattentif ou trop lent recevait « un coup de sabot », il prenait la place du buffle.

Yong Sheng était le buffle. Au moindre mouvement dans sa direction, il lançait un coup de sabot, parfois une succession de ruades, soulevant des gerbes de sable tout autour de lui, sans jamais atteindre la moindre tortue.

Les autres gamins avaient choisi des tactiques plus prudentes que Helai et restaient hors d'atteinte des ruades de l'animal, dans l'attente d'une occasion. Seule la fillette osa se glisser sous le ventre du buffle, après avoir esquivé un ou deux coups de pied, et elle s'empara à deux mains d'un caillou gros comme un œuf de ptérodactyle. Mais à l'instant où elle roula sur le sable, pour repartir avec son butin, il lui sembla voir son père lui faire un clin d'œil et une grimace de complicité. Avait-il fait exprès de la laisser gagner ? Son interrogation ne dura qu'une fraction de seconde, et elle sortit en hâte de la zone dangereuse pour crier victoire.

Comme s'il avait essuyé une horrible défaite, le buffle se prit la tête entre les mains et se laissa choir sur le sol, en poussant un cri de désespoir, qui résonna longuement au-dessus de la plage.

Profitant de l'occasion, les autres tortues se lancèrent à l'attaque, et lui volèrent tous ses œufs, avec des rires et des cris de triomphe, qui transformèrent ce lieu désolé en joyeux paradis terrestre de l'enfance.

En dehors de ces jeux dans la rivière de sable blanc, un autre moment paradisiaque de l'enfance de Helai fut le bal des lucioles que lui offrit son père par une nuit d'été, devant leur chaumière. Pour elle, ce n'était pas vraiment une maison, car elle était trop vaste et elle s'y perdait souvent. La demeure était à présent entourée d'un haut mur en terre, et enrichie d'une bambouseraie clôturée, autour de laquelle serpentait un ruisseau. Yong Sheng avait fait construire un portail, devant lequel se dressait le grand aguilaire, devenu le symbole de la religion chrétienne, à Jiangkou. Elle n'avait plus rien à voir avec la modeste chaumière d'antan. Maintenant, après avoir franchi le portail, on longeait un chemin bordé d'arbres, où la paix et le silence ambiants donnaient aux visiteurs l'impression d'entrer dans un temple. Chaque dimanche, les paroissiens suivaient ce chemin paisible pour participer à l'office dans la maison du pasteur. Lui-même vivait à l'arrière de ce bâtiment, dans une cour carrée où se tenaient sa chambre et celle de Helai.

Derrière la cour carrée, le verger avait toujours les mêmes dimensions : deux ares de litchis, cinq de longaniers et un de féviers, mais tout autour de la cour, Yong Sheng avait planté des figuiers, des oliviers et d'autres arbres si feuillus et si grands qu'en levant la tête l'enfant ne pouvait voir le ciel. Leurs racines à fleur de sol étaient couvertes de lichen. Du lierre s'enroulait le long de leurs troncs, et tout autour, des chardons, des orties au parfum mentholé et des herbes folles offraient un berceau aux fruits tombés.

Une nuit d'été, une spirale lumineuse perça de ses rayons vert clair la Voie lactée, lointaine et confuse, qui formait dans le ciel une suspension laiteuse. Sous le grand aguilaire, où venaient souvent voler des lucioles, Yong Sheng avait tendu un drap blanc, devant lequel Helai tenait une lampe tempête, dont il avait ajusté la mèche, pour obtenir le plus de lumière, et qui dégageait une forte odeur de pétrole. Comme jaillis des ténèbres, des papillons de nuit, jusqu'alors invisibles, firent leur apparition, en une nuée colorée et multiforme. Certains étaient parés de robes luxueuses, d'autres ressemblaient à de petits vagabonds, mais lorsqu'ils déployaient leurs ailes, ils révélaient un corps somptueux, rayé de turquoise et de safran. Chacun portait une tache de lumière, qui se fractionnait, au cours de leur vol, en deux ou trois particules frissonnantes, qui laissaient derrière elles un fin sillage luisant. C'était à qui effectuerait les plus incroyables figures, devant le drap éclairé. En vrombissant, ils rivalisaient de culbutes, de voltiges, de fulgurances, d'arrêts brusques et de longues suspensions dans l'air. Le prix à payer, pour remporter cette compétition de talents exceptionnels, fut très élevé, et certains y laissèrent la vie, si épuisés qu'ils finissaient par vaciller maladroitement, comme un avion frappé par un obus, et tomber à pic dans le carton que leur avait préparé Helai. Là, ils continuaient un instant à battre mécaniquement des ailes, tapissant le fond de la boîte de pollen et de la fine poudre cuivrée qui couvrait leur corps comme de la poussière d'or.

Au printemps de cette année-là, Yong Sheng, par inadvertance, renversa un peu d'eau bouillante sur la petite, qui éclata en sanglots en criant de douleur. Pour la calmer, il lui fit faire le tour de la cour, à cheval sur son dos, mais elle continua de pleurer. Alors, il l'emmena, à califourchon, le long du mur d'enceinte, en lui chantant des chansons, sans parvenir à la consoler. Lorsqu'il eut épuisé son répertoire, il la posa par terre.

« Helai, lui dit-il. Sais-tu quel est le métier de ton père ?

— Pasteur.

— Ça fait quoi, un pasteur ?

— Des sermons.

— Écoute, je vais te dire un secret que personne ne connaît. » Il s'approcha de son oreille et lui murmura : « Un pasteur, c'est un magicien. »

À travers ses larmes, elle le regarda sans conviction.

De nouveau, il la plaça sur son dos et marcha jusqu'à la bambouseraie, divisée en trois parcelles, plantées de hauts bambous tachetés, qu'ils traversèrent jusqu'à la clôture qui l'encerclait. Ils longèrent le ruisseau qui coulait tout autour – un cours d'eau qu'il avait lui même creusé, et où il emmenait sa fille pêcher et ramasser des crabes –, et il la déposa devant un bosquet de bambous nains.

«Tu les trouves mignons, ces petits bambous? lui demanda-t-il. Ils ont l'air fragiles, mais serrés les uns contre les autres, ils se protègent mutuellement. C'est pour cela qu'on les appelle les "bambous des cent familles".»

En effet, leurs tiges particulièrement rapprochées laissaient si peu d'espace entre elles que le vent peinait à y passer. Leurs feuilles rugueuses étaient plissées, et leur surface tachetée semblait piquée par la rouille. Il tendit la main pour les séparer. Un souffle chaud et moite s'éleva de la terre, sur laquelle un rayon de lumière révéla un tas de fientes d'oiseau.

Il invita sa fille à y glisser la main, et elle sentit sous ses doigts un agréable contact duveteux, puis un, plus déplaisant, de paille sèche. Elle écarta les bambous, et d'un coup, ses pleurs se muèrent en rire: elle avait trouvé un nid.

«Les oiseaux aiment nicher au milieu de ces petits bambous, bien que le soleil n'y entre jamais», lui dit-il, avec la fausse modestie de l'artiste qui savoure son succès.

Le magicien l'encouragea à plonger doucement la main dans le nid.

Elle tendit sa menotte un peu hésitante, et toucha quelque chose, qui la fit sursauter. Aussitôt, elle retira sa main.

Le magicien l'apaisa d'un sourire.

Elle replongea ses doigts dans le nid, d'où elle sortit un œuf brun clair, à coquille tachetée, légèrement humide. Elle le leva vers le soleil et discerna à l'intérieur une ombre vert tendre, qu'elle considéra longtemps de ses yeux clairs. Yong Sheng se dit que rien ni personne ne pouvait résister à ce regard limpide.

« On dirait qu'il y a un petit cerf-volant dedans, s'étonna-t-elle.

— C'est un oisillon, corrigea son père, qui n'a pas encore de plumes. »

Il lui prit l'œuf des mains, le replaça dans le nid et relâcha les bambous, qui reprirent leur aspect initial.

Le souvenir de l'œuf resta longtemps gravé dans l'esprit de la petite fille. Quelques jours plus tard, un soir que son père rédigeait le brouillon de son prochain sermon dominical, elle quitta la maison, en direction des bambous nains.

Elle entra dans le verger comme une somnambule, sans plus se souvenir du chemin qu'avait emprunté son père, quand il la portait sur son dos. Le verger était sombre. Les arbres semblaient s'y être multipliés, et il était facile de se perdre dans les nombreuses allées qui serpentaient entre eux. Elle pensa prendre un raccourci et finit par s'égarer. Craignant que son père ne s'aperçût de son absence, elle décida de rentrer, pour éviter de se faire gronder, mais un instant plus tard, elle jugea que ce n'était pas nécessaire, et poursuivit sa randonnée, se lançant parfois dans une course effrénée, quand un bruit ou une ombre l'effrayait.

Bientôt, elle désespéra de se retrouver. Partout, elle était entourée de bambous, dont les hautes tiges, au-dessus de sa tête, la maintenaient dans l'obscurité. Elle faillit tomber dans le ruisseau qui longeait la clôture et dont l'eau était si claire qu'elle pouvait y voir des crevettes et un crabe à carapace vermillon. L'eau étant peu profonde, elle retroussa son pantalon et y entra jusqu'aux genoux. Le fond était tapissé de pousses de bambous et de feuilles enroulées sur elles-mêmes, ramollies d'avoir longtemps séjourné dans l'eau. Elles formaient un onctueux tapis, mou et glissant, qui ne produisait aucun son sous ses pieds nus. Soudain, le crabe rouge se réfugia à l'intérieur d'une feuille, et elle plongea la main dans l'eau pour l'attraper. Pris au piège, le rusé crustacé resta sans bouger. Croyant qu'il était mort, elle rouvrit la main, et il en profita pour sauter dans le ruisseau, où elle le poursuivit, en poussant de petits cris, jusqu'à ce qu'elle aperçût le bosquet de bambous nains.

Elle écarta les tiges et retrouva le nid, dans lequel elle glissa la main. Cette fois, ce ne fut plus une coquille qu'elle sentit au bout de ses doigts, mais un morceau de chair molle et chaude. L'oisillon s'agita, et elle remarqua les veines rouges, qui marbraient la peau fine de ses ailes gris-brun. Un léger duvet jaune parait son croupion, humide, comme enduit d'une fine couche de peinture.

Les convertis qui fréquentaient son père étaient, pour la plupart, des pêcheurs, des marchands ou des marins, qui travaillaient sur des bateaux de marchandises. Leurs enfants, qui les avaient souvent accompagnés dans leurs voyages, avaient visité de nombreux endroits et connaissaient beaucoup de choses. Ce fut par eux que Helai entendit parler de marionnettes. Certains avaient vu, à Xiamen, des marionnettes à gaines, typiques de la province du Fujian ; d'autres, qui étaient allés jusqu'à Quanzhou, avaient assisté à des spectacles de « marionnettes à coudes » : cachés à plusieurs, derrière un rideau, les marionnettistes brandissaient chacun une marionnette au-dessus de la tête, et si le public ne distinguait ni leur corps, ni leur tête, ni leurs mains, ils voyaient tout de même leurs coudes, d'où le nom donné aux pantins. À partir de ce que lui avaient raconté ses camarades, elle imaginait une place noire de monde où était dressée une estrade drapée de tissu noir, au centre de laquelle était tendu un rideau. Il lui semblait même entendre le roulement des tambours et le tintement des gongs, qui accompagnaient le spectacle. Lorsque le vent soufflait, lui avaient précisé les enfants, le rideau, sur lequel étaient brodés des paons à plumage multicolore, claquait comme une voile de bateau. Chaque côté de l'estrade était masqué par une tenture, percée d'une ouverture. Quand le spectacle commençait, debout sur la pointe des pieds, le public s'agitait et se bousculait, pour voir un général entrer sur la scène d'un pas martial. Il portait une armure rutilante, couverte d'écailles, comme un poisson, sur laquelle étaient dressées des oriflammes, et dessinées des chaînes.

« Il s'appelle comment, ce général ? leur avait demandé Helai.

— Son nom, on s'en fout. Tout ce qu'on sait, c'est qu'il a le visage tout noir et un grand sabre.

— Moi, je sais, avait dit un autre. C'est le général Gui Yan, des Royaumes combattants. »

Un jour, Yong Sheng l'emmena chez un tailleur de Jiangkou, pour lui faire confectionner un nouveau vêtement. Alors que l'artisan prenait ses mesures, elle entendit résonner des gongs et des tambours. Aussitôt, elle prit la main de son père et l'entraîna vers l'endroit d'où montait le bruit, en courant à perdre haleine. Quand ils y arrivèrent, la place était déjà noire de monde, et ils ne parvinrent pas à se faufiler devant. Il la porta donc sur ses épaules.

« C'est des marionnettes à coudes ? demanda-t-elle à son voisin.

— Quelles marionnettes à coudes ? C'est un théâtre de drap ! »

En fait, c'était quand même un spectacle de marionnettes, mais la scène, entourée d'un vieux drap, rapiécé à plusieurs endroits, n'était pas plus grande qu'une table. Un seul marionnettiste pouvait s'y tenir, qui accomplissait la prouesse, avec ses deux mains, de mettre en scène une pléiade de pantins, dont il imitait les voix, même en chantant, tout en actionnant un gong attaché à l'un de ses genoux.

Bien que le spectacle fût des plus rudimentaires, Helai était au comble de l'excitation. Ce qu'elle préférait, c'était quand le tigre surgissait par-dessus le rideau. Alors, elle poussait des cris de joie. Il était jaune, rayé de noir, et lorsqu'il remuait sa tête, à la fois splendide et effrayante, que sa queue battait l'air, et qu'il bondissait sauvagement, chacun de ses mouvements était d'une puissante beauté. Subitement, l'animal, pourtant rigide, eut une mimique, qui lui sembla destinée. Oui, c'était bien cela, elle ne rêvait pas : il lui faisait un clin d'œil, comme à une vieille amie.

Bien qu'elle n'eût pas encore six ans, elle savait qu'elle était née dans l'année du Tigre, et, face à cette marionnette, elle avait le sentiment de voir un membre de sa famille. Aussi, lorsqu'un prisonnier, un ivrogne dénommé Wu Song, attaqua le tigre, elle en eut le cœur serré. Chaque fois que le bâton frappait dans le vide, contrairement au public, qui manifestait sa déception par des soupirs dépités, elle trépignait de joie, tellement elle était ravie. Mais quand Wu Song atteignait le dos de l'animal (le marionnettiste faisait « pan » avec sa bouche, pour imiter le bruit des coups), elle rentrait la tête dans les épaules, avec un rictus de douleur, comme si sa propre chair était meurtrie. Soudain, le tigre poussa un feulement assourdissant, et, dressé sur ses pattes arrière, il posa celles de devant sur la tête de Wu Song. Elle brandit son petit poing, en exultant : « Tue-le ! » Homme et bête roulèrent ensemble, les coups fusèrent de part et d'autre, et finalement Wu Song acheva l'animal à coups de poing. Tout le corps de la gamine fut parcouru de frissons glacés, et quand le tigre agonisant poussa son dernier râle, il lui sembla que, dans tout le village de Jiangkou, se répandait une puissante odeur de fauve.

Ce soir-là, elle refusa de manger, en hommage au félin massacré.

Yong Sheng, qui connaissait le caractère de sa fille, savait qu'en de telles circonstances il valait mieux ne rien dire et la laisser tranquille. Il alluma une lampe, et, avec son canif, se mit à tailler un morceau de bambou. Elle lui demanda ce qu'il faisait, et il répondit : « Une marionnette. » Elle rétorqua que c'était dans le bois qu'on sculptait les marionnettes, et il répliqua qu'il n'avait pas les outils adéquats.

Quand il eut fini de tailler le bambou, il plaça une boulette de papier à une extrémité, pour figurer une tête.

Sur un ton méprisant, elle lui fit remarquer : « La marionnette du tigre de tout à l'heure pouvait bouger les épaules, et quand il le faisait, toutes les rayures de son corps bougeaient en même temps. Ta marionnette à toi, elle ne peut rien faire. »

Sans répondre, il trempa un pinceau dans de la couleur jaune et peignit des cheveux sur la boulette de papier.

Elle demanda : « Pourquoi elle a des cheveux jaunes ? »

Il dit : « Attends ! Ce n'est pas encore fini. Sais-tu de quelle couleur seront ses cheveux ? Arc-en-ciel. »

Puis il lui peignit des paupières, entre lesquelles il planta deux grains de riz noir. À la lumière de la lampe, on eût dit qu'elle avait vraiment des yeux. Enfin, il s'arracha un cheveu et le découpa en minuscules morceaux, qu'il colla un à un au-dessus des yeux.

« C'est une fille ! Je le sais, parce qu'elle a de longs cils »,
s'exclama Helai, qui commençait à se prendre au jeu.

Elle avait raison. C'était bien une fille qu'il fabriquait. Avec
du papier blanc, il lui confectionna une longue robe, dont il
ceintura la taille d'un bout de laine rouge.

« Elle s'appelle comment ? demanda la gamine.

— Cendrillon. »

Avec une autre tige de bambou, il réalisa un second personnage, vêtu de velours noir, avec un joli chapeau sur la tête
et des bottes aux pieds.

« C'est qui, ce beau garçon ? demanda-t-elle.

— Un prince. »

Il façonna ensuite deux filles plutôt moches, et une vieille
femme tout habillée de noir.

Après avoir fabriqué ces personnages, il construisit une
estrade en carton, pas plus large qu'un bol de riz.

La vieille en noir apparut la première sur la scène.

« Elle fait peur ! dit Helai. C'est une sorcière ?

— Non. C'est la belle-mère de Cendrillon.

— C'est quoi, une belle-mère ?

— Si, après la mort de ta maman, je m'étais remarié avec
une autre dame, elle aurait été ta belle-mère.

— Elle a quel âge ? Elle se déplace tout doucement, et
n'arrête pas de trébucher.

— Elle n'a pas cinquante ans, mais tout en marchant, elle
réfléchit à la façon de torturer Cendrillon, qui couche dans
la cuisine. C'est parce qu'elle est trop concentrée sur ses
vilaines pensées, qu'elle trébuche. Boum ! Boum ! Boum ! » Il
imita le bruit de coups violents sur une porte, et prit la voix
d'une vieille dame, pour crier : « Cendrillon ! Le jour est levé.
Va vite puiser de l'eau, ou je te tortille la couenne !

— Ça veut dire quoi, "tortiller la couenne" ?

— Sa belle-mère aime bien pincer les gens. Elle prend un peu de peau entre les doigts et la tord en serrant fort. Ça fait si mal que celui qu'on pince pousse des cris, comme un cochon qu'on égorge. »

Il imita le grincement d'une porte qui s'ouvre.

Cendrillon apparut, et la vieille se rua sur elle.

« Paresseuse ! Pour la peine, tu puiseras cent seaux d'eau.

» — Mais le réservoir est presque plein.

» — Tu oses me répondre ! Veux-tu que je te fouette ? »

Avec une bande de tissu, dont il cingla la table, il imita le bruit d'un fouet. L'effet fut si réaliste que Helai en eut un soubresaut.

« Cendrillon a porté cent seaux d'eau ? demanda-t-elle.

— Elle a été obligée de s'arrêter au quatre-vingt-troisième.

— Parce qu'elle est tombée d'épuisement ? » Les larmes brillaient dans les yeux de la fillette.

« Non, mais une des filles de la belle-mère l'a appelée. »

Prenant la voix d'une jeune fille, il cria méchamment : « Cendrillon ! Où es-tu passée ? Viens ouvrir mes fenêtres, je veux me lever. »

Cendrillon s'inclina plusieurs fois devant cette méchante, et tira les nombreux rideaux de sa chambre. (Il reproduisit parfaitement le bruit de tentures glissant sur une tringle.)

« Sais-tu combien de rideaux elle a dû tirer ? La fille habite tout un étage, avec vingt fenêtres en tout. À la dixième... »

Cendrillon vacilla et tomba sur la scène.

« Elle va mourir ! Il faut venir à son secours ! » cria Helai.

Son père imita la voix de la seconde fille.

« Cendrillon !

— C'est qui, celle-là ? demanda la fillette.

— La seconde fille de la belle-mère, qui vit à l'étage au-dessus. Dépêche-toi, Cendrillon ! poursuivit-il. Apporte-moi dix bols de bouillon de riz, dix pains grillés, et dix brioches farcies à la viande de porc et à la ciboulette.

— Tais-toi ! hurla Helai. Je t'en supplie ! Cendrillon est déjà morte de fatigue à cause de ta mère et de ta sœur ! »

La belle-mère réapparut.

« Cendrillon ! Va curer les cochons !

— Elle en a beaucoup, des cochons ? s'inquiéta la gamine.

— Plus de trois cents.

— Oh ! Papa ! Et le prince ? Fais-le venir, pour sauver Cendrillon.

— Le moment n'est pas encore venu.

— Qu'est-ce qu'il attend ?

— Patience ! Un de ses valets cire ses bottes, un autre brosse ses vêtements, et un troisième le rase. À présent, il noue sa cravate devant un miroir. Il se prépare pour le grand bal, où il va rencontrer Cendrillon.

— Il va la sauver ?

— Il va danser avec elle. Mais elle devra rentrer chez sa belle-mère avant minuit, sinon elle sera punie. Aussi, quand l'horloge sonnera douze coups… Helai, si tu veux que le prince sauve Cendrillon, il faut d'abord que tu manges, sinon, où pourra-t-il la retrouver dans cette grande ville ?

— Dis-moi comment il la retrouve. Je veux le savoir tout de suite.

— Cendrillon va perdre quelque chose.

— Quoi ?

— Tu le sauras, quand tu auras fini ton repas. »

Cette nuit-là, il y eut un gros orage, et le fleuve, la plaine, l'aguilaire au sommet de la colline, le verger, la chaumière, tout se dilua silencieusement dans la pluie. Yong Sheng, qui ne dormait pas encore, préparait son sermon dominical. Il aimait son travail et le contact avec ses ouailles ; mais ce qu'il préférait par-dessus tout, c'était écrire, seul à sa table, à la lumière d'une lampe. En silence, il construisait, mot après mot, phrase après phrase, cette vie invisible aux yeux des hommes, dont il ne pouvait que prendre note, en essayant de ne pas la dénaturer. Parfois, quand il jugeait excellent le texte de sa prédication, il était heureux et éprouvait le même sentiment de plénitude que lorsqu'il se tenait dans son verger, qu'une douce pluie de printemps venait d'arroser.

Une lampe à pétrole à la main, sa fille descendit l'escalier vers minuit. Comme la fois précédente, elle était pieds nus, sans vêtement, pareille à un angelot, avec ses cheveux bouclés qui ondulaient sur ses épaules délicatement éclairées par la lueur vacillante de la flamme.

« Papa, dit-elle, au milieu de l'escalier. Je ne veux pas avoir de belle-mère.

— Qu'est-ce que tu racontes ? répondit-il stupéfait.

— Je ne veux pas de belle-mère.

— Tu sais que papa est pasteur », répliqua-t-il, avant de poser solennellement la main droite sur sa bible, et d'ajouter : « Moi, pasteur Yong, je jure devant Dieu que Helai n'aura jamais de belle-mère. »

CHAPITRE 2

L'orphelinat

Un photographe amateur avait pris un cliché en noir et blanc, devant le portail de la chaumière de Jiangkou : il faisait beau, un temps rêvé pour un photographe. Une agréable lumière baignait le paysage. Des nuages blancs moutonnaient dans le ciel bleu. Ce devait être en automne, car, sur les lointains versants des montagnes, la végétation, assez foncée, laissait supposer que les feuilles étaient encore vertes, tandis que le feuillage du grand aguilaire, qui occupait une bonne partie de la droite de l'image, était d'un gris clair étincelant, ce qui signifiait que ses feuilles avaient la couleur cuivrée des trompettes dans lesquelles on souffle des notes claires. Dans ce gris, animé par le soleil couchant (le cliché avait perdu ses contrastes, mais la perspective était rendue par les différentes nuances de gris), on voyait, au centre de la photo, un nuage de poussière, qui se soulevait comme un tourbillon de fumée blanche. Deux groupes d'enfants faisaient une compétition de traction de corde, dont on ne voyait qu'un petit bout, car la majeure partie était dissimulée par les compétiteurs du premier plan, qui tournaient le dos à l'objectif de l'appareil. Ces enfants n'étaient pas les petits gardiens de buffles qui jouaient avec Helai, dans le lit asséché de la rivière de sable blanc. Bien que leurs vêtements ne fussent pas en excellent état – Dieu semblait ne pas aimer les habits neufs. Jésus ne disait-il pas « heureux les pauvres » ? N'avait-il pas particulièrement pitié des femmes laides, à qui tout le monde jetait la pierre, qui souffraient d'hémorragies utérines ou étaient sans vertu ? Certes, aimer la propreté et la beauté était un sentiment naturel, mais il n'avait rien à voir avec l'amour. Aimer un enfant aux vêtements déchirés, voilà ce qu'était le véritable amour –, ils n'avaient pas l'air de paysans. Certains, qui avaient seize ou dix-sept ans, présentaient déjà une solide musculature ; les plus jeunes avaient cinq ou six ans. Dans l'autre groupe, qui faisait face à l'objectif, on voyait les expressions du visage de chaque enfant. Ils criaient tous. C'était une dizaine de gamins qui avaient, pour la plupart, ôté leur chemise, et dont les côtes étaient saillantes. Helai, la première de cette ligne, tirait de toutes ses forces, le corps arc-bouté en arrière. Elle était vêtue d'une jupe blanche, sur laquelle s'épanouissaient des fleurs foncées. Un collier de coquillages pendait à son cou. Ses cheveux attachés en queue-de-cheval étaient trempés, et la sueur qui coulait sur son visage laissait des traînées noires sur sa peau. Ses pieds étaient solidement vissés au sol, à demi enfoncés dans la poussière épaisse, où elle avait perdu une de ses chaussures. Ces enfants n'allaient pas à l'école, car on ne remarquait aucun sac de classe posé au pied de l'aguilaire mais des paniers en bambou, dont l'un était renversé. Des longanes avaient roulé tout autour de l'arbre. Une balance à poids était accrochée à une branche, comme s'ils venaient de peser les fruits ramassés dans le verger. Des filets de pêche et des paniers à poissons avaient été jetés un peu plus loin, sur le sol. En examinant la photo à la loupe, on aurait pu apercevoir les crabes qui s'en échappaient. Un sifflet à la bouche, vêtu de son maillot de l'équipe de basket de la faculté de théologie, Yong Sheng était l'arbitre de la compétition. Son corps semblait encore alerte, mais ses lignes avaient perdu la rondeur de leur jeunesse. Il portait les cheveux longs. Sans doute à cause du vent, une grande mèche était plaquée sur ses lèvres. À l'arrière-plan du cliché, le portail de la propriété formait un carré, dans lequel on distinguait un chemin bordé d'arbres qui se prolongeait jusqu'à la chaumière, qu'on apercevait au fond. Au-dessus du portail, un panneau en tôle découpée indiquait : « Orphelinat chrétien de Jiangkou ». Une date, en bas de la photo, précisait qu'elle avait été prise en octobre 1942.

Yong Sheng avait effectivement transformé sa maison en orphelinat, au début du printemps 1942, juste après l'attaque de Pearl Harbor.

Pearl Harbor ! Un nom étrange, jusqu'alors inconnu. Qui eût pu imaginer que, dans un lieu aussi éloigné de la Chine, les bombes japonaises soulèveraient un ouragan de feu, qui atteindrait une paisible bourgade chinoise, et que l'Église chrétienne, à laquelle plusieurs générations de missionnaires avaient consacré leur vie, serait réduite à néant en une seule nuit ?

Force était de reconnaître que la guerre avait sa propre logique. Simple, directe et sans faille : en 1939, les Allemands avaient envahi la Pologne, et le Royaume-Uni était entré en guerre contre l'Allemagne. À ce moment-là, les Japonais occupaient déjà une grande partie de la Chine. Avant l'attaque de Pearl Harbor, les citoyens britanniques et les missionnaires du Canada, qui appartenait au Commonwealth, avaient malheureusement été envoyés par les Japonais dans des camps de prisonniers de guerre. Le 7 décembre 1941 – les livres d'histoire ou les encyclopédies ne peuvent ignorer ce détail : c'était un dimanche –, le Japon et les États-Unis étaient entrés en guerre, et les missionnaires américains (soit quatre-vingt-dix pour cent des missionnaires présents à Putian) et leurs familles s'étaient enfuis, sans attendre l'ordre officiel d'évacuation. Le 10 décembre, par une nuit noire, où la lune ne s'était pas levée, ils étaient montés dans deux camions bâchés à la toile déchirée, ce qui laissait filtrer une faible lumière, et dans lesquels un responsable de l'Église épiscopale manipulait une machine semblable à un poste de radio, qui émettait une suite de « tac-tac-tac ». Trois jours plus tard, à Shanghai, ils avaient embarqué sur un paquebot, à destination des États-Unis. En résumé, bien que l'armée nippone n'eût jamais mis le pied à Putian (après avoir occupé Fuzhou, elle s'était bien lancée dans cette direction, qu'elle avait rapidement abandonnée, pour Dieu sait quelle raison), et bien que les habitants de Putian eussent échappé à l'occupation, les églises, hôpitaux, organisations caritatives – y compris les orphelinats – de toute la région s'étaient vus, en une nuit, privés de leurs ressources financières, et avaient sombré dans l'anarchie. Le pasteur Yong, qui avait perdu son salaire, n'avait pas imaginé qu'un homme aussi ancré dans la réalité que lui (c'est-à-dire un homme ordinaire, sans histoires, entièrement dévoué à son travail) pût un jour avoir rendez-vous avec l'histoire.

L'histoire, c'était pour lui le contraire de la réalité. Elle était si pleine de dramaturgie qu'elle ressemblait plutôt à une fiction. Un pasteur de campagne qui n'avait jamais eu le désir de jouer un rôle de premier plan, ou même de jouer un rôle tout court, allait finalement entrer dans l'histoire locale, entraîné par ceux qui avaient besoin de l'histoire pour exister.

Son nom apparut pour la première fois en 1946, au volume 49, consacré à « La Charité », des Annales de Putian, publiées par le département des Archives du district. Deux ans plus tard, lors d'une réédition, sa biographie figura au volume 66, intitulé « les personnalités religieuses ». Comme l'article n'est pas très long, nous le citerons dans son intégralité :

Yong Sheng, né en 1911, est le fils du charpentier Yong, de Jiangkou. En 1935, il fut officiellement nommé pasteur par sa hiérarchie, ce qui fit de lui le premier pasteur chinois de Putian. Il transforma alors sa maison en temple, que les gens nomment simplement « la grande chaumière ». Devant son portail se dresse un grand aguilaire, que tout un chacun connaît sous le nom d'« arbre du pasteur ». Un jour de janvier 1942, le pasteur Yong, qui ignorait que tous les missionnaires étrangers avaient été évacués, se rendit en ville, comme chaque mois, pour prendre son salaire au siège de son organisation, et il fut surpris de trouver les bureaux vides. Sur place, il rencontra une dizaine d'élèves de l'orphelinat venus réclamer de quoi manger, qui le prirent en otage. L'orphelinat se situait en dehors de la porte est de la ville, dans le temple des Lumières, un ancien bâtiment désaffecté. À l'origine, il était financé par le gouvernement républicain, qui le confia, au début de la guerre, aux bons soins de l'Église protestante. Malheureusement, les professeurs employés par l'Église étaient violents et frappaient les enfants, qui finirent par se rebeller. Les orphelins étaient, en majorité, des petits délinquants, des mendiants habitués à vivre dans la rue, où ils formaient des bandes promptes à la bagarre. Ils attaquèrent leurs professeurs à coups de pierre et de banc, et certains furent sérieusement blessés. Après l'entrée en guerre de leur pays, les mécènes américains ayant coupé les financements, ils n'eurent plus de quoi se nourrir. Le temple des Lumières, qui datait de la dynastie des Qing, était construit à côté d'un ancien cimetière, et, selon la rumeur, il était hanté par des âmes errantes et des fantômes. Pour les apaiser, un petit pavillon leur avait été édifié, au milieu de la dynastie des Qing. En 1931, la grande salle de prière avait été transformée en salle de classe à l'usage des orphelins, et le pavillon des fantômes, transformé en dortoir. De temps à autre, une partie du sol s'effondrait, et des cercueils à demi ouverts sur des ossements apparaissaient sous ou entre les lits. Après avoir capturé le pasteur Yong, les orphelins l'enfermèrent à cet endroit, et le forcèrent à se coucher sur le cercueil d'une ancienne tombe. En réponse, il entama une grève de la faim, refusant même de boire, et il consacra tout son temps à la prière. Au bout de plusieurs jours, comme il était toujours en bonne forme, les orphelins le respectèrent comme un être quasi divin. Ainsi créa-t-il l'orphelinat de Jiangkou. Dans sa cour, il installa un dortoir et aménagea une salle de classe dans sa chaumière. Comme il possédait huit ares de verger, où travaillaient les orphelins, ils furent autosuffisants et n'eurent jamais de souci pour assurer leur quotidien.

Helai voulut voir où ils avaient enfermé son père.

Le temple des Lumières, l'ancien orphelinat de Putian, se situait à deux kilomètres de la porte est de la ville. Comme la chaumière du pasteur, il était lui aussi construit sur une colline, au sommet de laquelle la vue panoramique permettait d'embrasser du regard la plaine, couverte de canaux d'irrigation. On voyait aussi la rivière Mulan, qui se déroulait, comme une bande de satin doré, à travers les rizières à perte de vue, les mares et les marais, jusqu'au fin fond de l'horizon, où il disparaissait dans la brume lointaine.

Cette année-là, l'orphelinat du pasteur fit une excellente récolte, et les orphelins les plus âgés et les plus forts allèrent vendre des paniers de litchis à Putian. Helai profita de l'occasion pour s'y rendre avec eux. Elle avait tout juste sept ans, et ne travaillait généralement pas comme eux dans le verger, mais partageait leur salle de classe et leur unique instituteur. Leur chemin ne passait pas par le temple des Lumières, qui était de l'autre côté de la ville, mais au retour, elle supplia le garçon de sept ans son aîné, qui était assis à côté d'elle en classe, un Mandchou surnommé Cheveux Blancs, de l'emmener voir où son père avait été fait prisonnier.

Il la conduisit donc au « mémorial » du pasteur – la tombe dans le dortoir –, où il lui raconta comment, une nuit, un autre orphelin, Zhao le Cinquième, alors endormi, avait soudain senti son lit bouger, puis s'écrouler. Il s'était levé et avait constaté qu'un pan du sol s'était effondré. Au fond du trou apparaissait un vieux cercueil. Dès lors, plus personne n'avait osé dormir là, sinon le pasteur, que les gamins avaient kidnappé, et obligé à y passer plusieurs nuits d'affilée, au cours desquelles ils n'avaient cessé de le tourmenter : certains s'étaient déguisés en diables, en bêtes féroces et en rapaces pour l'effrayer. D'autres, en jeunes filles pour tenter de le séduire. Ils avaient aussi placé des cafards et des rats crevés sous son oreiller. Toutes les nuits, ils l'avaient empêché de s'assoupir par un incessant vacarme de hurlements, de pleurs et de grognements.

Cheveux Blancs, qui prétendait être le fils naturel d'un brigand mandchou surnommé « le divin détrousseur », avait passé le plus clair de son temps à essayer de voler une photo que le pasteur gardait dans son portefeuille. « Dedans, il n'avait plus d'argent, puisque c'est ce que nous lui avions volé en premier. Pourtant, il veillait dessus comme sur un objet sacré.» Selon lui, son père biologique avait élevé son talent au rang d'art absolu. Jamais on n'avait atteint, avant lui, un tel niveau d'excellence : il avertissait toujours ses victimes. «Attention, je vais vous voler votre portefeuille», leur disait-il, et avant que l'autre n'ait eu le temps de poser la main sur sa poche, pour protéger son bien, il avait déjà pris l'argent et remis le portefeuille en place. Cheveux Blancs était loin d'atteindre son niveau de perfection. Quoi qu'il fît pour retenir sa respiration, et bien qu'il se fût longtemps entraîné à maîtriser son geste, chaque fois qu'il tentait de lui voler son portefeuille, le pasteur Yong le prenait sur le fait, et tout le monde éclatait de rire.

Helai riait aussi, non pas pour se moquer de la maladresse du garçon, mais parce qu'elle était secrètement flattée par son intention, vu que dans le portefeuille de son père il n'y avait rien d'autre qu'une photo d'elle, à l'âge de trois ans.

La poussière dansait dans les rais de lumière qui pénétraient par la fenêtre. La tombe ouverte n'était pas aussi sinistre qu'elle l'avait imaginé. C'était seulement quatre dalles de pierre, enfouies de travers dans un trou plus profond d'un côté que de l'autre. Une dalle était inclinée vers la gauche, deux autres vers la droite. Entre elles, des mauvaises herbes avaient poussé dans la terre. Non pas des herbes ordinaires, avec des tiges longues et minces comme une flèche, plutôt des plantes grimpantes un peu grises, dont les fines racines s'enchevêtraient. On devinait, plus qu'on ne le voyait vraiment, un cercueil, au fond du trou. C'était une caisse brunâtre en bois brut, en partie défoncée par le poids des pierres et de la terre, de laquelle ne montait qu'une vague odeur de boue.

Cheveux Blancs s'accroupit à côté de la tombe.

Helai l'imita, et l'odeur d'humidité lui piqua les narines.

« Bonjour ! cria Cheveux Blancs en direction du cercueil.

— Bonjour ! » répéta la gamine.

Leurs voix résonnèrent longuement dans la fosse.

« La première nuit, quand on a forcé ton père à dormir dedans, il a dit poliment au propriétaire dont il prenait la place : "Désolé de vous déranger !"

— Aujourd'hui, c'est la fille du pasteur Yong, qui vient vous dire bonjour », dit-elle. Prise d'une soudaine idée, elle se tourna vers son camarade.

« Tu crois que celui qui est dans le cercueil peut trouver ma mère, dans l'autre monde ?

— Peut-être.

— Je pourrais lui demander de lui transmettre un message ? Juste quelques phrases.

— Ça ne coûte rien d'essayer. »

Elle sortit un crayon et un bout de papier, et demanda à Cheveux Blancs de ne pas regarder ce qu'elle écrivait. Il lui obéit et ferma les yeux. Avec application, elle traça ces quelques mots :

« Maman, tu me manques. »

Elle signa solennellement et lança le papier dans la fosse où, comme un papillon blanc, il voleta entre les dalles effondrées et les plantes grimpantes, avant de sombrer au fond et ne plus devenir qu'une petite lueur blême, que les ténèbres engloutirent.

CHAPITRE 3
L'arche de Noé

Un soir, Helai demanda à son père : « Pourquoi mes yeux sont bleus, et pas noirs comme ceux des autres enfants ? »

Il fut un peu embarrassé, mais après un court instant d'hésitation, il finit par lui répondre : « C'est parce que l'arc-en-ciel est tombé dans tes yeux.

— C'est arrivé quand ?

— Les autres enfants ont été mis au monde par leur maman, mais toi, tu es venue du ciel, portée par une grue blanche, qui tenait dans son bec le ruban des langes qui t'emmaillotaient. Tu es arrivée dans un joli paquet, autour duquel était noué un ruban. La grue blanche est descendue du ciel et s'est posée sur notre aguilaire. »

Comme il lui racontait cette histoire assis dans un fauteuil, il se percha soudain sur l'accoudoir, en poussant des cris, qui imitaient les rauques craquètements de la grue, que la gamine connaissait pour les entendre chaque année, à la période des migrations.

Ce fut la première fois qu'elle remarqua les rides qui ravinaient le front de son père, un front bombé et un peu bizarre qui lui rappelait un caillou fissuré qu'elle avait ramassé dans le lit de la rivière de sable blanc.

Yong Sheng était mal habillé, et ses vêtements, jusqu'à son caleçon, étaient couverts de peinture colorée. Même les poils de sa barbe, qu'il avait oublié de raser, en étaient maculés, et toute sa figure était tachetée de gouttelettes de peinture séchée.

La lumière vacillante de la lampe à pétrole dansait sur son visage paisible, où ses yeux, injectés de sang, exprimaient toutefois de la stupeur, de la surprise et du doute. Sur la surface brun foncé de ses globes oculaires saillants se reflétait le faisceau mouvant de la lumière jaune de la lampe que Helai agitait devant lui. La lueur glissa le long de sa peau brillante comme de l'ivoire, s'attarda sur ses bras, auxquels les veines donnaient un reflet bleuté, et finit par éclairer tout son corps.

Il se leva lentement du fauteuil et quitta la pièce. Comme un long fil mince, son ombre, imprimée sur les yeux de la fillette, traversa les iris si bleus de l'enfant pour se perdre au coin de ses paupières.

Sa silhouette se fondit en une tache claire, de plus en plus lointaine : celle de la veste traditionnelle qu'il portait toujours, quand il troquait sa fonction de pasteur pour celle de peintre. C'était son vêtement de travail, une veste grise à manches courtes et boutons en tissu. Flottant dans l'air comme un fantôme, la tache gris clair finit elle aussi par disparaître dans le noir.

Il peignait une grande fresque de l'Arche de Noé, sur la façade sud de sa chaumière.

En 1945, après la reddition du Japon, les congrégations chrétiennes étaient revenues à Putian, où elles avaient repris leurs activités passées. L'orphelinat de Jiangkou, qui s'autofinançait, n'avait nul besoin des subventions de l'Église protestante, mais Yong Sheng accueillit à bras ouverts les nombreux livres qu'on voulut bien lui donner. Il construisit même un nouveau bâtiment circulaire pour y abriter une bibliothèque dont il se nomma conservateur. Parmi tous ces ouvrages, offerts par des chrétiens du monde entier, il y avait surtout des éditions illustrées, destinées aux enfants, mais aussi des livres d'art consacrés à l'arche de Noé, dont il examina les illustrations en couleur avec avidité. Il se plongea tout entier dans ce monde étrange. Comme envoûté par la contemplation d'un kaléidoscope, dont les fragments de verre créaient des combinaisons infinies d'images et de couleurs, à chaque page qu'il tournait, il découvrait de nouvelles vies, aux formes différentes.

Avec autant de soin qu'il l'avait fait du dessin de Léonard, dans la bibliothèque de la faculté de théologie, il commença par reproduire le vaisseau, ses rames, ses mâts et ses voiles, sans omettre de représenter son double pont et ses trois étages, dotés de cabines, comme en disposaient les gens riches qui prenaient le bateau. Son vaisseau était si grand qu'il eût pu transporter cinq cents tonnes de marchandises ou cinq cents soldats, et que pas moins de quatre cents marins eussent été nécessaires pour en manœuvrer les voiles et les cordages. Il y dessina quelques pavillons, destinés à la noblesse, et même un magnifique palais, pour que l'empereur de Chine en personne pût naviguer à son bord. Sa fresque était riche d'une multitude de détails, notamment sur la proue – la partie la plus exubérante des vaisseaux occidentaux – où il représenta des figures sculptées de saints chrétiens, d'animaux mythologiques et de personnages de légendes.

À la même époque, il se rendit à Fuzhou pour participer à un congrès des pasteurs de sa province, et il en profita pour rendre visite à son père, qui demeurait toujours dans le fameux quartier des Trois Rues et Sept Ruelles (sa mère était morte, lors d'une épidémie de choléra). Le lendemain, il alla dans le plus grand magasin de peinture de la ville, où il remit à un vendeur une longue liste de pinceaux et de couleurs, sur laquelle il avait précisé que c'était pour une fresque murale. Sur le chemin du retour, il s'arrêta à Putian, où il acheta plusieurs seaux de peinture blanche, qu'il utilisa pour peindre le fond sur la façade, qui mesurait vingt-cinq mètres de long et huit de haut. Pendant que la peinture séchait, il chargea les élèves de l'orphelinat de couper de longues tiges de bambou, puis il fit venir des artisans de Quanzhou, qui construisirent, le long du mur qui dégageait encore une forte odeur de térébenthine, un échafaudage (que les habitants du Fujian appelaient « perchoir à aigles ») de huit mètres de haut. Sur chaque plateforme en bambou, ils installèrent des planches de bois amovibles, des échelles et un système de poulies, pour monter et descendre les pots de couleur.

Dans ses rêves les plus fous, Yong Sheng n'eût osé imaginer qu'un jour, debout à plusieurs mètres du sol – presque comme sur un nuage –, attaché par une corde de sécurité, nouée autour de sa taille, il peindrait une fresque inspirée de la Bible. Ce fut une gigantesque publicité pour sa religion. La nouvelle se répandit comme une traînée de poudre, et attira des curieux de tous horizons, qui vinrent le voir peindre. L'événement prit rapidement une dimension quasi sacrée, et certains lui apportèrent en offrandes des volailles, des œufs, des légumes et des fruits, qu'ils déposèrent avec respect au pied de l'échafaudage.

De jour en jour, les gens accoururent de plus en plus nombreux et, au bout de deux semaines, la foule fut considérable. Sur le sentier qui serpentait sur la colline, ceux qui redescendaient de la chaumière étaient exaltés et cependant incapables de décrire ce qu'ils avaient vu à ceux qui y montaient.

«Allez-y, pour vous faire une idée par vous-même. C'est vraiment gigantesque!»

Ce qui était gigantesque, et couvrait presque toute la façade sud de l'orphelinat, ce n'était ni la proue ni la poupe du vaisseau carré. Pas une seule goutte d'eau n'était peinte, mais l'inclinaison du bateau donnait l'impression qu'il voguait sur des vagues déferlantes, et pouvait à tout instant être englouti par une mer déchaînée. Inconsciemment, quand ils faisaient face au mur, les gens reculaient d'un pas. Le seul détail qui donnait la direction du vaisseau, c'était la grand-voile immense et épaisse qu'il avait tissée avec de l'écorce de bambou, fixée sur une longue barre horizontale, aux deux tiers du mât, et que le vent marin gonflait comme un ballon. L'effet était si réaliste qu'on imaginait presque entendre grincer ses lamelles de bambou. La voile secondaire du grand mât et celle du mât d'artimon étaient réalisées dans une toile grossière, qu'il avait peinte avec tant de minutie qu'on sentait parfaitement le grain du tissu, comme si on l'avait palpé entre les doigts. De même, les pièces de différentes couleurs, qu'il avait ajoutées sur de supposées déchirures, semblaient parfois se soulever, sous les assauts d'un vent imaginaire, qui menaçait de les arracher.

Si les voiles en toile lui avaient été inspirées par les illustrations de livres occidentaux, auxquelles il avait ajouté le côté rapiécé, par souci de réalisme, la grand-voile tissée comme une natte en bambou était un élément familier dans cette ville de bord de mer. Mais qui eût pu reprocher au premier pasteur chinois de la région de rendre ainsi hommage à son pays natal?

Après avoir terminé le vaisseau, il fut étonné par le résultat. Il se demanda si c'était bien lui, Yong Sheng, qui avait peint une œuvre de cette dimension, aux allures d'illustration de science-fiction.

Dans la Genèse, Dieu avait dit à Noé :

Fais-toi une arche de bois de gopher : Tu disposeras cette arche en cellules, et tu l'enduiras de poix en dedans et en dehors. Voici comment tu la feras : L'arche aura trois cents coudées de longueur, cinquante coudées de largeur et trente coudées de hauteur. Tu feras à l'arche une fenêtre, que tu réduiras à une coudée en haut ; tu établiras une porte sur le côté de l'arche ; et tu construiras un étage inférieur, un second et un troisième. [...] De tout ce qui vit, de toute chair, tu feras entrer dans l'arche deux de chaque espèce, pour les conserver en vie avec toi : Il y aura un mâle et une femelle. Des oiseaux selon leur espèce, du bétail selon son espèce, et de tous les reptiles de la terre selon leur espèce, deux de chaque espèce viendront vers toi, pour que tu leur conserves la vie[1].

L'arche peinte sur la façade de la chaumière avait trois étages, conformément à la description biblique. On ne voyait pas l'intérieur du premier niveau, c'est-à-dire la cale située sous le pont, seulement des hublots cerclés de cuivre jaune. Il y avait en tout quatre rangées de quarante hublots. De loin, ce n'étaient que cent soixante petits cercles cuivrés, mais quand on s'en approchait, on distinguait, à l'intérieur de chacun, des paires d'insectes mâles et femelles.

Parmi les curieux qui venaient admirer la fresque, beaucoup étaient des enfants qui assistaient avec émerveillement à la création de cette immense variété d'invertébrés.

Il commença par un couple de guêpes à taille fine, dont tous les gamins de Jiangkou connaissaient le corps fuselé, et tandis qu'il peignait, ils imitèrent en chœur le bourdonne-

---

1. Matthieu 28, 19.

ment des insectes en vol. Le dessin était si réaliste qu'il donnait l'impression que les guêpes à corset noir, ceinturé de jaune, étaient en train de fêter leur bonheur d'échapper au futur déluge, en dansant sur le verre du hublot, où le monde entier semblait s'être concentré.

Chaque jour, une nouvelle espèce d'insectes apparut aux fenêtres. Au début, les enfants les identifièrent sans problème. C'étaient des cigales, des sauterelles, des grillons, des criquets, des mantes religieuses, des libellules, des papillons, des scarabées… Mais bientôt, Yong Sheng dépassa leurs connaissances entomologiques lorsqu'il aborda l'ordre des coléoptères, qu'il reproduisit à partir d'illustrations trouvées dans les livres offerts par son Église. Tous ces insectes de forme souvent exotique, dotés d'étranges carapaces lustrées, qui scintillaient de reflets métalliques ou étincelaient comme des diamants, restaient collés à leur hublot d'où, curieux du monde extérieur, ils admiraient le prodigieux talent de ce peintre inconnu : d'où venait cette paire de coléoptères sans tête ? Leur tête, c'était leur bouche ! Et ces arthropodes, dont les palpes étaient aussi longs qu'une trompe d'éléphant ? Et ceux-là, dépourvus d'élytres, dont la carapace était criblée de petits points dorés ou parcourue d'un trait vert qui, à la manière des lignes des frontières, des fleuves, des lacs et des montagnes sur une carte de Chine, la divisait en plusieurs figures géométriques irrégulières ? Et ce scarabée, dont le mâle est doté d'une carapace émeraude couverte d'écailles, et la femelle d'un bleu azur incrusté de minuscules plaques blanches aux reflets argentés sous la lumière du soleil ?

Derrière les cent soixante petits hublots, cent soixante paires de minuscules insectes élus de Dieu prirent place dans l'immense arche, qui avait jeté l'ancre à Jiangkou, dans les faubourgs de Putian.

Au rythme de deux paires d'insectes par jour, il passa quatre-vingts jours à les peindre.

Un soir, Helai se renversa sur la tête l'eau du seau en bois toujours posé à côté du puits, car le lendemain matin elle devait se rendre à la ville, pour participer au concours des élèves de quatrième année qui étudiaient dans des structures privées de la région. L'eau coula le long de ses cheveux, ruissela sur son cou, et se répandit sur tout son corps, gonflant comme un ballon son chemisier rentré dans son pantalon.

Tout le monde disait « le puits », mais c'était en fait une source, ceinte de grosses pierres, dont l'eau était si limpide qu'on distinguait sans peine les grains de sable et les cailloux qui en tapissaient le fond. Des bulles d'eau éclataient à la surface, des têtards à peau verte et chatoyante surgissaient de la profondeur du sable et, en quelques battements de queue, ils se hissaient à fleur d'eau. La fillette y plongea les deux mains et but une lampée dans ses paumes.

Dans la nuit, elle tomba malade et fut secouée de violentes quintes de toux, qui montaient par vagues de sa poitrine, et la laissaient parfois au bord de l'asphyxie.

Yong Sheng alla couper un bout d'écorce sur l'aguilaire, il alluma le poêle dans la maison et lui prépara une décoction. Chaque fois qu'elle toussait, la préparation se révélait d'une grande efficacité, mais cette nuit-là, elle n'eut aucun effet. À minuit, sa toux ne s'était toujours pas calmée, et il lui fut impossible de trouver le sommeil.

« Comment je vais pouvoir passer le concours régional demain ? » Elle était si angoissée qu'elle éclata en sanglots.

Inutile de dire que, pour cette gagneuse-née, la perspective de ne pas participer au concours était insupportable. De plus, c'était la première fois que, grâce à ces épreuves, serait évaluée la qualité de l'enseignement dispensé par son père, dans son orphelinat.

Comment réussir à la faire dormir, ne fût-ce que trois ou quatre heures, afin de lui permettre de s'en sortir honorablement, lors du concours du lendemain ?

« La nuit où je suis rentré du Guizhou, songea-t-il, je me suis endormi comme une masse, en respirant l'odeur de l'aguilaire brûlé. »

Il ressortit et alla couper une branche de l'arbre, qu'il rapporta dans la chambre de sa fille.

Mais elle était trop humide et refusa de s'enflammer.

Une image lui revint en mémoire : celle d'une colonie de dizaines de milliers de fourmis, qui transportaient un bout d'écorce, long de quatre ou cinq centimètres, en direction de la fourmilière, comme l'eût fait un bataillon de soldats d'un gigantesque canon. La progression de l'écorce était presque imperceptible. Au bout d'une minute, elle semblait toujours à la même place, et après deux ou trois minutes, la distance qu'elle avait parcourue était infime.

Une nouvelle quinte de toux brisa à nouveau le silence de la nuit.

Il alluma une lampe tempête, prit un outil et sortit pour la troisième fois de la maison.

Il se dirigea vers un orme, derrière lequel s'élevait la fourmilière. Son ombre s'allongea au-dessus du haut talus, que plusieurs générations de fourmis avaient construit avec des feuilles et des brindilles.

Avec une truelle, il gratta la croûte de terre qui recouvrait la fourmilière.

Il approcha la lampe de la construction, pour en éclairer l'intérieur. C'était un labyrinthe de galeries, de loges et de canaux, entrecroisés sur plusieurs étages, selon une organisation très précise. Des tunnels creusés dans tous les sens reliaient entre eux chaque petit compartiment, en un réseau d'une grande complexité, où allaient et venaient les fourmis.

La truelle fut aussitôt assaillie par les insectes.

Après avoir minutieusement observé la complexité de leur habitat, il découvrit la loge plus large et plus plate, qui en constituait le centre névralgique.

D'un coup de truelle, il trancha ce cœur de la fourmilière, et, comme plongés dans l'eau bouillante, les insectes affolés encerclèrent l'outil.

C'était le palais de la reine, où logeaient aussi les femelles aptères. Dix fois plus grand que les autres loges, il ressemblait un peu à un hangar, au sol parfaitement nivelé. La reine était pourvue de deux ailes disproportionnées et d'yeux particulièrement saillants ; quant aux femelles fécondées, qui présentaient toutes un abdomen très gonflé, elles semblaient batifoler sur le bout d'écorce d'aguilaire : elles entraient par un petit trou et sortaient par un autre, avec leur ventre ballonné, duquel on s'attendait, à tout instant, à voir s'échapper des larves.

Avec prudence, Yong Sheng pinça le bout d'écorce entre deux fines tiges de bambou.

À la lueur de la lampe tempête, il révéla sa couleur brune, tirant sur le pourpre. Il était couvert d'une pellicule grasse, qui scintillait sous la lumière. Une huile noirâtre suintait de la multitude de cavités creusées par les insectes. On ne reconnaissait presque plus le morceau qu'elles avaient transporté, quelques mois plus tôt, dans leur fourmilière. Il avait tout simplement changé de nature. Ce n'étaient plus que des filaments collés ensemble par une matière visqueuse. Quand Yong Sheng le prit dans la main, ses ongles s'enfoncèrent dans cette substance molle.

Il la porta à ses lèvres, en croqua un petit morceau et fut surpris par sa saveur pimentée, qui lui anesthésia la bouche.

Le miracle se produisit. Quelques secondes après avoir fait brûler l'écorce dans la chambre de la fillette, elle cessa de tousser.

Enveloppée par ce parfum incomparable et légèrement sucré, elle tomba dans une douce léthargie. Un instant, elle lutta contre le sommeil, pour regarder se consumer dans la flamme ce qui ressemblait à un bout de cuir racorni et fondait en se teintant de rouge. De sucrée, l'odeur se fit de plus en plus piquante.

Devant ses yeux, tout devint trouble et incertain.

« Qu'est-ce qu'il m'arrive ? » se demanda-t-elle.

Il lui sembla voir, dans l'obscurité de sa chambre, une myriade de lucioles danser au milieu d'une végétation luxuriante, qu'elles illuminaient de leur phosphorescence, avant de s'élever au-dessus d'une clôture. Là, elles formèrent une roue iridescente, tachetée de scintillantes écailles de poissons. Puis des étoiles entrèrent dans la danse, et ensemble, elles franchirent la clôture, pour recouvrir son corps d'innombrables flocons lumineux.

Jusqu'à l'aube, elle dormit paisiblement, et fut reçue première au concours régional.

Le deuxième niveau de l'arche de Noé fut peuplé de toutes sortes de vertébrés. Yong Sheng se souvenait qu'à la faculté de théologie le missionnaire allemand Adams avait affirmé que la version hébraïque de la Bible était, sur ce point, plus précise que la version latine, et que, quand la seconde traduisait « bétail », la première disait « quadrupèdes ». Il peignit d'abord un habitacle en forme de boîte, derrière les grilles duquel il installa un couple de tigres. Il avait pensé les représenter occupés à lécher les rayures noires de leur pelage jaune, enivrés par la jouissance narcissique de leur propre beauté. Mais l'espace de la cage était trop exigu, et il dut se résoudre à ne peindre que leurs deux têtes. Il mit tous ses efforts à rendre réalistes les muscles de leurs joues, les poils longs et effilés comme des lames de couteau de leur menton, leurs moustaches raides et leurs sourcils broussailleux, mais il fut déçu par le résultat, car il considéra ne pas avoir restitué la beauté et la puissance de l'animal préféré de sa fille.

« Ils vont mourir d'étouffement, dans ta cage, lui dit-elle. Combien de paires de mammifères tu comptes mettre dans ton arche ?

— Cent soixante.

— Si tu mets cent soixante cages à cet étage, ça va être moche !

— Dieu a pensé à tout. Si l'on ne mettait pas les tigres en cage, ils dévoreraient les autres animaux. »

Malgré ces affirmations, il monta dès le lendemain sur l'échafaudage avec un seau de peinture blanche, dont il recouvrit la cage qu'il venait de peindre.

Sa décision était prise : aucun prédateur n'aurait sa place dans son arche.

Ainsi, au deuxième niveau du vaisseau, il figura un jardin féerique, agrémenté de rochers, de falaises minuscules, de prairies onctueuses comme du velours, de grottes, de bassins, de fontaines, d'escaliers en marbre blanc et de balançoires, pour amuser les singes. Les premiers à profiter de cet éden furent deux éléphants. À la seule vue de leur peau rugueuse, sur laquelle scintillaient des gouttes d'eau, on pouvait presque sentir l'odeur de la pluie. Le mâle secouait sa lourde tête, pour faire tomber l'eau qui ruisselait sur ses larges oreilles, et la femelle touchait son épaule du bout de sa trompe.

Au premier coup d'œil, Helai fut séduite, et elle resta longtemps au pied de la fresque à contempler l'appendice nasal allongé des deux mammifères. Elle ne pouvait quitter des yeux – Yong Sheng avait copié à la perfection les illustrations trouvées dans les livres – les muscles épais et fermes de leur trompe, à l'extrémité de laquelle il avait rendu avec minutie le détail des deux narines. Un court instant, elle eut même l'impression de sentir sur sa peau le contact de la protubérance ronde et saillante qui terminait leur nez. Sur la fresque, cela ressemblait un peu à un long doigt agile, sur lequel se tenait une pomme de pin.

Les deuxièmes à entrer dans le jardin furent un couple de zèbres, une espèce que les gens de Putian n'avaient encore jamais vue. Le mâle avait un corps solide, les hanches épaisses, la croupe ferme et bombée. La femelle n'était que raffinement et élégance ; ses naseaux, ouverts comme le bout d'une petite trompette, montraient l'intérieur rosé de ses narines. Devant cette paire d'animaux inconnus, chacun des visiteurs y alla de son commentaire : Étaient-ils des chevaux ? Non, disaient les uns, leurs jambes sont trop courtes, elles ne sont pas adaptées à la course. Regardez leur petite queue fine, sans le moindre crin. C'est peut-être une nouvelle race de chevaux. D'autres, séduits par leurs belles rayures – qui, sur la tête et l'avant du corps partaient du haut vers le bas, alors qu'à l'arrière, elles s'allongeaient en biais en direction de la queue –, pensaient que c'étaient des chevaux de race noble. D'autres encore faisaient observer que leurs pattes, dépourvues de zébrures, ressemblaient à celles de chevaux blancs, et que leurs sabots raffinés, surtout ceux de la femelle, dont les antérieurs battaient l'air, évoquaient ceux d'une jeune jument non encore ferrée.

Durant toute la période où il peignit la fresque, les gens, comme attirés par un aimant, ne pouvaient s'empêcher de se retrouver, chaque fin d'après-midi, devant la façade de la chaumière, pour découvrir quelle nouvelle espèce inconnue il avait introduite dans son arche.

Un jour, ils se trouvèrent face à un couple d'animaux à pelage bis, massifs comme des taureaux, avec une grosse corne relevée sur le nez. Ils étaient caparaçonnés d'une peau qui devait mesurer trois ou quatre centimètres d'épaisseur, et les gros plis qui couvraient leurs épaules et leurs jambes faisaient penser à une armure de guerre. Ils semblaient dépourvus de poils, et seuls les observateurs les plus attentifs remarquaient que l'artiste leur en avait peint quelques-uns, au bout de la queue et autour des oreilles.

« Ce sont des rhinocéros, déclara un lettré local, connu pour son érudition. Sous la dynastie des Song, les fonctionnaires de deuxième catégorie, les conseillers culturels et les ministres de l'empereur portaient une représentation de ces animaux brodée sur leurs vêtements d'apparat. »

Rhinocéros ! Le mot avait une connotation virile, qui parlait tout de suite aux hommes. Quel Chinois n'avait-il pas désiré goûter à la poudre de corne de rhinocéros ? (Cette corne, ils ne la connaissaient qu'en poudre, et seuls quelques chanceux avaient eu l'heur d'en consommer.) C'était le remède le plus cher de toute la pharmacopée chinoise (un gramme valait bien plus qu'un gramme d'or). Pour la première fois, ils découvraient à quoi ressemblait cette précieuse corne, dressée sur le nez du puissant animal, entre ses deux yeux saillants, sombres comme de la boue.

Quand Yong Sheng s'absenta pour aller dîner, ils se ruèrent sur l'échafaudage, pour caresser cette merveilleuse excroissance nasale, qui étincelait comme un poignard, sous les derniers rayons du soleil couchant.

Yong Sheng passa cent soixante jours à peindre les quadrupèdes, à raison d'un couple par jour.

Lorsqu'il peignit le dernier, un monde fou se pressa devant la fresque, pour admirer ces étranges animaux que sont les girafes.

Qu'un peintre amateur pût recréer, avec tant d'exactitude, la nuance si particulière de leur pelage était presque inimaginable. Pourtant, il parvint à obtenir ce roux clair, dont on eût dit qu'il l'avait réalisé à partir de poudre de cuivre légèrement rouillé, et qui était tellement plus vrai que le jaune pâle des illustrations dont il disposait. Sans faire de brouillon, il grimpa sur l'échafaudage sitôt cette couleur obtenue, comme s'il craignait qu'elle ne disparût.

Ce jour-là, il peignit sans interruption, de midi jusqu'au soir, et Helai l'entendit marmonner :

« Si on les regarde en penchant la tête sur le côté, on a l'impression de les voir bouger. »

Le soleil venait de se coucher et la lumière incertaine du crépuscule variait d'une seconde à l'autre. La fillette leva la tête, l'inclina, recula, se rapprocha, et chaque fois, les taches claires de leur pelage, jouant avec la lumière, s'animaient pour prendre des formes différentes, à la manière d'une carte du monde en mouvement, sur laquelle s'ébranlaient des fleuves et des montagnes, tandis que leurs pattes, aussi longues et fines que des branches d'arbres, exécutaient une danse étrange.

Le troisième niveau de l'arche fut consacré aux oiseaux.

Il leur peignit d'abord un domaine où s'égailler, un verger semblable à celui de l'orphelinat, planté de longaniers, de litchis et de féviers, qu'une averse estivale venait de rafraîchir. L'air était serein, les branches des arbres ployaient sous le poids des fruits mûrs, leur feuillage touffu était encore perlé de gouttes de pluie, et le sol couvert de litchis à peau vermillon.

Il y peignit quantité de niches rouges, tapissées de gazon, inspirées du colombier de la famille Ge de Fuzhou, pour que les volatiles pussent s'y reposer.

Puis il enrichit leur domaine avec des acacias, des érables, des acajous, des pistachiers, sur lesquels il fit souffler une douce brise, qu'il matérialisa par des traits bleu grisé.

Qui allaient être les premiers résidents de ce verger paradisiaque ? Helai imagina que ce serait un couple de paons magnifiques, dont elle avait admiré, dans les livres illustrés, la chatoyante livrée bleue, mêlée de vert, et la longue queue aux plumes ocellées. Ou peut-être une paire de faisans dorés, avec leur aigrette en couronne au-dessus de leur tête pourpre, comme une petite lanterne, que le soleil ornait de reflets iridescents lorsqu'ils allongeaient le cou.

À son grand étonnement, ce fut des corbeaux.

Son père lui expliqua qu'il avait pris cette décision, car dans la Bible, après cent cinquante jours de déluge, Noé avait envoyé le corbeau voir si les eaux avaient diminué, à la surface de la terre, mais il n'était pas revenu.

Avec regret, les gens de Putian furent unanimes pour dire qu'ils avaient certes gagné un pasteur chinois, mais perdu un peintre exceptionnel, ainsi que le note un paragraphe des Annales de Putian :

En dehors de Hanjiang, un couple de corbeaux nichait au sommet de ruines, envahies par la végétation. Un jour que, en quête de nourriture, ils passèrent devant le temple protestant de Jiangkou, ils aperçurent un autre couple perché sur sa façade sud. Aussitôt, ils se posèrent sur un talus, pour les observer de loin : leurs plumes de jais présentaient des reflets satinés tirant sur le rose. Ils regardèrent leur propre plumage, et y remarquèrent le même lustre, sans comprendre qu'il était dû aux premières lueurs de l'aube. Mais quand le jour fut levé, leurs manteaux reprirent leur couleur ténébreuse, tandis que ceux des autres chatoyaient toujours de la même roseur. Alors, ils les attaquèrent à coups de bec, criblant ainsi la fresque d'une multitude de trous, qui témoignaient de leur colère.

Puis ce fut au tour des colombes d'embarquer à bord de l'arche. La première était blanche comme neige. L'autre avait l'arrière du crâne et la nuque pourpre, mêlée d'émeraude, les flancs et le dessus des ailes grisés, la poitrine immaculée, et, sous sa gorge blanche, une tache vermillon en forme de flamme.

Nul ne savait s'il s'était inspiré des colombes blanches à pattes poilues du pasteur Gu pour peindre la première. Dans les albums offerts par les étrangers, il n'y avait que des représentations de pigeons occidentaux des plus ordinaires, qui ne supportaient pas la comparaison avec ceux des colombophiles qu'il avait fréquentés, encore moins avec le couple de « Jade à Fissure » qui, de temps à autre, venait encore hanter ses rêves.

« Maintenant, je comprends, chuchota Helai à son oreille. Tes oiseaux préférés, ce sont les colombes.

— C'est vrai, répondit-il sans cesser de peindre. Avant, je leur fabriquais même des sifflets.

— Des sifflets pour les colombes ? »

Il posa son pinceau. Afin de ne pas raviver de douloureux souvenirs, il n'avait jamais parlé à sa fille de son passé de fabricant de sifflets et de préposé aux colombes du pasteur Gu (son père biologique).

Bien qu'il peignît d'après des reproductions, il ne commençait jamais par dessiner les contours du corps ou de la tête des animaux. Il n'avait nulle vision d'ensemble, mais se concentrait d'abord sur un détail : en premier, il peignait les yeux (ou plutôt un œil), dans l'attente d'établir un échange avec le regard de celui qu'il allait créer. Lorsque la communication était installée, il savait qu'il pouvait continuer, que le nez, la bouche, les oreilles, les pelages, les plumages naîtraient naturellement sous son pinceau, et que le contour de la tête ne serait plus qu'une formalité.

Noé, le seul humain à bord de l'arche, fut créé de cette manière.

Yong Sheng peignit d'abord un iris bleu, dans lequel se lisait l'effroi, puis le blanc de l'œil, marbré de filets de sang, et enfin l'orbite. L'œil ainsi formé semblait soumis à une vision de terreur, prêt à jaillir de sa cavité orbitaire.

Helai, qui assistait à la création du patriarche, en eut le cœur serré. Il lui semblait voir un de ses yeux apparaître sur la fresque. Son père ne peignit pas le second, mais ajouta des cils noirs au premier – là encore, ils ressemblaient aux siens. Et il s'arrêta là.

Il se procura alors plusieurs bâches en bambou (de trois mètres de large et plusieurs mètres de long, sur lesquelles les paysans faisaient sécher le riz), dont il recouvrit l'échafaudage. Durant la journée, il restait assis devant, pour s'assurer que personne, pas même Helai, ne s'approchât de la fresque. À la nuit tombée, il allumait une lampe à pétrole, et disparaissait derrière les bâches. Seul le bruit des bambous, qui grinçaient sous ses pieds, rompait le silence. On l'entendait marcher, piétiner, tourner, aller d'un bout à l'autre de la fresque, sans répit, jusqu'au petit matin, où il ressortait, courbé, épuisé comme un soldat, après une rude bataille.

Une semaine passa, et Noé n'était toujours pas achevé.

Puis une autre semaine.

Cette année-là, il avait peint un couple d'animaux par jour, mais Noé lui demanda tout un mois de travail.

Au cours de ce mois, Helai n'entendit pas une seule fois le son de sa voix. Il ne prenait plus ses repas avec elle. La fillette lui préparait un panier, qu'elle venait déposer, sans un mot, sur la table dressée au pied de l'échafaudage. Assis là, plongé dans ses réflexions, il semblait ne pas la voir.

Un soir, avant la tombée de la nuit, alors qu'elle s'apprêtait à repartir après lui avoir apporté son dîner, elle entendit sa voix surgir de l'ombre.

« J'aurai bientôt fini. D'ici peu, tout sera achevé. »

Cette nuit-là, elle se réveilla vers minuit. Le clair de lune, qui pénétrait par la fenêtre de sa chambre, était particulièrement lumineux. Elle se leva pour aller boire dans la cuisine, puis, sans savoir comment ni pourquoi, elle prit la direction de la fresque. Pieds nus, elle traversa, derrière leur maison, la pelouse émaillée de soucis, qui répandaient sous ses pas une odeur de sève aigrelette.

« C'est moi, cria-t-elle devant les bâches. Je peux entrer ? »

N'obtenant pas de réponse, elle se faufila à l'intérieur.

« Papa ! »

Il ne répondit toujours pas.

Quelque chose excita sa curiosité : sur l'échafaudage, la lumière projetait sur le mur la silhouette d'un homme assis, à deux mètres du sol.

L'ombre était immobile.

Elle essaya de ne pas faire de bruit.

La lumière vacillait sur les grosses tiges de bambous, dont l'entrecroisement dessinait, au sommet, des carrés de ciel d'un bleu sombre et profond. Elle grimpa sur les planches en bois qui servaient de plateformes, où ses pieds nus glissèrent sur la peinture grasse et humide dont elles étaient imprégnées. Certaines commençaient à pourrir, car il y avait longtemps qu'il avait commencé son œuvre. Des toiles d'araignées effleurèrent son visage.

Alors qu'elle atteignait les deux mètres de hauteur, elle fut saisie d'un sentiment de peur, qui la figea sur place : Noé lui faisait face. Ou plutôt, un vieil ivrogne titubant, nu comme un ver, s'avançait vers elle, au troisième niveau de l'arche.

Elle se cramponna à l'échafaudage, sans plus oser bouger.

Elle n'avait qu'une envie, fuir loin de cette image, mais elle réussit à reprendre son calme pour l'observer : Noé, entièrement nu, avait un corps de vieillard, aux muscles flasques, à la poitrine relâchée, au ventre mou et gonflé. Ses poils pubiens ressemblaient à une poignée de paille grise, plaquée entre ses deux cuisses, où son sexe ratatiné pendait tristement.

La connaissance qu'elle avait de l'anatomie du sexe opposé se limitait à celle de ses camarades de l'orphelinat. C'est dire qu'elle ne connaissait pas grand-chose. Elle ignorait l'âge de Noé, mais elle se doutait qu'il était vieux, soixante, soixante-dix ans peut-être. Soudain, elle était confrontée à une réalité de l'existence, qui la troubla profondément : il ressemblait à un vieil oiseau qui s'abritait craintivement sous un arbre – un longanier, un des arbres les plus fréquents, à Putian. Il ne pleurait pas, mais était visiblement terrifié.

De quoi avait-il peur ? Avait-il commis un crime impardonnable ?

Peut-être redoutait-il les témoins de sa déchéance ?

Elle était encore trop jeune, pour avoir lu ce passage de la Bible :

Noé commença à cultiver la terre, et planta de la vigne. Il but du vin, s'enivra, et se découvrit au milieu de sa tente. Cham, le père de Canaan, vit la nudité de son père, et il le rapporta dehors à ses deux frères. Alors Sem et Japhet prirent le manteau, le mirent sur leurs épaules, marchèrent à reculons, et couvrirent la nudité de leur père[1].

---

1. Genèse 9, 20-23.

Elle sentit soudain une délicieuse odeur flotter au-dessus d'elle : elle évoquait la saveur des bonbons en pâte d'amande, que les missions étrangères leur envoyaient à Noël, mais en plus dense, avec quelque chose du parfum des bouteilles d'alcool que son grand-père, le charpentier Yong, rapportait de sa cave. C'était une odeur à la fois sucrée et pimentée, à laquelle se mêlait le goût salé de la mer.

Elle lui rappelait celle qu'elle avait sentie la nuit où elle avait été malade.

Elle s'infiltra par tous les pores de sa peau, lui anesthésia le cerveau, et à son corps défendant, elle fut attirée vers une chose qui semblait l'attendre, tapie dans l'ombre.

Elle s'approcha de Noé, et, comme si elle refusait de croire qu'il n'était qu'une peinture, elle glissa sa menotte dans la main fripée du vieillard – elle n'était ni chaude ni froide, mais elle sentit qu'elle était vivante, que le souffle que Dieu lui avait donné ne l'avait pas quittée, et qu'elle espérait encore pouvoir réaliser quelque chose.

Au-dessus de sa tête, la mèche de la lampe à pétrole clignota et finit par s'éteindre.

« Papa s'est endormi. Il ne voit pas que la lumière s'est éteinte », pensa-t-elle.

Par bonheur, la lune était si claire qu'elle put continuer de se hisser sans risque sur l'échafaudage.

Yong Sheng dormait, assis sur une planche, les bras posés sur une canne de bambou horizontale, la tête entre ses coudes. Devant lui, une branche d'arbre finissait de se consumer. Elle reconnut que c'était une branche d'aguilaire.

CHAPITRE 4

La souffrance du serviteur de Dieu

Un jour de 1950, la silhouette d'un homme apparut sur le grand aguilaire.

Yong Sheng avait toujours interdit aux enfants de l'orphelinat d'y grimper, mais un adulte, habillé comme un paysan, une grosse corde attachée autour de sa taille, sautait d'une branche à l'autre, pesant de tout son poids sur chacune, afin de tester quelle était la plus solide.

Sous l'arbre se tenait un révolutionnaire manchot d'environ vingt-cinq ans (c'était celui qui menait les interrogatoires), vêtu d'un uniforme militaire délavé, dont la manche droite, qui était vide, oscillait comme le balancier d'une horloge. De sous sa casquette de soldat, ornée en son milieu d'une étoile rouge à cinq branches, s'échappaient des touffes de cheveux indisciplinés. Un large et épais ceinturon était bouclé autour de ses hanches. La crosse noire d'un pistolet sortait de l'étui qui y était attaché. De son unique main, dont il se servait avec une étonnante adresse, il se saisit des deux cordes que le paysan lui lança du haut de l'arbre, et il tira dessus de toutes ses forces. La corde grinça sur la branche, qui remua, ploya, mais ne rompit pas. Alors, il prononça ces mots mystérieux :

« Ce sera celle-là ! »

Il avait un fort accent du Nord, qui rendait ses propos difficilement compréhensibles aux gens du Sud, mais cette phrase, dont il détacha chaque syllabe, chacun la comprit.

Le paysan sauta de l'arbre sur le sol, où un autre (tous deux étaient les assistants du révolutionnaire, c'est-à-dire qu'ils étaient chargés des supplices) lui répéta les mots : « Ce sera celle-là ! »

Autour de l'aguilaire se pressait une foule nombreuse. À part Helai, qui étudiait au lycée de Hanjiang, tous les enfants de l'orphelinat étaient présents. Ils se regardaient les uns les autres, perdus, incapables de comprendre les intentions de leurs visiteurs.

« Ce sera celle-là », chuchota l'un d'eux, à l'oreille de son voisin.

Sur le même ton mystérieux, ce dernier répéta les mots sibyllins à son autre voisin, et les six syllabes passèrent ainsi des uns aux autres, à la manière d'une formule incantatoire.

L'homme soumis à l'interrogatoire se tenait derrière l'aguilaire : ses bras étaient ligotés dans le dos par une grosse corde, ses poignets entravés par une plus fine, qui entrait profondément dans sa chair. Le révolutionnaire s'approcha de lui, saisit la corde qui le ligotait et le tira violemment devant les orphelins.

Yong Sheng ignorait le nom de celui qui le maltraitait ainsi. Sa soudaine arrestation l'avait frappé comme un coup de tonnerre. Quand les trois hommes avaient fait irruption dans l'orphelinat, le militaire avait décliné son identité, mais Yong Sheng, molesté et jeté à terre par les deux autres, n'avait pas compris.

Avec son fort accent du Nord, l'interrogateur déclara : « C'est ta dernière chance. »

Yong Sheng ne saisit pas : « Vous pouvez répéter ?

— Où as-tu caché l'or ?

— Quel or ?

— Celui de l'Église étrangère ! Ne fais pas l'idiot. Les étrangers ont tout avoué.

— L'Église ne m'a jamais donné d'or.

— Alors, elle t'a donné de l'argent ?

— Non plus. L'établissement est autonome. Il est financé par la vente des fruits de notre verger, et par les frais de scolarité des élèves extérieurs à l'orphelinat.

— Ça suffit ! Tu nous prends vraiment pour des cons. Rien qu'à la vue des canons de notre Armée de libération, ces dégonflés d'Occidentaux ont évacué leur or à Jiangkou, et ils l'ont planqué dans ton orphelinat, avant de prendre le large.

— Je ne sais pas de quoi vous parlez.

— En fait, nous savons très bien où l'or est caché. On n'a pas besoin de toi pour le trouver. Mais on te donne une chance de collaborer avec nous. Si tu étais malin, tu la saisirais.

— Je ne suis au courant de rien.

— Je te le redis encore une fois. Ne laisse pas filer ta chance. Une fois passée, elle ne reviendra plus. Tu as peut-être entendu parler du pasteur réactionnaire de Xianyou, qui vient d'être fusillé par le gouvernement du peuple.

— Il n'y a pas d'or caché dans l'orphelinat.

— Au pied d'un arbre, peut-être ? »

Yong Sheng fit non de la tête.

« Sous celui-ci, que tout le monde appelle "l'arbre du pasteur", comme s'il était ton esclave et celui de ton Église. »

De nouveau, Yong Sheng nia d'un mouvement de tête.

« "L'arbre du pasteur" ! Ça pue comme nom ! Moi, je

préfère dire "l'arbre de l'esclave des Occidentaux". Tu n'es pas d'accord avec moi ? »

Yong Sheng garda le silence.

« Tu n'es pas l'esclave des Occidentaux ?

— Non.

— Alors si tu ne l'es pas, avoue où est l'or, et on sera peut-être cléments avec toi. »

Yong Sheng ne dit mot.

L'autre le poussa sous la grosse branche, qu'il avait choisie un peu plus tôt, à laquelle était suspendue la corde. Il se pencha pour en ramasser une extrémité, et, de sa seule main, fit un nœud coulant, avec une dextérité impressionnante, qui laissa tout le monde pantois. En quelques gestes tout aussi efficaces, il passa l'autre extrémité d'abord à l'intérieur des liens de Yong Sheng, puis dans le nœud coulant, et s'assura qu'elle y coulissait bien.

Les deux paysans qui l'assistaient tirèrent brutalement sur la corde, et Yong Sheng fut soulevé de terre.

Seul le crissement de la corde sur l'écorce rompit le silence de mort qui s'abattit sur les gamins.

Ce supplice avait pour nom « le cadavre flottant sur l'eau ». Comme lorsqu'un soldat était frappé par une balle ou un éclat d'obus, la première réaction du corps n'était pas la dou-leur, mais la stupéfaction léthargique. Yong Sheng pensa avec soulagement que, par bonheur, Helai n'était pas là pour assis-ter à son humiliation.

Combien de temps resta-t-il dans cette position ? Trois minutes ? Dix minutes ? Une heure ? Et d'où venait cette rumeur, au-dessus de sa tête ?

Des feuilles de l'arbre, que le vent faisait frissonner.

Sous lui, il entendit des voix. Le révolutionnaire manchot avait vraiment tous les talents. Non seulement il menait les arrestations, les interrogatoires, savait faire les nœuds coulants, infliger des tortures, mais, surtout, c'était un expert en relations humaines. Les orphelins éprouvaient une sympathie naturelle pour les handicapés, et il lui fut facile de nouer avec eux une relation de confiance. Assis parmi eux, il les laissait toucher son moignon, à l'intérieur de sa manche vide. Ils le regardaient comme un héros.

« S'il se convertissait, il ferait un excellent pasteur », ne put s'empêcher de penser Yong Sheng, suspendu en l'air.

Le héros manchot de l'Armée populaire de libération sortit son pistolet de l'étui de son ceinturon. Il en retira le chargeur et le vida de ses balles, six en tout, qu'il posa par terre. Puis il passa l'arme à un enfant.

« Soupèse un peu. »

Après une brève hésitation, le gamin s'empara du pistolet, mais, surpris par son poids, il faillit le faire tomber.

Le Manchot éclata d'un rire bienveillant : « Si mon arme n'était pas si lourde, comment pourrait-elle libérer le peuple ? »

Le pistolet passa de main en main parmi les orphelins, et les plus culottés firent mine de l'armer et de tirer sur les copains.

Un petit de sept ou huit ans s'approcha du révolutionnaire.

« Vous pouvez faire redescendre notre directeur ?

— Tu ne dois plus l'appeler "directeur", mais "ordure impérialiste" !

— Vous pouvez faire redescendre notre impérialiste, s'il vous plaît ?

« — Bon ! Pour toi, je vais le faire redescendre, et procéder à la deuxième partie de son interrogatoire. »

Il fit un geste, à l'intention des deux paysans.

Aussitôt, ils relâchèrent la corde, et les orphelins poussèrent des cris de joie. Dans un réflexe presque animal, Yong Sheng replia les jambes, pour amortir sa chute, comme un chat qu'on lâche dans le vide.

Il voulut se relever, mais ses jambes, prises de tremblements, refusèrent de le porter, et il fut contraint de mettre un genou à terre.

L'interrogateur s'approcha de lui.

« Et maintenant, la mémoire te revient, monsieur le pasteur ? »

Yong Sheng ouvrit la bouche, mais aucun son n'en sortit, et il ne put que secouer la tête.

« L'or ! Avoue où il est ! »

Yong Sheng continua de nier de la tête.

L'autre retrouva son calme, et, de son unique main gauche, fit un geste, comme pour faire reculer une voiture ; les deux paysans tirèrent de toutes leurs forces sur la corde. De nouveau, Yong Sheng se retrouva en l'air. Au-dessus de lui, les branches s'entrechoquèrent, comme secouées par une violente bourrasque. La corde grinça sur l'écorce, avec le même bruit déplaisant que le crissement d'une lame de métal sur une vitre. Il n'entendit bientôt plus rien d'autre que ce bruit aigu à crever les tympans.

Ses jambes pédalèrent dans le vide, comme s'il était monté sur une bicyclette invisible. Son corps déséquilibré se retourna, et il se retrouva la tête en bas, la bouche grande ouverte et pourtant incapable d'émettre un son.

Le Manchot leur fit signe d'arrêter.

Le crissement de la corde cessa.

Suspendu en l'air, le corps de Yong Sheng pirouetta comme celui d'un acrobate, et reprit sa position verticale.

Les paysans tirèrent à nouveau sur la corde.

«Stop!» ordonna le Manchot.

Dans le silence, on entendit encore le grincement de la corde sur la branche, mêlé aux gémissements de Yong Sheng.

Le Manchot leva le bras, le poing serré. On eût dit un chef d'orchestre, marquant le point d'orgue d'un mouvement symphonique.

«Lâchez!»

Contrairement à la fois précédente, où ils l'avaient fait descendre petit à petit, les deux hommes lâchèrent la corde d'un coup, et Yong Sheng tomba comme une pierre. La vitesse de la chute accentua encore le poids de son corps entravé. Il eut la sensation de se démembrer, et il poussa un hurlement d'animal mortellement blessé. À l'instant de toucher le sol, il lui sembla que tous ses organes internes explosaient, que ses jambes se brisaient, que ses tympans éclataient. Il n'entendait plus rien.

Il perdit connaissance. Tout devint noir, devant ses yeux. Le manchot posa une nouvelle fois sa question, au sujet de l'or, mais il ne lui répondit pas, car il ne l'entendit point. Alors, il fut de nouveau tiré en l'air. De nouveau, on le fit retomber violemment. De nouveau, l'autre reposa sa question. De nouveau...

«J'ai soif.»

Il prononça ces mots, en reprenant connaissance. La nuit était tombée, et il était toujours suspendu à l'aguilaire, les mains ligotées dans le dos.

Le Manchot, avant d'emmener les orphelins fouiller les lieux, avait dit aux paysans : « On va voir combien de temps il va tenir. Même s'il a décidé de ne pas nous dire où est caché l'or, il finira bien par parler. »

« J'ai soif », répéta Yong Sheng.

À cet instant, il s'étonna de s'entendre dire ces deux mots, qu'il avait maintes fois lus dans l'Évangile selon Jean. N'étaient-ce pas les mots que, vingt siècles plus tôt, le martyr avait prononcés sur la croix ?

« La seule partie de mon corps qu'ils n'ont pas brisée, c'est apparemment ma mémoire », pensa-t-il.

Afin de confirmer cette hypothèse, il s'efforça de réciter les noms des douze apôtres.

« Simon-Pierre » – pour un Chinois, ces deux mots ne ressemblaient pas à un nom d'homme. C'étaient des sons étranges, qui évoquaient ceux émis par une corde sèche, sur la poulie d'un puits. « André » – celui-ci commençait par une syllabe à la sonorité douce et profonde, suivie d'une autre, qui s'échappait délicatement d'entre les lèvres…

Jamais il n'avait imaginé que la prononciation de ces deux prénoms lui demanderait tant d'efforts. Il était si essoufflé qu'il dut interrompre sa récitation.

Toutefois, il avait attiré l'attention des deux paysans, au pied de l'arbre.

« Tu as entendu ? Qu'est-ce qu'il a dit ?

— On aurait dit des noms.

— Il faudrait les noter, pour les répéter au chef, demain matin.

— Les noter comment ? On ne sait pas écrire.

— Les noter dans nos têtes. Ça doit être chez ces gens-là, qu'il a caché l'or de l'Église.

250

— C'est peut-être des contacts de leur réseau d'espions.

— Le premier c'était "xi" quelque chose.

— Xi Menqing[1] !

— Le deuxième, il commençait par "an" !

— "An" ? Non, je crois pas. »

Soudain, ils entendirent dans l'arbre la voix faible et syncopée de Yong Sheng :

« Judas, Matthieu, Jean. »

Ils se concentrèrent pour l'écouter attentivement, de peur que le moindre mot ne leur échappât.

« C'est des noms d'étrangers. Des noms de réactionnaires.

— C'est pas facile à retenir, tous ces noms d'espions occidentaux. On va jamais y arriver. »

Après avoir récité les noms des douze apôtres, Yong Sheng recommença, et il fut satisfait de constater que sa mémoire était intacte.

Il songea qu'il lui serait difficile de résister une nuit de plus, et que s'il se contentait de réciter les noms des douze apôtres, avant de mourir, ce serait bien peu pour un chrétien dont la mission était de prêcher la Parole. Au moins devait-il réciter un passage entier de la Bible avant de rendre son dernier soupir.

Dans l'obscurité, il implora le Seigneur : « Vous qui m'avez donné la vie, pouvez-Vous m'accorder encore un instant, pour me permettre de réciter quelques phrases des Saintes Écritures ? Ce serait pour moi la preuve de Votre existence, de celle de ma mémoire, et aussi de l'utilité de ma vie. »

À cet instant, un coup de vent souffla dans le verger, comme le prélude à une tempête qui se préparait à investir la

---

1. Personnage, grand amateur de femmes, du *Jing Ping Mei*, chef-d'œuvre (anonyme) érotique et satirique de la littérature romanesque chinoise (XVIᵉ siècle).

colline, ou la respiration d'un géant, dont le cœur battait à tout rompre.

Apparemment, Dieu agréait la demande de son serviteur.

Il ignorait combien de temps le Tout-Puissant lui accordait. Quelques minutes ? Une demi-heure ? Et quel passage de la Bible pouvait-il le mieux résumer sa propre vie ?

Il pensa d'abord au Livre d'Osée, de l'Ancien Testament. Il avait toujours eu une affection particulière pour ce prophète, dont le Dieu était amour plutôt qu'autorité – l'amour ne contraint pas, et le salut ne s'obtient pas à coups de punitions. Seul l'amour a le pouvoir de sauver les hommes. Ce qui, par-dessus tout, le liait à ce prophète, c'était le passé douloureux qu'ils avaient en commun (bien qu'il ne sût pas vraiment si Osée parlait de sa propre femme ou d'Israël). Lui aussi avait raté son mariage, et pris une épouse qui forniquait avec d'autres hommes. Il l'avait quittée, tout en lui gardant son amour. Elle était une femme aimée, mais une femme adultère. Abandonnée par ses amants, elle avait dit : « J'irai, et je retournerai vers mon premier mari, car alors, j'étais plus heureuse que maintenant[1]. » Et il l'avait reprise.

Choisir un passage approprié du Livre d'Osée n'était pas si aisé, car la manière dont le prophète y parlait de lui-même était plutôt désordonnée ; le récit de sa vie était composé de phrases disséminées çà et là, à l'intérieur des trois premiers chapitres de sa prophétie, et Yong Sheng était incapable de les rassembler pour en faire une narration cohérente en quelques minutes.

1. Osée 1, 9-10.

Il était pressé par le temps. Il craignait de rendre l'âme, avant d'avoir pu formuler son récit. Il devait faire un autre choix.

Il pensa au prophète Jérémie, non pas aux prédictions terribles et sanglantes qui remplissaient son Livre, mais aux douloureux combats intérieurs qui l'avaient tourmenté. Yong Sheng aussi s'était détourné de Dieu lorsqu'il avait poursuivi Mary pour la tuer. Mais ni l'un ni l'autre n'avaient réussi à s'écarter de la Voie. L'homme n'échappait pas à son destin, et ses tentatives pour le contrer n'en étaient qu'une partie.

De nouveau, il hésita sur le choix d'un passage du Livre de Jérémie, puis il opta pour les chapitres 30 à 33, généralement appelés «Livre des consolations», riches d'éléments historiques sur la vie du peuple d'Israël, où, par la bouche de son prophète, Dieu avait énoncé sa nouvelle alliance :

Voici, les jours viennent, dit l'Éternel, où je ferai avec la maison d'Israël et la maison de Juda une alliance nouvelle, non comme l'alliance que je traitai avec leurs pères, le jour où je les saisis par la main pour les faire sortir du pays d'Égypte[1].

Lui, dont les minutes étaient comptées, n'avait plus besoin d'une alliance nouvelle. Il souhaitait seulement faire le bilan de son existence.

Soudain, un autre texte jaillit du plus profond de sa mémoire, et les mots se formèrent naturellement sur ses lèvres.

Il s'entendit réciter ce long passage du Livre d'Ésaïe, que les Chinois nomment «la souffrance du serviteur de Dieu[2]»,

---

1. Jérémie 31, 31-32.
2. Ésaïe 53, 1-12.

composé de plusieurs centaines de mots, qui décrivent un homme brisé, avec tant de puissance émotionnelle. Il le dit d'un trait, sans en oublier un mot.

« Ainsi soit-il ! » conclut-il avant de crier : « J'ai soif ! »

Les deux paysans se dirent que c'était l'occasion de le faire parler et que, s'ils lui donnaient à boire, il finirait par tout avouer.

Ils attachèrent au bout d'une perche de deux mètres de long une coupe en bambou remplie d'eau, qu'ils portèrent à ses lèvres.

Dans un état semi-comateux, il ferma les yeux et lampa de grandes goulées, avec la précipitation du noyé se jetant sur un fétu de paille. Il s'en fallut de peu qu'il n'avalât la coupe. L'eau coula le long de son menton…

Il se mit à suffoquer.

Dans le Nouveau Testament, les soldats abreuvaient Jésus avec une éponge imbibée de vinaigre[1].

Il ignorait quand avait commencé la destruction de sa fresque.

Après quelques heures de suspension, le sang cessa d'irriguer ses mains, puis ses avant-bras et ses bras entiers, qu'il finit par ne plus sentir. Il n'avait plus conscience que des os lourds et raides comme du bois de cette partie morte de son corps, dont les nerfs, comme les veines, semblaient s'être desséchés.

À l'inverse, la corde qui l'attachait à l'arbre semblait pleine de vie. Tantôt, elle l'entraînait vers le bas, tantôt elle le tirait vers le haut, et, chaque fois, il avait la sensation que ses tendons se distendaient jusqu'à la rupture.

En réalité, il n'était pas tout à fait exact de parler de sensa-

1. Matthieu 27, 48 ; Marc 15, 36 ; Luc 23, 36 ; Jean 19, 29.

tion, car dans son cas, la frontière entre l'éveil et le coma était si ténue qu'il n'était jamais vraiment lucide.

Soudain, depuis la plaine, un léger bruit monta de la colline, jusqu'à la cime de l'aguilaire. C'était un bruit de mastication, qui enveloppa entièrement son corps. De grosses gouttes d'eau se mirent à tomber des feuilles sur son visage, avec un son étouffé.

Autour de lui, tout n'était que ténèbres. Ses deux gardiens étaient partis ; il ignorait quand et où. Peut-être étaient-ils allés s'abriter de la pluie, ou rapporter au manchot les bribes de mots qu'ils avaient entendues.

La pluie, de plus en plus drue, frappait sa figure. À l'instant où il ouvrit les yeux, un éclair déchira le ciel, puis un second claqua, en produisant des gerbes d'étincelles bleutées.

Son visage avait changé d'apparence, il semblait avoir rétréci. Ses yeux médusés regardaient fixement quelque chose en face de lui.

Un troisième éclair lancéolé claqua, déchaînant un tourbillon d'électricité doré, qui finit par se concentrer sur sa pointe flamboyante. Une suite de fulgurances retomba sur la chaumière, dont la façade sud fut éclairée comme en plein jour.

Depuis la haute branche à laquelle il était suspendu, il distingua clairement le mur : un homme, dont il ne voyait que la silhouette, était monté sur une échelle et détruisait sa fresque, à coups de hache. Une manche de sa veste était vide et flottait dans le vent.

Son arche de Noé n'abritait plus que des cadavres d'animaux et des mares de sang. Pas une créature n'avait échappé au massacre.

De nouveau, la lumière des éclairs illumina le mur, et avec lui, les éléphants, les girafes, les zèbres, les paons, figés dans une attitude de stupéfaction. Un coup de tonnerre ébranla la chaumière, et son grondement menaçant accentua encore la violence des coups de hache, que le Manchot assénait, au rythme des éclairs. Bientôt, les animaux, jadis si vivants, disparurent un à un, comme à l'intérieur de la bouche d'un volcan, avec des plaies béantes, desquelles s'échappaient leurs tripes et leurs boyaux, fumants et palpitants.

Un coup de hache décapita le zèbre, dont la tête vola en l'air, tandis que des jets de sang semblèrent jaillir de son cou sur le visage du bourreau, qui continua pourtant de le massacrer, avec des cris déments, sans se rendre compte qu'il n'était plus utile de poursuivre le carnage, parce que la bête avait déjà crevé. Mais il frappait toujours, les yeux injectés de sang, le corps, le visage, la bouche et les cheveux poisseux de sang. Du sang, il y en avait aussi sur l'échelle. C'était le sien. Dans sa folie destructrice, il avait perdu l'équilibre, sa tête avait violemment heurté le mur, et il avait abondamment saigné.

Sur le pont du deuxième niveau de l'arche, un petit chien le regardait. Oreilles dressées, yeux écarquillés, il semblait renifler le sang frais qui ruisselait sur son corps (celui des animaux avait coagulé, et du rouge, il avait viré au brun). Le Manchot le remarqua et, d'un coup de hache, l'élimina sans lui laisser le temps d'aboyer une dernière fois.

Une colonie de chauves-souris se mit à aller et venir autour de sa tête, traçant des spirales noires. Par petits groupes, elles piquaient sur lui, faisaient des volte-face fulgurantes, comme pour exécuter une dernière danse, à la mémoire des malheureuses victimes de l'arche de Noé.

La pluie fouettait le visage douloureux de Yong Sheng, avec une violence qui lui coupait le souffle. Il haletait. L'eau, comme un torrent de larmes, ruisselait sur sa figure, dégoulinait sur son menton, où elle frissonnait un instant, avant de tomber sur le sol.

De nouveau, il s'entendit prononcer une sentence biblique :

Qui a cru à ce qui nous était annoncé ? Qui a reconnu le bras de l'Éternel ?

N'était-ce pas aussi ce passage du Livre d'Ésaïe qu'on nommait « la souffrance du serviteur de Dieu » ? À la différence de tout à l'heure, ce texte sonnait à présent pour lui comme le glas qui annonçait la mort. Une syllabe en suivit une autre, un mot en compléta un autre, une pensée en amena une autre, mais plus que cela, ce fut son destin que résumèrent ces longues phrases :

Il s'est élevé devant lui comme une faible plainte, comme un rejeton qui sort d'une terre desséchée ; il n'avait ni beauté, ni éclat pour attirer nos regards, et son aspect n'avait rien pour nous plaire.

Méprisé et abandonné des hommes, homme de douleur et habitué à la souffrance, semblable à celui dont on détourne le visage, nous l'avons dédaigné, nous n'avons fait de lui aucun cas.

Cependant, ce sont nos souffrances qu'il a portées, c'est de nos douleurs qu'il s'est chargé ; et nous l'avons considéré comme puni. Frappé de Dieu, et humilié. Mais il était blessé pour nos péchés, brisé pour nos iniquités [...]. Il a été maltraité et opprimé, et il n'a point ouvert la bouche, semblable à un agneau qu'on mène à la boucherie[1].

---

1. Ésaïe 53, 1-7.

TROISIÈME PARTIE

CHAPITRE I
Le retour

Un soir de marée haute, six ans après la destruction de la fresque de la grande chaumière, alors que la brise charriait une fine bruine, un bateau à moteur s'élança du quai de Wusong, à Shanghai, pour se frayer un chemin entre les bâtiments qui circulaient dans le port. C'étaient, pour la plupart, des cargos de marchandises, dont la lumière des phares, lorsque l'embarcation passait à leur portée, dévoilait à son bord la silhouette d'une femme occidentale. Bien qu'elle fût vêtue d'une veste blanche de facture chinoise et d'un large pantalon noir, il était évident que c'était une étrangère. Elle avait une soixantaine d'années, mais son maintien énergique, ses courbes avantageuses, sa poitrine encore ferme et ses longs cheveux dénoués sur ses épaules lui conféraient un charme certain, qui attirait sur elle le regard des hommes.

Les autres passagers devaient se tenir à l'intérieur du bateau, car elle était la seule sur le pont, les yeux rivés sur un projecteur attaché au mât d'un immense paquebot, qui éclaboussait la nuit de faisceaux lumineux.

Ce n'était pas la première fois que Mary embarquait dans le port de Shanghai, mais chaque fois, le ronronnement des moteurs et des hélices, le grincement des treuils et des guindeaux, le brouhaha des passagers dans les cabines et sur le pont chantaient à ses oreilles la mélodie de sa jeunesse lointaine, qui lui revenait alors comme une douce illusion.

Des rangées de lueurs vertes glissèrent devant elle, puis une lumière rouge alluma son regard : son canot à moteur abordait un paquebot. C'était en fait un rafiot, qui avait déjà essuyé nombre d'avaries. Au temps de sa splendeur, il avait, des années durant, assuré la liaison entre Hongkong et l'Angleterre, puis Chen Yubo, le plus grand armateur de Macao, l'avait racheté. En 1945, il était devenu la propriété de la compagnie maritime Orient Cruise de Shanghai mais, en 1955, le président de la compagnie, qui avait eu vent de rumeurs concernant l'imminente nationalisation des entreprises privées par le gouvernement communiste, en avait de lui-même fait don à l'État, qui l'avait rebaptisé *Grand Shun*[1], une façon de signifier que les dirigeants actuels étaient encore plus éminents que l'antique souverain légendaire. Ce nom était inscrit à sa poupe en immenses caractères dorés, soulignés de motifs qui symbolisaient vagues et tourbillons.

Mary lut le nom du paquebot sur lequel elle s'apprêtait à embarquer d'une voix forte mais calme, au timbre agréable. Dans sa façon de prononcer les mots, on reconnaissait à la fois l'accent du dialecte de Putian, qu'elle avait appris quarante ans plus tôt, et l'influence de celui du Guizhou, dans lequel, à la manière du sichuanais, on ne distingue pas le phonème « t » du « d ».

Elle n'était pas particulièrement fière de sa prononciation approximative du mandarin, car si l'on mettait bout à bout

---

1. Shun est un légendaire souverain de la haute Antiquité chinoise, qui aurait régné de 2255 à 2206 avant J.-C.

les séjours qu'elle avait effectués en Chine, elle y avait passé plus d'un quart de siècle.

Peu avant l'aube, et bien avant d'atteindre Guangzhou, le paquebot tomba en panne en pleine mer.

Le silence qui s'abattit brusquement à bord fut presque insupportable. Toutes les lumières s'éteignirent. D'un coup, ce fut l'obscurité la plus totale, et dans ce noir absolu, on n'entendit plus la moindre voix. Mary sortit de sa cabine et vit le personnel se ruer vers le pont. Dans le silence, elle les entendit chuchoter :

« On est arrêté ?

— On fait quoi, maintenant ?

— On dirait que le bateau bouge encore.

— On va se remettre en route, ou pas ? »

Elle lança un bout de papier par-dessus bord, qu'elle regarda s'envoler et tomber à la surface de l'eau.

Le paquebot était bel et bien immobile, car le papier flotta à l'endroit même où il était tombé. Les flots noirs étaient paisibles, comme endormis. Plus encore, la mer infinie semblait morte. Le *Grand Shun*, paralysé, n'était plus qu'un immense conteneur métallique, posé sur cette étendue pétrifiée.

De la cabine du commandant s'échappaient les crépitements d'un télégraphe : il lançait un S.O.S. Il y avait deux cent quatre-vingt-sept passagers à bord, dont une enseignante d'origine américaine, de nationalité chinoise.

À l'époque, les transports maritimes chinois étaient très délabrés, les organismes de secours maritime inexistants, et aucun des nombreux ports qui longeaient la mer de Chine ne disposait d'un remorqueur assez puissant pour tirer le gigantesque paquebot. Finalement, le port de Ningbo envoya les deux qu'il possédait : le 161 et le 111.

Un gros câble gisait dans un coin du pont humide et piqué de rouille du *Grand Shun*. Son extrémité pendait à la proue comme un long serpent, qui oscillait silencieusement, au rythme des vagues.

Deux heures après le lever du jour, les matelots virent enfin un premier bateau apparaître dans la brume matinale, et ils descendirent le drapeau à mi-mât, en signe de détresse.

Malheureusement, ce n'était pas le remorqueur espéré, mais un navire malais.

Il disparut rapidement dans le brouillard mais, dans l'affreux silence qui pesait depuis des heures sur le paquebot, le bruit de ses moteurs résonna comme la plus belle musique du monde. Une dizaine de minutes plus tard, le soleil se leva et ses rayons illuminèrent sa coque blanche, dressée sur l'eau telle une tour immaculée.

Les passagers des deux bâtiments se saluèrent de loin, et échangèrent quelques phrases.

Comme ils ne parlaient pas la même langue, ils ne se comprirent pas.

La peau sombre des marins malais tranchait sur la blancheur de leur bateau. Ils leur adressèrent des gestes compatissants, à la manière d'adultes cherchant à consoler des enfants effrayés. La peau noire de leur poitrine était couverte de tatouages colorés.

Le capitaine du *Grand Shun* fit mettre un canot à la mer, et il invita Mary à l'accompagner, pour lui servir de traductrice. Elle embarqua avec lui et quatre marins, qui ramèrent jusqu'au bâtiment malais, auquel ils s'amarrèrent en fixant le grappin à une chaîne. Mary grimpa à l'échelle de corde avec une aisance qui n'eut rien à envier à celle du capitaine, de vingt ans son cadet.

Elle n'eut aucune difficulté à assurer la traduction, car elle maîtrisait parfaitement le chinois et connaissait aussi le vocabulaire technique. Elle émailla même la conversation d'expressions idiomatiques, qui impressionnèrent les deux capitaines.

Lorsqu'elle regagna le *Grand Shun*, le gros câble allongé sur le pont se réveilla, pour entamer une danse effrénée et joyeuse, et brusquement, il se tendit comme la corde d'un arc.

Tout en continuant de se délecter des compliments que les deux hommes lui avaient adressés, elle regarda le paquebot se soumettre docilement à la traction du câble et commencer à bouger.

« Si je n'avais pas quitté la Chine pendant toutes ces années, je les aurais encore plus impressionnés », pensait-elle.

Elle s'était absentée de Chine durant quatorze ans, de 1935 à 1949.

À son retour aux États-Unis, elle avait fait une longue dépression. Un jour, pour lui changer les idées, un ami de son défunt mari, le pasteur Chivas Regal, l'avait emmenée dans un studio, où un groupe de jazz enregistrait un disque. Eddie Condon, le leader et l'âme de la formation, ne correspondait en rien à l'idée qu'elle se faisait des musiciens de jazz. Certes, il était alcoolique, mais il n'était ni sale ni drogué. Il jouait d'un instrument qu'elle ne connaissait pas, une sorte de guitare à quatre cordes. C'était un homme délicat et poli, qui n'éclatait jamais de rire, mais pratiquait l'humour à froid. Ce jour-là, ils avaient enregistré un morceau intitulé « Bixie Land », composé par Bix Beiderbecke, tout en buvant force verres de whisky écossais. Bix était un personnage tragique et autodestructeur, qui chantait l'impuissance et la vacuité de l'existence, mais curieusement, durant toute cette journée, Mary s'était montrée drôle, joyeuse, décontractée et pleine d'esprit. Deux phrases qu'Eddie avait improvisées lui étaient restées dans la tête :

Je ne suis pas d'humeur à m'excuser,
Même devant le pasteur Chivas Regal.

Elle les avait fredonnées en boucle, à longueur de journée. Parfois, elle en avait simplement sifflé l'air, comme dans son enfance. Jusqu'au jour où cela lui avait donné l'idée de coucher sur le papier le récit de son expérience de captive au sein de l'Armée rouge. Elle y avait consacré plusieurs semaines, à l'issue desquelles elle avait accouché de mémoires intitulés *La main de Dieu*. C'était pour elle la seule façon d'expliquer la scène qu'elle avait vécue dans ce marécage, au fin fond d'une montagne de la province du Guizhou, où un soldat révolutionnaire avait pointé son fusil sur son visage d'impérialiste en fuite. Il l'avait tenue à bout portant pendant une minute, puis avait détourné son arme. Elle y avait vu l'intervention de la main de Dieu, qui avait écarté d'elle le canon tout imprégné d'odeur de poudre.

La main de Dieu était arrivé en tête des ventes, aux États-Unis, et elle avait utilisé ses droits d'auteur pour voyager en Europe, où elle avait séjourné en France, en Italie, en Espagne, jusqu'au moment où l'armée allemande avait envahi la Tchécoslovaquie, et où la France et le Royaume-Uni étaient entrés en guerre contre l'Allemagne. Comme elle se trouvait à Genève, elle s'était engagée dans la Croix-Rouge internationale, qui l'avait envoyée à Stalingrad, à la fin de l'année 1942, diriger une équipe de volontaires. Après la guerre, elle s'était installée à Moscou, où elle avait travaillé comme speakerine dans le programme en langue anglaise de la radio soviétique. Alors qu'elle commençait à oublier le chinois, un heureux hasard l'avait mise sur la route de Wu Yuan, un dramaturge chinois qui étudiait à Moscou. C'était la première fois que, plus d'une dizaine d'années après avoir quitté la Chine, elle avait à nouveau entendu un homme en chair et en os réciter des poèmes de la dynastie des Tang ou des Song, et déclamer des opéras écrits par Guan Hanjin, de la dynastie des Yuan. Wu, qui avait dix ans de moins qu'elle, était originaire de Xianyou, au Fujian. Il parlait couramment le dialecte de Putian, et connaissait nombre d'airs d'opéra local. La douce lumière de cette province, le vent salé de la mer, le parfum des litchis, le coassement des grenouilles dans les rizières, le chant des loriots, l'odeur de boue du canal, qui évoquait le goût des crabes que l'on trempait dans la sauce soja, tout cela lui était brusquement revenu en mémoire, et elle avait compris que tout ce qu'elle avait accompli jusque-là (elle, que les blessés qu'elle avait soignés considéraient comme un ange), tout le chemin qu'elle avait parcouru et qui l'avait conduite en URSS, n'était pas, comme elle l'avait appris dans son enfance, un chemin de rédemption contre la corruption, la violence et la décadence, mais le chemin qui la ramènerait en Extrême-Orient. Elle avait vécu deux ans avec Wu Yuan, puis il avait brusquement disparu, sans laisser de traces. Jamais il n'avait réintégré leur « appartement », sans cuisine ni salle de bains, situé au troisième étage de la résidence du personnel de la radio. Nul ne savait ce qu'il était devenu. Au printemps 1949, elle s'était rendue à Pékin, à la recherche de celui avec qui elle n'était pas mariée sur le papier, mais qui avait réellement partagé sa vie. À cette époque, la ville était encore aux mains du Guomindang, mais l'Armée populaire de libération l'encerclait depuis plusieurs semaines. Grâce à une lettre de recommandation d'un professeur américain dévoué à la cause communiste, elle avait pu traverser la zone tampon et atteindre celle occupée par l'Armée de libération, où elle avait cherché son époux sans le trouver. En revanche, elle y avait trouvé sa vocation. C'était à cette époque qu'elle avait commencé à exercer la profession qui était la sienne depuis de nombreuses années : professeur d'anglais. Elle avait d'abord enseigné à l'école normale de Pékin. En 1955, elle avait pris la nationalité chinoise et, un an plus tard, elle avait été nommée à l'université Jinan, à Guangzhou.

À l'heure du crépuscule, contre toute attente, la mer se transforma en une immense étendue d'écume blanche, et le vent léger qui soufflait du sud-ouest se mua soudain en une violente tempête. Au début, le ciel était si bas qu'il semblait à portée de main, mais très vite, il disparut avec les étoiles derrière de gros nuages noirs, au-dessus des flots déchaînés.

D'énormes vagues écumeuses assaillirent les bateaux, qu'elles fouettèrent en sifflant comme des furies, et le navire malais fut contraint de s'arrêter, quand le câble métallique tendu à sa poupe se rompit d'un coup. Le *Grand Shun*, paralysé depuis des heures avec ses deux cent quatre-vingt-sept passagers, s'envola brusquement au-dessus des flots, comme suspendu entre ciel et mer. Le cœur de Mary cessa de battre quand soudain, dans un choc qui fit trembler toute sa carcasse, il retomba brutalement au creux d'une vague.

Ce n'était que le début du désastre.

Après la rupture du câble, le capitaine du navire malais actionna la sirène de détresse, dont le hurlement, au milieu de cette abominable tourmente, ne fit guère plus de bruit que les pleurs étouffés d'un enfant. Balayant de ses projecteurs les flots furieux, il revint vers le paquebot, qui poursuivait ses folles culbutes entre les vagues. Les deux bâtiments bringuebalants semblaient faire une compétition d'acrobaties aquatiques. Le premier avait des allures de libellule en train d'exécuter un vol plané et le second ressemblait à un coq dressé sur une seule patte. L'un voltigeait, l'autre s'époumonait. Les deux capitaines, qui ne parlaient pas la même langue, eurent de nouveau recours à Mary. Lorsqu'elle arriva sur le pont, le paquebot était tellement ballotté qu'elle peina à tenir debout, trempée par les vagues qui jaillissaient par-dessus la rambarde. Au même instant, une pluie de grêle tomba des nuages couleur d'encre. Le capitaine tenta d'ouvrir un parapluie, qui fut aussitôt emporté au loin par un violent coup de vent. Les grêlons frappèrent furieusement leurs corps, et s'abattirent en tambourinant sur le pont, où ils rebondirent comme des balles en caoutchouc. Elle tenta de se protéger le visage de ses bras, mais ce fut peine perdue, et elle se résigna à assurer la traduction, la peau meurtrie par les coups d'aiguilles du grésil, les yeux rivés aux vagues enragées, qui se fracassaient sur la coque comme de hautes murailles couronnées de neige. Le capitaine malais se lança dans des explications alambiquées, qui, en gros, invitaient les passagers du *Grand Shun* à rejoindre son navire, mais il n'était pas arrivé au bout de sa phrase, que le paquebot s'envola d'un coup au sommet d'une nouvelle déferlante, à la manière d'un cormoran aux ailes déployées. Mary, soulevée du sol par l'envol du bateau, vit le capitaine malais gesticuler comme un crabe, au creux de la vague, et il lui sembla avoir rétréci d'un coup. Le *Grand Shun* retomba lourdement, et les cataractes qui envahirent le pont la firent tomber à la renverse, en la recouvrant d'écume laiteuse. Le paquebot se coucha sur le flanc, et elle eut juste le temps d'agripper la rambarde pour ne pas passer par-dessus bord. Le pont s'inclina dans l'eau comme la pente d'un toit, à ras des flots tourbillonnants. De nouveau, elle aperçut le capitaine malais mais, cette fois, il ressemblait à un petit point noir, perché sur la crête de la vague. Il remuait toujours frénétiquement ses pinces de crabe, tandis que le son de sa voix semblait venir d'ailleurs, comme si gestes et paroles n'appartenaient pas à la même personne. Elle s'entendit hurler, surprise qu'un son aussi rauque et déchirant pût sortir de sa gorge. C'était un cri d'animal blessé. Le capitaine du paquebot, qui était lui aussi tombé sur le pont, vociférait à l'intention de son collègue, mais bien que le bâtiment ne fût qu'à quelques mètres du sien, celui-ci avait du mal à l'entendre, au milieu du rugissement des flots, du sifflement du vent et des cris des passagers. Enfin, il réussit à se relever. Dans son désarroi, il n'avait même plus conscience que Mary, tout à côté de lui, était à portée de voix, et ce fut par des gestes qu'il lui indiqua de le suivre à la poupe. Toujours accrochée à la rambarde, elle crapahuta vers l'arrière du bateau incliné, luttant contre les vagues, qui se brisaient sur la coque dans un fracas assourdissant et la ballottaient. L'une la frappa brutalement dans le dos, la jetant sur le pont, où sa tête cogna lourdement. L'eau la recouvrit et elle n'entendit plus rien. Elle tenta de se débattre et de continuer à ramper, mais son corps était paralysé. Elle tourna les yeux vers le ciel, et ce qu'elle y vit la remplit d'effroi. Une violente bourrasque déchira l'obscurité, un sombre nuage se fendit en deux, et apparut alors une lumière blafarde, mena-çante, qui n'avait rien de naturel et semblait annoncer la fin du monde. C'était la lune. Jamais elle ne lui avait vu cet éclat et cet aspect, celui d'un cheval débridé, qui galopait à reculons.

Au même instant, deux gigantesques tortues noires appa-rurent au-dessus des flots. Un nuage voila de nouveau la lune, le pont replongea dans l'obscurité, et elle perdit connaissance.

Les deux gigantesques tortues étaient les remorqueurs du port de Ningbo, qui avaient fouillé la mer pendant plus de vingt heures, avant de trouver le paquebot.

Au petit matin, une pâle lumière pointa à l'horizon, se reflétant timidement sur l'étendue encore sinistre de la mer, dont les flots s'étaient enfin apaisés. La carcasse affreusement blessée du *Grand Shun* se traînait derrière les remorqueurs, qui le ramenaient vers le port.

Il fallait le réparer de toute urgence.

Par chance, aucun passager ou membre de l'équipage n'était tombé à l'eau, au cours de la tempête, mais beaucoup étaient blessés, et on avait étendu Mary, inconsciente, dans sa cabine, l'œil noir et gonflé, la bouche tuméfiée.

Les chaudières étaient hors d'usage, mais le capitaine réus-sit à trouver de l'eau chaude, au fond d'un thermos, pour que le cuisinier lui fît un café qui, espérait-il, la revigorerait.

Elle en but à peine deux gorgées, qu'elle vomit aussitôt.

Ses capacités auditives avaient considérablement baissé. Les sons semblaient lui parvenir de très loin, et, même lorsque les passagers, apercevant enfin la côte, se mirent à pousser de grands cris de joie, elle ne perçut qu'un faible brouhaha, à peine plus audible que le bruit de cavalcade des cafards qui infestaient sa cabine.

Deux heures plus tard, elle perçut de nouveau cette même rumeur confuse, et ce ne fut que lorsque le capitaine vint lui annoncer la nouvelle qu'elle comprit qu'il s'agissait des exclamations de triomphe des voyageurs.

La côte, de plus en plus proche, présentait une large déchirure, par laquelle un fleuve se jetait dans la mer. À côté d'elle, le capitaine marmonna le nom du village dressé au bord de l'embouchure mais, l'esprit occupé par les souvenirs qui l'assaillaient, elle n'y prêta pas attention.

Trente-huit ans auparavant, à l'âge de dix-sept ans, elle avait pareillement atteint la Chine par le bateau. En découvrant la baie, au loin, elle avait, d'un geste de la main, montré à son père la ligne de côte encore imprécise, que la brume dissimulait en partie, et le pasteur Gu avait entonné un cantique. Leur paquebot avait atteint le port au crépuscule, et les lueurs ballantes des lanternes accrochées à la foule des petits bateaux chinois les avaient accueillis comme autant de lucioles. Les voiles des sampans claquaient dans le vent. Il y en avait de toutes sortes : des voiles neuves, découpées dans un épais tissu blanc ; des voiles rapiécées, qui avaient connu toutes les vicissitudes de l'existence ; des voiles en lamelles de bambou tressées, et des voiles en feuilles d'arbres. Pour la première fois de sa vie, elle avait découvert un phare chinois, non pas construit sur un écueil, mais dressé sur une simple barge en bois posée sur l'eau, qui, montant et descendant au rythme des vagues, diffusait sa lumière rouge dans un mouvement oscillant. Ce qui l'avait le plus impressionnée, c'était le conducteur du sampan qui l'avait transportée avec ses parents du paquebot jusqu'au quai ; un garçon chinois, debout, torse nu, à l'arrière de l'embarcation, dont la longue natte battait contre le dos, à mesure qu'il manœuvrait la godille. Celle-ci se déplaçait en silence, à la manière d'une nageoire dorsale qui, à peine sortie de l'eau, y replongeait aussitôt. Les gestes du garçon étaient d'une grande douceur. Son large pantalon noir flottait dans la brise du soir. Soudain, sa natte oscillante avait semblé gêner sa manœuvre, alors, gardant une main sur la godille, il l'avait enroulée de l'autre autour de son cou, dans un geste aussi rapide que précis. Puis il avait repris sa course, en zigzaguant avec désinvolture, entre les vedettes à moteur et les bateaux de pêche.

Tiré par les remorqueurs, le *Grand Shun* finit par entrer dans une zone, à l'embouchure du fleuve, où des levées de terre formaient une digue imprécise, que la carène heurtait régulièrement. À chaque choc, l'ampoule qui éclairait la cabine de Mary se balançait au bout du fil électrique. Elle avait enfin récupéré ses capacités auditives et percevait distinctement le ronronnement des moteurs des remorqueurs, dont le bruit ralentit peu à peu, et finit par s'arrêter. Le paquebot avança encore sur quelques mètres et entra dans le bassin de radoub. Elle entendit mouiller la sonde et un matelot annonça la profondeur de l'eau dans un mandarin approximatif. Puis le bruit du cordage, lancé depuis l'arrière du bateau, lui indiqua qu'ils avaient enfin atteint la cale sèche.

Elle n'aperçut ni les docks construits sur ce golfe désert et lointain, ni les ateliers de réparation (trois cales sèches avaient été creusées dans la roche), ni les quais, ni la jetée, car elle fut débarquée sur une civière, d'où elle ne put voir, en contre-plongée, que les bras immenses des grues et les toits des bâtiments, au milieu d'une forêt de palmiers. Elle demanda aux brancardiers où ils la conduisaient, mais, entièrement concentrés sur l'état du chemin, qui était très mauvais, ils ne l'entendirent pas, et elle ne reçut pour réponse que le bruit de leurs pieds nus pataugeant dans la boue épaisse.

Ils déposèrent la civière dans un steamer, qui remonta le cours d'une rivière. Personne ne lui adressa la parole, et seul le bruit de l'hélice vint rompre le silence. Deux hommes conduisaient le bateau. Les brancardiers étaient assis au bord du pont, les jambes dans le vide. Ils entraient dans un large et profond chenal, à l'aspect antique et solennel, quand le clapotis des vaguelettes contre la coque lui rappela que le capitaine du *Grand Shun* avait marmonné le nom d'un village, mais elle eut beau fouiller sa mémoire, elle ne parvint pas à s'en souvenir.

Plus ils remontaient la rivière, plus les rives étaient boisées, et bientôt ils traversèrent une forêt si luxuriante qu'à moult endroits les arbres cachaient la lumière. C'était une plantation de litchis, au milieu de laquelle zigzaguait l'embarcation. De temps à autre, les branches d'arbres fouettaient le pare-brise. Dans l'air épais et moite résonnaient des cris d'oiseaux et des stridulations d'insectes, qui se mêlaient au ronflement de l'hélice. Les yeux fixés sur la rivière, les pilotes concentraient toute leur attention à éviter les racines et les pierres dissimulées dans le courant. Lorsque du bois sec flottait sur leur passage, ils se jetaient à l'eau pour le récupérer et le remonter sur le bateau, où il leur servait de combustible pour cuire les repas.

Ils circulèrent ensuite dans un chenal plus étroit, bordé de chaque côté de rizières, où travaillaient des paysans, torse nu, coiffés de chapeau en fibres de bambou, le visage et les mains couverts de boue noire. Certains étaient d'une étonnante maigreur. Sur leur peau, aussi fine qu'un film d'emballage transparent, le soleil soulignait la saillie de leurs côtes. Au loin, sur la pente escarpée d'une colline, grouillait une foule d'hommes, à peine plus gros que des fourmis, autour d'un groupe de cabanes et de hauts monticules noirs, qui laissaient supposer qu'il s'agissait d'une mine artisanale. Soudain, sans qu'elle entendît le moindre bruit d'explosion, la terre se mit à trembler, et une épaisse fumée s'éleva au sommet de la colline. Puis le steamer passa sous un pont à arches de pierre, après lequel la lumière éblouissante du soleil l'empêcha d'apprécier le paysage.

Ils la débarquèrent, toujours allongée sur la civière ; deux nouveaux brancardiers prirent le relais des précédents, qui disparurent sans même lui dire au revoir, et ils la portèrent jusqu'à un village. Eux aussi étaient pieds nus, mais leur marche fut plus aisée, car le sol était pavé de dalles de pierre. Le bruit de leurs pas résonnait en écho contre les murs des maisons, de chaque côté des rues.

Des odeurs de pain grillé, de sauce soja, de légumes marinés, de bouillon de riz et de brioches à la vapeur flattèrent les narines de Mary, mais elle n'entendit pas une seule voix humaine, comme si tous les gens attablés eussent subitement disparu, après avoir posé leurs baguettes et abandonné leurs bols et leurs assiettes remplis de nourriture sur les tables de leurs maisons et des gargotes locales.

Elle imagina que les habitants de ce hameau perdu n'avaient encore jamais vu d'Occidentale, et que, effrayés à l'idée qu'il s'agissait d'un fantôme, étendu de surcroît sur une civière, ils en étaient devenus muets.

De sa position, elle ne voyait vraiment que les toits des maisons qui bordaient les ruelles. Ils étaient, pour la plupart, couverts de chaume, sur lequel les rayons du soleil se réverbéraient en une multitude de particules lumineuses, terriblement éblouissantes.

L'hôpital local – un simple dispensaire – se situait à l'extérieur du village, à une dizaine de minutes de marche. C'était l'unique bâtiment à toit de tuiles, construit derrière une cour proprette. Toutefois, ils n'y trouvèrent ni médecin ni infirmière, seulement une vieille femme en train de tricoter devant une fenêtre. Il n'y avait là ni lit ni équipement médical, pas même un trépied auquel suspendre une perfusion.

Sur un des murs était peinte une croix rouge, à côté de laquelle on avait accroché un portrait du président Mao. La pièce n'était meublée que d'une table rectangulaire sans tiroir, dont la grande élégance tranchait avec le dénuement du lieu. Elle avait dû appartenir à un lettré de l'ancienne époque. Posée dessus, une bouteille d'alcool vide, dans le goulot de laquelle était plantée une bougie, indiquait qu'il n'y avait pas d'électricité. Dans un coin trônait une chaise longue en bambou, qui grinça terriblement lorsque les brancardiers y installèrent Mary.

La vieille posa son tricot et, sans mot dire, elle lui retira sa veste, l'allongea à plat ventre et se mit à la masser.

Elle avait la main légère et, à chacun de ses gestes, les rangées de bracelets qui entouraient ses poignets s'entrechoquaient dans un rythme quasi hypnotique.

« Relâchez-vous ! Vous êtes toute tendue », lui dit-elle.

À ces mots, Mary ressentit comme une explosion à l'intérieur du crâne, et des flots de larmes jaillirent malgré elle de ses yeux, car c'était la première fois, depuis huit ans que Wu

Yuan avait disparu, qu'elle entendait à nouveau le dialecte de Putian.

Au même instant, le nom du village qu'avait prononcé le capitaine du *Grand Shun* lui revint en mémoire.

«Mon Dieu! Jiangkou! Je suis à Jiangkou! Comment ai-je pu ne pas réagir à ce nom?»

CHAPITRE 2

Le pressoir à huile

La lumière du soleil, qui pénétrait par la fenêtre, imprimait l'ombre de la bougie sur la table antique, dont la silhouette se reflétait sur le plancher du dispensaire. Au fil des heures, les ombres se déplacèrent peu à peu, et se déformèrent.

Allongée sur la vieille chaise longue, Mary perçut des voix au loin. Elle reconnut d'abord celle d'un homme, qui, affaiblie par la distance, n'était guère plus audible que les premiers gazouillements d'un oisillon. Il proféra trois mots, qu'elle ne comprit pas, et qui, après un court instant de silence, résonnèrent en écho. Puis lorsqu'il cria de nouveau, elle réalisa que ce n'était pas l'écho mais d'autres personnes qui répétaient ses mots. De nouveau, elle entendit l'homme crier une autre phrase de trois mots – ou un autre mot trisyllabique –, que d'autres reprirent après lui.

Cela lui rappelait les chants des haleurs, qu'elle avait maintes fois entendus au bord de la rivière Jinsha, dans la province du Guizhou, à la différence que ces derniers, le corps courbé à ras de terre, avaient une scansion plus lente et traînante, due aux efforts qu'ils faisaient pour tirer les bateaux au bout de leur corde luisante de sueur.

Elle se leva et franchit la porte du dispensaire, derrière

lequel se dressait une colline, coiffée d'un arbre immense, dont elle ignorait le nom.

«Avant, on l'appelait l'arbre du pasteur, lui cria la vieille femme, qui bricolait dans le potager. Mais à présent, on n'ose plus. Son nom scientifique, c'est aguilaire. »

Un pasteur ? pensa Mary. Il y en avait eu un autre, dans le coin, en dehors de son père ?

Le pas encore chancelant, elle gravit la colline, et bien que la pente ne fût guère escarpée, elle dut reprendre son souffle, au bout de quelques mètres. À mi-chemin, le soleil déclina, et sa lumière aveuglante de l'après-midi se teinta de nuances rougeâtres, de plus faible intensité. Au loin, les contours de la baie commençaient à se fondre dans la brume.

Bientôt, elle entendit de nouveau les mêmes appels, venus d'un grand bâtiment à toit de chaume, de la taille d'un temple, dressé derrière l'aguilaire.

Elle n'était jamais venue dans ce coin. Elle avait quitté Putian et l'église de son père pour poursuivre sa mission évangélisatrice au Guizhou, sans avoir jamais mis un pied à Jiangkou. Depuis, elle n'était pas retournée dans la région.

Les chants de travail venaient de la grande maison à toit de chaume. Le choc d'un lourd marteau sur une surface dure, qui succédait à chaque scansion, faisait trembler le sol.

Devant le bâtiment s'entassaient des monticules de fruits. Elle en prit un, le décortiqua, et reconnut à l'odeur qu'il s'agissait de fruit d'aleurite[1]. Elle en déduisit qu'elle se trouvait devant un pressoir à huile. Elle se rappelait qu'il y avait dans les environs de nombreuses plantations d'aleurites, dont

---

1. Plante oléagineuse, aussi appelée « arbre à huile » ou « abrasin », dont l'huile est utilisée dans la fabrication des laques et vernis.

la plus connue, surnommée « la colline des mille aleurites », se situait entre Hanjiang et Jiangkou. À chaque début de printemps, le coteau se couvrait entièrement d'une myriade de fleurs blanches. À la saison de la fructification, il fourmillait de femmes et d'enfants de toute la région, qui frappaient les branches à coups de perche pour faire tomber les fruits, qu'ils portaient au pressoir.

En pénétrant dans l'atelier, elle eut l'impression d'entrer dans un monde infernal et sinistre.

Les rayons cramoisis du soleil couchant, qui filtraient par une lucarne, lui permirent à peine d'entrevoir une masse de corps épais, qui se mouvaient dans l'obscurité. Puis ses yeux s'habituèrent au manque de lumière, et elle réalisa que c'était un groupe de bœufs roux qui marchaient vers elle d'un pas mécanique, sous la menace de l'aiguillon qu'un homme brandissait à leurs côtés. Ils étaient attelés deux par deux par un joug, qu'une chaîne en fer, aussi grosse qu'un poignet, reliait à un énorme rouleau. Les naseaux dilatés des bêtes tremblotaient sous l'effort, mais dans leur regard vide ne se lisait qu'une morne indifférence. Pas un ne tourna les yeux vers elle. Le rythme particulièrement lent de leur marche évoquait un plan au ralenti, sur un écran de cinéma. Leurs pas étaient parfaitement synchronisés, et ils tournaient tous à la même cadence autour d'un gigantesque disque en pierre posé sur la terre, qui occupait un bon tiers de l'atelier. Le rouleau, tracté par les chaînes d'attelage, y tournait lentement, pour écraser les fruits secs qui y étaient étalés. À son passage, les coques explosaient et craquaient comme des os dans les mâchoires d'un broyeur.

Au fond de l'atelier, des lueurs rouges légèrement vacillantes brillaient par intermittence. Ce n'était pas le rougeoiement des derniers rayons de soleil qui n'auraient pu traverser l'obscurité jusque-là, mais des flammes crépitant dans un fourneau, surmonté d'une immense cuve. Mary reconnut, au bruit qui s'en échappait, que de l'eau y bouillait. Au même instant, deux personnes passèrent devant les flammes, sans qu'elle pût distinguer ni leur sexe ni leur âge, car elle ne vit que leurs silhouettes. Elles soulevèrent le lourd couvercle en bois de la cuve d'ébouillantage, dans laquelle elles vidèrent un énorme sac de fruits concassés. Leurs bras disparurent dans un épais nuage de vapeur, qui finit par les envelopper tout entières.

Elle se dirigea vers le fond de l'atelier, où elle fut à son tour désagréablement happée par la vapeur, mais la déambulation des bœufs l'empêcha de rebrousser chemin. Un incessant bruit de pilonnage, qui évoquait le rythme des tam-tams de la jungle, bourdonnait au-dessus de sa tête. Pas à pas, elle pénétra au cœur de ce sinistre enfer.

Le pressoir proprement dit ressemblait à celui dans lequel étaient broyés les criminels, dans les représentations populaires des Enfers chinois. C'était un énorme tronc d'aleurite évidé, incliné sous la charpente du bâtiment, où des lambeaux de la lumière du jour, qui filtraient par quelques tuiles de verre, pendaient comme de vieux chiffons accrochés aux poutres. Ils éclairaient vaguement l'extrémité supérieure du tronc, sans parvenir à en atteindre le reste, noyé dans la vapeur d'eau. Ce peu de lumière se reflétait néanmoins sur les cerceaux métalliques qui ceinturaient le bois, où il formait des larmes luisantes, qui semblaient s'égoutter sur la fibre ligneuse. En bas de ce gigantesque tronc creux, des hommes entièrement nus, à l'exception d'un cache-sexe en cuir, maniaient un énorme marteau oblique, dont la taille démesurée les faisait ressembler à de petits insectes.

Mary se crut propulsée dans un des palais des dix Rois des Enfers, plus exactement dans le plus effroyable de tous, le septième, gouverné par le Roi du mont Tai, où était pareillement installé un tronc d'arbre de plus de deux mètres de long et d'un mètre de diamètre, au cœur duquel était creusé un boyau large de quarante centimètres percé, dont les trous communiquaient avec une rigole plus étroite. Le septième Palais des Enfers était réservé aux pilleurs de tombes et aux violeurs de petites filles. Aussi, lorsque se présentait l'un de ces criminels, il était fourré à l'intérieur du boyau, dont les soldats du Roi des Enfers bouchaient les trous avec des chevilles qu'ils enfonçaient à l'aide d'un gigantesque marteau accroché à une poutre. Ce mécanisme était à la fois horrible et fascinant. Les chevilles perforaient atrocement le corps du supplicié et finissaient par le réduire en une bouillie de chair et de graisse, qui tombait dans la rigole, où elle était encore pressée par une autre rangée de chevilles plus fines, et réduite en un jus qui s'écoulait lentement vers la gueule du tronc incliné, où il tombait dans un large baquet.

Mary s'approcha du pressoir à huile, sous l'ombre duquel s'agitait une forêt de bras et de cuisses, à la peau cuivrée, maculée de sueur, qui luisait dans l'obscurité. Dans un même élan, des hommes actionnaient le lourd marteau suspendu à la poutre, et sur sa tête métallique se reflétait le rougeoiement des flammes du fourneau.

D'autres allèrent chercher des fruits concassés, déjà passés à la vapeur, qui se présentaient maintenant sous forme de galettes entourées de paille, maintenues par des cerceaux en métal. À la manière de forgerons qui battent le fer chaud, ils les introduisirent encore fumantes à l'intérieur du large boyau du pressoir, dans lequel, comme les petits soldats du septième

Roi des Enfers, ils plantèrent des chevilles grâce au marteau suspendu. À chaque coup, elles s'enfonçaient un peu plus dans les trous, exerçant une forte pression sur les brisures de fruits.

Soudain, un homme lança ce cri aigu :

« V'là la pluie ! »

Tous les autres le reprirent d'une même voix :

« V'là la pluie ! »

Elle se demanda si ces cris, dignes du septième Palais infernal, lui étaient destinés : était-ce une formule imprécatoire ou de bienvenue ?

Elle commençait à distinguer le visage des ouvriers, qui n'avaient jusqu'alors été guère plus réels que des fantômes, mais ils n'étaient encore qu'une masse de bouches hurlantes.

Brusquement, il lui sembla recevoir un coup en pleine figure.

Deux yeux qu'elle connaissait bien étincelaient dans l'obscurité.

Celui à qui appartenait ce regard l'avait lui aussi reconnue. Il semblait impassible, mais sa main tremblait sur le marteau.

À mesure qu'elle s'approchait de lui, elle remarqua que la lueur qui avait un instant animé ses yeux se troublait, comme au seuil de la mort. Puis elle s'éteignit tout à fait.

« Il fait un froid de gueux dans cet atelier », lui dit-elle, dans le dialecte de Putian.

Il lui adressa un regard vide, insaisissable.

« Le pasteur réactionnaire Yong Sheng n'est pas autorisé à adresser la parole à un cadre révolutionnaire, marmonna-t-il.

— Je ne suis pas un cadre révolutionnaire, mais un simple professeur », répondit-elle, avant de murmurer : « Yong Sheng ? »

Le lourd marteau heurta bruyamment la rangée de chevilles et, de nouveau, la terre trembla sous les pieds de Mary.

De sa voix aiguë, le meneur du chant de travail reprit :

« V'là le tonnerre ! »

Les autres répétèrent en chœur :

« V'là le tonnerre ! »

Elle venait de comprendre que le soldat de l'Armée rouge qui avait pointé sur elle le canon de son fusil pour se venger de son père, le pasteur Gu, n'était autre que Yong Sheng.

Un bref instant, elle avait retrouvé, dans les yeux de ce quadragénaire malingre et osseux, la flamme qui illuminait le regard du petit garçon de cinq ans qui partageait jadis sa chambre. Mais elle avait presque aussitôt disparu, derrière ses lourdes paupières mi-closes.

Le meneur de chant lança :

« Le pot de chambre... »

À quoi les autres répondirent d'une voix fracassante :

« ... est cassé ! »

Une première goutte d'huile épaisse apparut à la gueule du pressoir, où elle resta suspendue, gonflée comme une perle piriforme, ambrée, translucide et lumineuse. Elle finit par tomber dans un baquet en bois posé sur le sol, bientôt suivie par un ruissellement gras et onctueux.

Les autorités administratives furent rapidement prévenues de l'arrivée d'une Américaine dans la bourgade, et les responsables du chef-lieu décidèrent d'envoyer une jeep – la seule voiture de la région –, pour la ramener à l'hôpital du district, où elle pourrait être soignée. Mais à peine sorti de la ville, le véhicule tomba en panne. C'est ainsi qu'elle passa la nuit dans le dispensaire du village.

À cette époque, le coin n'était pas encore fourni en électricité, mais malgré la faible lueur de la bougie, elle vit que les débris de bois qui tombaient sur le sol provenaient des poutres rongées par une armée de rats, où de grosses araignées avaient tissé leurs toiles. Les rongeurs particulièrement belliqueux, qui cavalaient au-dessus de sa tête, se livraient des combats sans merci, déchirant les toiles, dont les lambeaux effilochés pendaient du plafond en longs filaments gris, tandis que, du châssis de la fenêtre et des cloisons en bois, plus vermoulus les uns que les autres (victimes depuis trop longtemps d'une autre armée, celle des termites), suintait une sciure fine comme de la poudre.

Allongée dans cette cabane, qui menaçait de s'effondrer, elle s'efforça de trouver le sommeil, malgré la sarabande des rats. En vain. Que ses yeux fussent ouverts ou fermés, que la bougie fût allumée ou éteinte, elle ne pouvait chasser de son esprit la scène à laquelle elle avait assisté, dans le pressoir à huile. Elle revoyait encore et encore les bœufs faire tourner le rouleau, les silhouettes fantomatiques des hommes penchés au-dessus de la cuve, l'énorme marteau suspendu à une poutre, que, l'échine courbée, Yong Sheng et les autres poussaient dans un mouvement de va-et-vient synchrone.

Une question lui vint à l'esprit :

Qui était à l'origine de cette étonnante machine ? Le pressoir à huile avait-il inspiré le pressoir à chair humaine des Enfers, ou était-ce le contraire ?

Peu à peu, en surimpression, les images des ouvriers du pressoir se mêlèrent, dans son esprit, à celles des différentes tortures infligées aux pécheurs, dans les palais des dix Rois des Enfers, telles qu'elles étaient représentées dans les fresques des temples et les illustrations d'ouvrages anciens : chaque mort, après avoir franchi la frontière qui sépare le monde terrestre du monde souterrain, passait obligatoirement devant le tribunal des dix Rois infernaux. En dehors du « pressoir humain », l'instrument de torture du palais du mont Tai, celui installé dans le palais du Roi de Chujiang, appelé « l'Enfer des couteaux », était réservé aux fonctionnaires félons et aux femmes adultères, que des démons jetaient du haut d'une falaise hérissée de lames de couteau. Il y avait aussi le châtiment infligé aux faux témoins, qui étaient envoyés dans « l'Enfer du moulin en fer », où deux petits démons passaient leur tête à la moulinette. Leur sang giclait de tous côtés et s'écoulait avec leurs os pulvérisés dans une rigole jusqu'à une gamelle posée par terre, que lapaient des chiens affamés. Ceux qui avaient toute leur vie profité du malheur des autres étaient envoyés dans « l'Enfer de cuivre », où ils étaient cuits dans une immense marmite, et ceux qui n'avaient pas respecté leurs parents étaient condamnés à « l'Enfer de glace ».

L'image de l'immense marteau suspendu à une poutre du pressoir à huile de Jiangkou et celle de Yong Sheng amaigri, osseux, humilié, dont la pudeur n'était préservée que par un ridicule cache-sexe en cuir, l'obsédaient. Sans savoir pourquoi, il lui rappelait un grand oiseau, qu'elle avait vu dans son enfance et dont elle ne se rappelait plus le nom, perché, à l'intérieur d'une cage, sur une branche morte, couverte de ses propres déjections.

Une autre torture, utilisée dans le Palais infernal du Roi Song – celle qu'elle considérait comme la plus abominable –, lui revint à l'esprit : elle s'adressait aux ingrats, qui avaient volontairement nui à leurs bienfaiteurs, et étaient condamnés à « l'Enfer de l'écorchement », où des démons les attachaient à une colonne et les pelaient à vif, avec une lame tranchante. Parfois, les mêmes étaient soumis à « l'Enfer de l'énucléation », où on leur arrachait les yeux. Quant aux égoïstes, qui avaient refusé toute forme de charité, ils finissaient dans « l'Enfer de l'enclouage », où on leur enfonçait de longs clous dans le corps. Aux escrocs qui avaient trafiqué les comptes était réservé « l'Enfer de la suspension », et aux organisateurs de faux mariages, « l'Enfer des pieds coupés ».

Bien qu'elle ne se souvînt plus de tous les noms des Palais infernaux, les images affreuses des tortures qu'on y pratiquait surgissaient une à une du fond de sa mémoire : dans « l'Enfer de la glissade », les vendeurs de faux médicaments étaient condamnés à escalader éternellement des rochers couverts d'huile bouillante. Il existait aussi un seizième niveau[1] infernal, spécialement dévolu à ceux qui avaient eu des pensées criminelles, sans passer à l'acte : ceux-là étaient éventrés, et leurs entrailles encore fumantes dévorées par des chiens et des rapaces, après quoi les démons leur arrachaient le cœur, qu'ils réduisaient en charpie. L'atmosphère de « l'Enfer de l'ébouillantage » évoquait celle des bains publics, à cause des gerbes de vapeur blanche qui jaillissaient comme des geysers, à la surface d'une eau en ébullition, où flottaient des grappes de corps blêmes. À côté, des petits démons transperçaient de piques enduites de venin de scorpion des cadavres grouillants d'asticots, de larves et de sangsues.

Dans un demi-sommeil somnambulique, elle quitta le dispensaire vers minuit, pour se diriger, pieds nus, vers le chemin qui

---

1. L'Enfer se compose de dix Palais (ou Cours), chacun dirigé par un des dix Rois (ou Juges), et de dix-huit niveaux, où les pécheurs expient leurs crimes.

menait au pressoir. Il pleuvait, le sol était glissant, et elle finit par déraper dans la rigole d'écoulement des eaux.

Le bruit de clapotement de ses pas dans la nuit lui rappela celui de Yong Sheng, pataugeant dans le marais, au fin fond de la montagne du Guizhou, des années plus tôt. Elle se souvint des sentiments qu'elle avait éprouvés, tandis qu'elle était empêtrée jusqu'aux hanches dans la boue glaciale, et l'odeur fétide de la végétation en putréfaction d'alors lui emplit de nouveau les narines.

Le brouillard, conjugué à la pluie, voilait les contours de la grande chaumière, et le chemin qui y conduisait lui parut être un bourbier aussi impraticable qu'un marécage sans fin.

Son cœur battait à tout rompre.

«Calme-toi! se dit-elle. On dirait une lycéenne qui va à son premier rendez-vous galant. Ce n'est quand même pas cette petite pente qui te fait perdre le souffle!»

Enfin, le pressoir se dressa devant elle, dans l'obscurité de la nuit, encore plus imposant qu'en plein jour.

La pluie crépitait sur le chaume de son toit.

Son cœur tambourinait dans sa poitrine.

Il était si près d'elle qu'elle ne savait plus si c'était dans la réalité ou en rêve qu'elle le voyait, son petit élève, assis tout seul, au milieu de l'atelier. D'ailleurs, il n'était pas assis, mais perché comme un oiseau, sur un tabouret en bois. La lueur d'une lampe à pétrole éclairait son torse nu, ses cheveux grisonnants et hirsutes, dressés comme des touffes d'herbes folles au sommet de sa tête. Sa bouche était grande ouverte.

Elle pensa qu'il s'apprêtait à crier, en la découvrant devant lui.

Elle se trompait. Aucun son ne sortit d'entre ses lèvres.

Toutefois, leur ouverture s'agrandit davantage.

288

L'ombre de plus en plus longue de sa langue s'étira sur l'abat-jour en verre de la lampe.

Par transparence, la flamme la teintait de rouge. Mary vit qu'elle tremblait légèrement.

Il leva la main droite, entre le pouce et l'index de laquelle il pinçait quelque chose de brillant.

C'était une aiguille, de trois ou quatre centimètres de long.

Il la serrait si fort que la peau ridée de sa main était parcourue de frissons spasmodiques.

À peine la pointe de l'aiguille toucha-t-elle le bout de sa langue qu'elle se rétracta instinctivement, pour se blottir à l'intérieur de sa bouche, comme un lapin effrayé à l'intérieur de son terrier, mais une pince cruelle et impitoyable – le pouce et le majeur de sa main gauche – la tira de force à l'extérieur.

Le reflet de sa langue sur l'abat-jour frémit, et quelques gouttes de liquide doré, à reflets blanchâtres, s'en écoulèrent. Ses muscles linguaux étaient si congestionnés qu'on pouvait presque sentir le sang y palpiter. Une écume grisâtre se forma à l'endroit que pinçaient ses doigts.

Toutefois, son regard restait incroyablement calme, presque rieur, comme s'il n'avait aucun lien avec la langue martyrisée.

Pressentant ce qui allait se passer, Mary ferma les yeux.

Mais l'image de la fine tige d'acier était imprimée sur sa rétine, et sous ses paupières closes, sa pointe menaçante prit une taille démesurée, qui envahit tout son champ de vision.

Bien qu'elle sût que c'était impossible, elle entendit distinctement le bruit que fit l'aiguille en transperçant chaque fibre du muscle.

Lorsqu'elle rouvrit les yeux, l'aiguille avait disparu. Comme la première goutte d'huile d'aleurite sortie de la gueule du pressoir, la perle rouge qui pendait au bout de la langue de

Yong Sheng s'allongea et finit par tomber dans un gobelet, où elle fut suivie par quelques autres.

Le pasteur réactionnaire prit un pinceau et le trempa dans le gobelet, où il s'imbiba de son sang. Puis il ouvrit un cahier, et, un trait après l'autre, traça un mot sanglant.

Une fois encore, Mary crut entendre distinctement le bruit des poils qui glissaient sur la feuille et celui du liquide qui s'infiltrait dans les fibres du papier.

Il lui sembla même sentir l'odeur du sang.

« Pardon de te déranger. »

Sa voix surgit dans le noir, puis ses pieds nus – la boue dont ils étaient maculés ne parvenaient à dissimuler la blancheur et la finesse de leur peau – sortirent de l'ombre. Le bas de son large pantalon était évasé comme la bouche d'une trompette.

Yong Sheng sauta de son tabouret et s'inclina profondément devant elle.

« Qu'est-ce que tu fais ?

— Rien.

— Alors, à quoi rime cette courbette ? »

Elle s'approcha de lui, et il sentit son odeur. L'odeur sensuelle de sa chair pulpeuse, que l'humidité de sa veste trempée de pluie ne réussissait pas à masquer et qui s'échappait par l'encolure de son vêtement.

D'un coup, le parfum de ce corps le ramena en enfance, et de nouveau, ses narines s'emplirent des suaves effluves de sa poitrine. Il revit l'alcôve faiblement éclairée, ses seins frissonnants comme la gorge d'un oisillon, et les gouttelettes lactées qui éclaboussaient une statue en bois du Crucifié.

« Je m'incline, car vous êtes une invitée étrangère.

— Quelle invitée ? J'ai la nationalité chinoise, et je suis professeure à l'université de Guangzhou.

— Un professeur d'université est un cadre révolutionnaire. »

Elle mesurait deux ou trois centimètres de plus que lui. Elle s'approcha, et eut envers lui le geste d'une institutrice à l'égard d'un jeune élève : de l'index, elle redressa une mèche de ses cheveux. Il sursauta. Ce doigt n'appartenait plus à la sexagénaire qui était devant lui, mais à sa jeune maîtresse d'école ; un doigt fin, doux et léger comme une plume sur sa tignasse crasseuse.

Ce geste furtif ne fut pas suivi de démonstrations affectueuses. Il resta immobile, tentant de maîtriser du mieux qu'il pouvait les pulsations débridées de son pouls.

« Assieds-toi, lui dit-elle.

— C'est interdit. Je suis un pasteur réactionnaire, qu'on rééduque par le travail.

— Je n'aurais jamais pensé, en revenant à Putian, te trouver ouvrier dans un pressoir à huile.

— J'ai occupé toutes sortes de fonctions dans cet atelier. Au début, j'ai conduit les bœufs, pendant un an. Puis on m'a laissé m'occuper du fourneau pendant deux ans, avant de me permettre de toucher au marteau.

— C'est la plus haute responsabilité ?

— Non. La plus haute, c'est de charger le pressoir.

— Je suis logée dans le dispensaire, mais il grouille de rats, qui n'arrêtent pas de se battre. »

Il crut entendre le bruit de la pluie, mais peut-être n'était-ce que celui du soupir qui s'échappa des lèvres de Mary.

Il y avait longtemps, il l'avait cherchée partout sous la pluie, pour lui apporter ses bottes en caoutchouc rapiécées.

Il ferma les yeux, pour mieux s'emplir du parfum de sa chair, quand soudain, elle effleura son oreille du bout de son nez. Une explosion retentit dans sa tête, tout son corps s'embrasa, et son sexe se raidit.

«Il pleut dehors, et j'ai glissé dans le fossé, lui dit-elle.

— Le feu n'est pas tout à fait éteint dans le fourneau. Enlève tes vêtements mouillés, pour les faire sécher.»

Il ouvrit la porte du fourneau, où les cendres étaient encore tièdes, et il lui suffit de les remuer avec un tisonnier pour ranimer des étincelles.

La lampe à pétrole à la main, il alla chercher des bûches dans une cabane, à l'arrière de l'atelier, et il en profita pour jeter un coup d'œil à la fenêtre du bâtiment où dormaient les ouvriers. Les quinze hommes étaient plongés dans un profond sommeil.

Bientôt, une tiède vapeur s'échappa des vêtements mouillés de Mary.

Il avait le sentiment d'assister à un miracle. Les habits trempés et informes, qu'il faisait sécher près du feu, n'étaient plus de simples morceaux d'étoffe, mais le corps humide et vaporeux de Mary, qui virevoltait et tourbillonnait entre ses doigts.

Elle se tenait devant lui en soutien-gorge. C'était la première fois qu'il en voyait un. Il en ignorait d'ailleurs le nom. Il n'avait jamais connu que les grossières bandes nommées «linge de poitrine» que portaient les femmes de Putian. Le morceau de tissu défraîchi, qui voilait les seins de Mary, était pourvu de deux bretelles satinées – dressées au-dessus de sa poitrine comme deux antennes –, auxquelles les flammes donnaient des reflets cuivrés, et qui se perdaient sous sa chevelure désordonnée.

Elle était tout enveloppée de vapeur.

Peut-être n'était-elle qu'un mirage qui allait bientôt disparaître.

Alors qu'il lui tournait le dos, elle s'approcha de lui.

Le reflet des flammes dansait sur le corps osseux du pasteur.

Elle caressa du bout des doigts la cicatrice boursouflée qui lui barrait le dos.

« Tu as été torturé ?

— Oui.

— Pourquoi ?

— C'était une erreur. Ils ont cru que l'Église avait caché de l'or dans mon orphelinat. »

Les flammes crépitèrent dans le foyer, les bûches pétaradèrent, puis le bruit s'apaisa, et l'on n'entendit plus qu'un son étouffé et mou, comme celui d'asticots qu'on écrase dans un mortier. Puis une suite de coups secs résonna de nouveau dans le ventre du fourneau, pareils aux craquements des coques, sous le rouleau compresseur que tractaient les bœufs. Les doigts de Mary, aussi légers qu'une plume, glissèrent sur la cicatrice de Yong Sheng, suscitant en lui une émotion proche de l'extase.

« Tout à l'heure, avant d'entrer, je t'ai observé, en cachette, et je t'ai vu te percer la langue avec une aiguille.

— Tu n'avais pas besoin de te cacher. Je ne faisais rien de secret.

— Montre-moi ta langue. »

Il fit ce qu'elle lui demandait.

Elle regarda la trace qu'y avait laissée l'aiguille. C'est à peine si on la voyait encore.

Elle eut envie de lécher cette petite blessure, mais elle n'en fit rien.

« Ça fait mal ?

« — Tu as déjà nagé en plein hiver ? »

Elle fit non de la tête.

« Quand tu sautes dans l'eau glacée, tu as l'impression d'avoir la peau lardée de coups de couteau. Tu ressens à peu près la même chose, quand tu te perces la langue. Je suis souvent paralysé par la peur, avant d'accomplir ce geste. Dans les sacrifices rituels, on a remplacé le sang humain par du sang de coq, et les textes sacrés sont rédigés avec de l'encre, et non plus de la poudre d'or. Mais le sang de la langue est irremplaçable. Il est le seul à engendrer la peur dont je te parle, et qui est le médium par lequel on atteint la perfection, ou comme nous disons, nous les chrétiens, l'état de béatitude.

— Dommage que tu ne sois pas catholique. Tu aurais pu être canonisé par le Vatican.

— Je suis loin d'être un saint.

— Tu connais le mont Jiuhua ? »

Il secoua la tête.

« C'est une montagne sacrée du bouddhisme.

— Je ne connais rien au bouddhisme.

— J'y suis allée une fois, pour un colloque entre professeurs, et j'ai eu l'occasion de visiter le temple du Roi Dizang. Comme toi, il se perçait la langue, pour recopier les textes sacrés avec son sang. Il l'a fait tous les jours, pendant quatorze ans. Plusieurs mois après sa mort, son cadavre ne s'étant toujours pas putréfié, il a été honoré comme un saint.

— La différence, c'est que je ne recopie pas de texte sacré.

— Tu n'écris pas des passages de la Bible ?

— La Bible ? Non ! Je recopie les pensées du président Mao. »

À cet instant, elle remarqua le petit livre ouvert sur la table, sous la lampe à pétrole dont toute la lumière semblait concentrée sur les pages jaunies. Ce n'était pas vraiment un livre, mais un assemblage de feuilles ronéotypées, qui sentaient encore l'encre, dont le titre, en gros caractères noirs, indiquait : *Servir le peuple*. Elle le prit entre ses mains.

Il détourna le regard et fixa la mèche de la lampe, qui se consumait lentement, en crachotant de fines volutes de fumée noire. Lorsqu'elle souleva le cahier, dans lequel elle l'avait vu écrire, les feuilles minces tremblotèrent comme des ailes d'insectes sous le souffle du vent. Le sang n'y avait pas encore complètement séché. Les mots luisaient comme de la peinture à l'huile écarlate.

La pluie s'infiltrait par le toit. Une à une, les gouttes tombaient sur la pierre de la meule et le tronc d'arbre creux, avec un bruit étouffé. Lentement, l'eau pénétrait les veines du bois.

Du bout de l'index, Mary caressa chacun des mots tracés par le sang d'un chrétien – le sang de la langue d'un pasteur –, et les lut à voix haute :

Certes, les hommes sont mortels ; mais certaines morts ont plus de poids que le mont Tai, d'autres en ont moins qu'une plume. Le camarade Zhang Side est mort pour les intérêts du peuple, et sa mort a plus de poids que le mont Tai[1].

Soudain, une goutte tomba du toit sur la feuille et se répandit sur les mots, où elle forma une large tache sanguinolente.

---

1. *Servir le peuple* (8 septembre 1944). Œuvres choisies de Mao Zedong, tome III, Éditions en Langues étrangères, Pékin, 1968.

« Il y a vingt et un ans, ma femme est morte en me laissant une petite fille d'à peine un mois. Elle porte mon nom et se prénomme Helai. C'était une enfant particulièrement intelligente et une écolière studieuse. Elle est arrivée première au concours régional des élèves de quatrième année, en primaire. Au collège, elle était toujours parmi les cinq premiers, et politiquement très active. C'était elle la responsable de l'affichage mural. Elle était toujours prête à aider ses camarades en difficulté, ne rechignait jamais à nettoyer les salles de classe. Si un pupitre ou un tabouret était abîmé, elle le réparait. Si un de ses camarades se cassait la jambe, elle lui fabriquait une canne. Mais à cause de moi, elle n'a jamais pu être la déléguée de sa classe.

— Dans l'université où j'enseigne, les délégués de classe sont élus par leurs camarades.

— Au collège aussi. Mais la fille d'un pasteur n'a pas le droit de se présenter à l'élection. Pour la même raison, elle n'a jamais pu entrer dans la Ligue de la jeunesse communiste.

— Elle en a fait la demande écrite ?

— Dès la troisième année du collège, mais elle n'a jamais été acceptée. Elle avait entendu dire que, pour entrer dans la Ligue, il fallait régulièrement rédiger des comptes rendus sur sa pensée. Elle en a écrit un par semaine, sans résultat, jusqu'à la fin du lycée.

— Elle écrivait quoi ?

— Elle ne me l'a jamais montré. Quand je le lui demandais, elle me répondait qu'elle écrivait qu'elle pensait rompre tout lien avec moi, qu'elle attaquait la religion chrétienne, qu'elle révélait que je lisais la Bible en cachette. Il y a trois ans, après le lycée, elle a passé le concours d'entrée à l'université. Des camarades de classe bien moins brillants qu'elle ont reçu leur lettre d'admission les uns après les autres, mais elle, au 15 août, elle n'avait toujours rien reçu. C'était la date limite, après laquelle elle savait qu'elle n'avait plus l'espoir d'être admise. Elle a passé la journée dans sa chambre, à dessiner. À cette époque, on ne nous avait pas encore confisqué les trois pièces de notre maison. Je travaillais déjà au pressoir, mais je pouvais rentrer dormir chez moi. Aujourd'hui, je loge avec les autres ouvriers. Toute la journée, je l'ai entendue pleurer.

» J'ai été pasteur pendant quatorze ans, jusqu'en 1949. Je passais la plupart de mon temps à écouter les gens me parler d'eux-mêmes, et j'étais habitué aux larmes, mais jamais je n'avais entendu quelqu'un pleurer aussi longtemps. J'en avais le cœur déchiré. Le soir venu, je savais que le facteur ne viendrait plus. J'avais ruiné sa vie. On n'entrait pas à l'université, quand on était fille de pasteur. À dix-huit ans, elle n'avait déjà plus aucun avenir. Cette nuit-là, j'ai allumé une lampe, et assis sur mon lit, j'ai récité un passage de la Bible. Elle est entrée dans ma chambre, s'est assise à côté de moi, m'a écouté un instant, et m'a interrompu : "Tu ne veux pas venir dans la salle de séjour ?" Je lui ai demandé pour quoi faire. "Prier pour moi." En arrivant dans le séjour, je ne pouvais pas en croire mes yeux : le dessin sur lequel elle avait passé la journée était accroché sur un mur. C'était un immense portrait du président Mao. Comme elle n'est pas ma fille biologique, je ne peux pas dire que c'est de moi qu'elle tient son talent, mais je dois admettre qu'elle dessine bien. Le moindre détail du visage était rendu avec précision. On sentait qu'elle y avait mis tout son cœur. L'effet était saisissant et dépassait le simple portrait : le président Mao était représenté en trois dimensions, et plus que devant un dessin, on se serait cru devant une statue. Il avait l'air vivant, la tête légèrement levée, ses cheveux noirs peignés en arrière, si brillants qu'on aurait cru qu'il sortait de l'eau. Il avait vraiment l'air d'un grand personnage. Les traits de son visage étaient particulièrement doux. Il semblait très jeune. Elle l'avait dessiné d'un jet, sans faire de brouillon, sans tracer de quadrillage, pour s'assurer de respecter les proportions, sans retoucher le moindre trait. Elle n'avait pas oublié le grain de beauté qui orne son menton.

— Elle voulait que toi, un pasteur, tu pries devant un portrait de Mao ?

— Elle m'a dit : "Papa, je sais que tu as la foi. Peut-être que si tu lui adresses une prière, le président Mao me laissera entrer à l'université."

— Elle sait que tu n'es pas son père biologique ?

— Oui. Elle l'a su par un professeur de son lycée. En tant que pasteur, je ne pouvais refuser ce qu'elle me demandait. Elle était si désespérée. Si une inconnue aussi désemparée qu'elle avait sollicité mon aide, j'aurais accepté sans broncher. Tu imagines pour Helai.

— Tu n'as pas besoin de me le dire. Je suis moi-même fille de pasteur et mon défunt mari était aussi pasteur. Tout ce qu'ils savaient faire, c'était prier.

— Sans réfléchir, je me suis agenouillé, mais je n'ai pas eu le sentiment de prier. Pour moi, la prière est une des choses les plus merveilleuses de ce monde. Là, je me sentais plutôt comme un coupable à genoux, qui avouait ses crimes et réclamait son châtiment. Ce n'était pas une prière. Alors, je me suis prosterné.

— Tu t'es mis à plat ventre devant un portrait de Mao ?

— C'était la seconde fois que je priais dans cette position.

— Et alors ?

— Ma bouche a refusé de prier. Instinctivement, ma langue têtue de vieux pasteur s'est rebiffée. J'ai ouvert la bouche, mais je n'ai entendu d'autre son que celui de mon sang qui battait dans mes veines, celui de mes tripes qui se liquéfiaient, de ma chair qui se figeait. J'étais incapable de prier. Je suis resté prosterné au milieu de la salle de séjour, et j'ai attendu. Une heure, puis deux. Quand j'ai entendu le chant du coq, au loin, la terre avait ramolli sous mon corps – le sol de la pièce était en terre battue –, elle était humide et collante. J'avais la sensation qu'elle voulait m'aspirer tout entier, que j'étais en train de me dissoudre en elle, et que, créé à partir de la poussière de la terre, je retournais à la terre. Je crus même entendre un bruit de succion venir des profondeurs. Le jour se levait. Dans une sorte de demi-sommeil, j'ai contemplé le portrait de Mao. J'avais un goût de fer dans la bouche. C'était du sang. Je m'étais mordu la langue. À ce moment-là, j'ai fait un serment à notre président : si Helai entrait à l'université, je recopierais tous ses écrits avec le sang de ma langue, même si je ne réussissais à écrire qu'un mot ou deux par jour. Peu après le lever du jour, on a frappé à la porte. C'était le vieux Zhang, notre facteur. Il tenait une épaisse enveloppe, sur laquelle était écrit en rouge : Université de Fudan. Helai était admise dans une des meilleures universités du pays. »

CHAPITRE 3

Le Manchot

Dix ans après la visite de Mary dans son ancienne région, l'ouragan de « la grande Révolution culturelle » s'abattit sur la Chine.

Yong Sheng venait d'avoir cinquante-cinq ans.

Pour lui, la notion de temps n'avait déjà plus aucun sens. À chaque interrogatoire ou réunion de critique, les accusateurs se référaient au temps de façon obsessionnelle : vous aviez fait ceci tel mois, tel jour, à telle heure. Lui, il avait le cerveau vide. C'est à peine s'il se souvenait encore qu'il était fils de charpentier et qu'il avait appris à fabriquer des sifflets. Tout ce qu'il savait, c'est de quoi on l'accusait : il était un pasteur contre-révolutionnaire, agent secret de l'impérialisme et propagateur d'opium intellectuel. Il s'étonnait lui-même d'être toujours en vie à son âge. Mon Dieu ! Pourquoi ne m'a-t-on pas condamné à mort plutôt que de m'infliger la peine de travailler dans cet atelier primitif ? Quand mon corps éreinté tombera-t-il enfin sous le rouleau de pierre de la meule, sous les sabots des bœufs, sous le marteau suspendu, dans la chaudière ou à l'intérieur du tronc creux, où il sera réduit en purée dégoulinante ?

Le soir du 1ᵉʳ juin 1966, l'obscurité envahit le pressoir à huile. Le portrait du président Mao accroché sur le mur – le dessin réalisé au crayon par Helai, la veille de son entrée à l'université – disparut peu à peu dans le noir. Ses cheveux peignés en arrière furent les premiers à s'évanouir dans la pénombre, puis ses yeux souriants et pleins de bonté s'estompèrent, et enfin, son visage aux pommettes saillantes fut avalé par la nuit. Ne resta plus que l'encolure gris clair de sa veste (qui deviendra pendant plusieurs dizaines d'années l'uniforme de tous les cadres du Parti et fonctionnaires chinois), qui finit elle aussi par s'effacer peu à peu. Seul le grain de beauté de son menton resta visible, légèrement scintillant, au milieu du portrait assombri. Un autre portrait du Grand Timonier trônait à la porte d'entrée du bureau communal, installé dans les locaux d'un ancien temple. Ce n'était pas un dessin, mais une immense photo en couleur, qui brillait de mille feux. Le président Mao y était coiffé d'une casquette militaire kaki, ornée d'une étoile rouge. Il portait une veste militaire, dont le col arborait de chaque côté l'insigne rouge de l'Armée populaire de libération. Il levait le bras droit très haut et tenait entre ses doigts une cigarette allumée. Son visage était plus épais, plus massif. Son regard, animé d'une étincelle quasi divine, embrassait une foule immense, regroupée devant la porte de ce même bureau.

Au début des années cinquante, seules cinq ou six personnes travaillaient à la mairie de Jiangkou, mais lorsque le régime réforma l'ancien système de division territoriale, et que Jiangkou devint une commune populaire, plus de cent cadres intégrèrent le bureau communal (subdivisé en divers cabinets, bureaux et commissions) qui se transforma en une machine si immense qu'il fallut réquisitionner les habitations voisines, pour accueillir tout le monde.

Devant l'ancien temple, face à la montagne Guanghou, s'étendait un vaste terrain vague, que la rivière Mulan traversait du nord au sud. L'antique pont en bois, qui l'enjambait pour relier les deux rives, était pourvu d'une galerie couverte à colonnades et toit de tuiles, dans laquelle étaient disposés des bancs. (Au début des années cinquante, quand le Parti avait nationalisé toutes les terres agricoles, la plage de sable, à l'est du pont, avait été le lieu d'exécution des contre-révolutionnaires. Un propriétaire foncier et un fonctionnaire du Guomindang y avaient été fusillés.) Le soir du 1er juin 1966, le pont et le terrain vague étaient noirs de monde. Tous les cadres de la commune populaire de Jiangkou, les membres du Parti communiste, de la Ligue de la jeunesse communiste, de la milice populaire, les paysans pauvres et moyens-pauvres (considérés comme alliés de la Révolution), les vendeurs de nouilles et autres modestes marchands, ainsi que les ouvriers du pressoir s'y étaient rassemblés, pour écouter le programme politique diffusé par la Radio centrale du peuple, qui allait donner lecture du premier « dazibao[1] » marxiste-léniniste, rédigé à l'université de Pékin par Nie Yuanzhu. La lumière des ampoules suspendues au milieu du terrain vague se reflétait sur les canons des fusils des miliciens.

Le pasteur contre-révolutionnaire Yong Sheng ne fut pas autorisé à participer au rassemblement, car il avait été privé de ses droits civiques, ce qui impliquait pour lui l'interdiction d'écouter les programmes de la Radio centrale. Il resta donc dans l'atelier avec Qiu Xiangui, un homme condamné aux mêmes privations de droits que lui et « consigné » dans le pressoir depuis le début des années soixante.

---

1. Littéralement, « Affiche à grands caractères », rédigée pour dénoncer ou critiquer, considérée comme le quatrième pilier de la démocratie, pendant la Révolution culturelle.

Qiu n'avait jamais compris pourquoi il s'était retrouvé là. Il était présent à Putian quand la ville avait été libérée par les communistes, en 1950 – c'était lui l'interrogateur manchot qui, d'une seule main, avait réalisé le nœud coulant de la corde avec laquelle Yong Sheng avait été suspendu à l'aguilaire. Après quoi, il avait suivi l'Armée de libération jusqu'au Tibet. À cette époque, sur simple recommandation politique de leurs supérieurs, un quota de jeunes militaires était autorisé chaque année à entrer à l'université, mais Qiu Xiangui, qu'on surnommait « le Manchot », y avait été admis grâce à ses seules compétences, en se présentant au concours national. Il avait intégré le département de journalisme de l'université de Fudan, à Shanghai, où il avait attiré l'attention de ses professeurs. En 1957, en plein mouvement des « Cent Fleurs », il avait été invité par le Parti à donner publiquement son avis sur la politique menée par le régime, mais après ses déclarations, on l'avait accusé d'être un droitier, exclu du Parti, chassé de l'université et renvoyé à Xianyou, dans sa région natale du Fujian, où, chaussé de socques à épaisses semelles en bois, il avait été placé comme commis chez un boucher. Grâce à sa grande vivacité d'esprit, en un mois, les différents morceaux de la viande de bœuf, de mouton ou de cochon n'avaient plus eu de secret pour lui, et les clients l'avaient surnommé « le fabuleux boucher manchot ». Ils prétendaient que, découpée par ses soins, la viande était mille fois plus tendre et goûteuse. Les gens faisaient la queue devant la boutique, bien avant son ouverture, pour s'assurer d'être servis par lui. Deux ans plus tard, sous la pression de ses clients, il avait été réhabilité, et on avait cessé de l'accuser de dérive droitière. Toutefois, sa maîtrise de la découpe de la viande n'avait pas réussi à changer sa malheureuse destinée. À partir de 1960, trois années de catastrophes et de famines avaient ravagé la Chine, et toutes les boucheries avaient fermé. Il avait alors déposé une demande pour être instituteur dans un village de montagne, mais les autorités, qui avaient consulté son dossier, où figurait la mention de son prétendu passé de droitier, avaient refusé sa candidature. Finalement, grâce au cuisinier du gouvernement local de Putian, qui était un de ses grands admirateurs, le chef de district avait accepté de l'employer à la cantine, mais comme à l'époque le pays souffrait d'une pénurie de viande, il avait provisoirement été « consigné » dans le pressoir à huile de Jiangkou (une entreprise socialiste célèbre pour son travail de rééducation des contre-révolutionnaires). Là, il recevait une allocation mensuelle de dix yuans versée par l'État. Deux ans plus tard, l'économie du pays était repartie, et les boucheries avaient rouvert. Malheureusement pour lui avait été lancé à la même époque le mouvement de « l'éducation socialiste », qui imposait de réexaminer le cas de tous les anciens « ennemis ». Malgré sa réhabilitation, son passé de droitier faisait de lui un ancien ennemi du peuple, et le jour où il pourrait de nouveau exercer ses talents de maître boucher devant des clients médusés était devenu une lointaine chimère. C'est ainsi que s'était éternisée sa consigne au pressoir de Jiangkou.

Quatre-vingt-dix pour cent des ouvriers de l'atelier, qui étaient des paysans pauvres ou issus de familles de paysans moyens-pauvres, alliés de la Révolution, furent autorisés à aller écouter le programme radiodiffusé en ce jour historique du 1er juin 1966. Avant leur départ, ils se rassemblèrent dans la cour, brandissant des drapeaux rouges et vociférant des slogans, dans le plus grand désordre. Le chef de la sécurité de la commune entra dans l'atelier, et fit venir le pasteur contre-révolutionnaire et l'ancien droitier devant le fourneau, dont le reflet des flammes dansa sur son visage. Le son de sa voix hargneuse se mêla au gargouillement de l'eau qui bouillait dans la cuve.

« Toi, le pasteur ennemi du peuple et de la dictature du prolétariat, tu vas rester travailler jusqu'à la fin du programme. »

Tout en parlant, il se saisit de pincettes, qu'il enfonça dans le feu, et lorsque leur bout fut rouge, il les agita devant Yong Sheng.

« Regarde ! Si tu ne fous rien, c'est avec ça que je t'arracherai le peu de couilles qui te reste ! » Puis il se tourna vers Qiu Xiangui : « Ton dossier d'ancien droitier est toujours entre les mains du peuple. N'oublie pas qu'à tout instant, tu peux être requalifié. Si tu ne files pas droit, je t'arrache ton moignon avec ces pincettes ! »

« Qu'il essaie de me toucher avec ses foutues pincettes, et moi je le balancerai dans la cuve d'eau bouillante ! » marmonna le Manchot entre ses dents.

Yong Sheng l'entendit, estomaqué par son audace. Pas une fois, il n'avait eu de telles pensées. Le chef de la sécurité était un représentant de la dictature du prolétariat et il n'avait jamais osé imaginer le plonger dans l'eau bouillante.

En cette chaude soirée de début d'été, la brise porta jusque dans l'atelier l'écho du charivari de la foule réunie sur le terrain vague. Le programme radiodiffusé n'avait pas encore commencé, mais les gens braillaient des chants dont on ne parvenait pas à distinguer les paroles, sous le bruit dominant des trompettes. Le vacarme, charrié par les haut-parleurs de la commune, pénétra l'atmosphère épaisse du pressoir, chargée de relents de graisse, de bouse et de fumier, et parvint aux oreilles des deux ennemis du peuple. À cette distance, le son des trompettes ressemblait à celui de torchons claquant sur une corde à linge.

Les deux hommes étaient trempés de sueur. Le visage et le corps de Yong Sheng, qui ne portait qu'un slip, étaient noirs de poussière. Il déversait de lourds paniers de fruits secs sur l'immense meule circulaire, tandis que, armé d'un aiguillon, le Manchot faisait avancer les bœufs qui entraînaient le rouleau de pierre.

Les bœufs ! Ces êtres doux et pitoyables, qui acceptaient sans broncher leur condition misérable, au sein de cet enfer humain. Ils étaient un exemple, et semblaient avoir été créés pour montrer aux hommes à quel point il était possible d'endurer les souffrances les plus inimaginables. Et ce, jusqu'à la fin de leur pénible existence. Une fin pour chacun différente, mais toujours aussi triste. La force qui leur permettait de supporter le pire, dont ils héritaient de génération en génération, était inscrite dans chaque fibre de leurs muscles et de leurs nerfs.

Les fruits secs se bousculaient sous le rouleau en pierre, où Yong Sheng renvoyait tous ceux qui tentaient d'échapper au broyage, en sautant en dehors de la meule. Le craquement de leurs coques ne parvenait pas à couvrir tout à fait le bruit des lointains haut-parleurs, et, sans pouvoir en entendre le contenu, il comprit que le programme de la radio avait commencé.

Les six bœufs efflanqués de l'atelier avaient déjà effectué des centaines de tours. Ils avaient parcouru au moins dix kilomètres, dans la soirée. Soudain, la voix du présentateur vedette de la radio d'État se fit plus audible. Il avait une voix ferme et puissante, à faire trembler d'effroi les ennemis du peuple, en ce soir du 1ᵉʳ juin. Même les bœufs roux, comme aiguillonnés par son ton solennel, se mirent à faire de plus grandes enjambées, parmi les débris de coques et les fragments de pierre tombés de la meule. L'un d'eux se fendit le sabot, mais il était trop tôt pour s'arrêter. Il fallait tenir jusqu'au retour des ouvriers, après la fin du programme. Peut-être ne rentreraient-ils que très tard, après avoir défilé avec leurs drapeaux rouges, à la lueur de leurs torches. Le bœuf blessé ne pourrait être délivré de son joug avant leur retour. Un autre animal présentait de profondes entailles sur le dos. Soudain, pris d'un coup de folie, le plus vieux de tous se précipita sur le côté, la tête en arrière, les yeux exorbités. Rapidement asphyxié par son licol, il s'immobilisa contre l'essieu du rouleau.

Le Manchot lui tapota amicalement la tête et tenta de le ramener dans le rang. L'animal fit quelques pas en titubant.

« Il a un problème, cria-t-il à Yong Sheng. Il ne tient plus debout. »

Effectivement, épuisé, le vieux bœuf haletant était incapable de faire un pas de plus. À leur tour, ses compagnons de misère s'arrêtèrent et le regardèrent chanceler. De toutes ses forces, le Manchot tenta de le retenir, et cria à Yong Sheng de venir l'aider. Ce dernier n'eut pas le temps d'arriver que la bête était déjà tombée. Il lui ôta son joug, et, avec le Manchot, ils essayèrent de le remettre debout, mais ses jambes ne le portaient plus. Alors ils le fouettèrent jusqu'à ce qu'il se relevât enfin, pour le sortir de l'atelier, et le ramener à l'étable, dans la cour. Après quelques pas, il chancela de nouveau, dérapa et s'écroula sur l'herbe. Yong Sheng lui retira son licol, et le

Manchot alla chercher un seau d'eau. Le bœuf, qui gisait sur le côté, les quatre pattes repliées sous lui, n'avait même plus l'énergie de lever la tête pour boire dans le seau. Le Manchot lui versa l'eau sur le museau, mais il fut incapable d'ouvrir les lèvres. Sa tête était trempée, ses côtes montaient et descendaient au rythme de sa respiration haletante, qui se fit de plus en plus lente. L'eau se répandit sur l'herbe, tout autour de lui.

Au même instant, la voix du présentateur de la radio, portée par les haut-parleurs, retentit à leurs oreilles :

« Que le peuple de tout le pays lève très haut le drapeau de la Grande Révolution culturelle du prolétariat, pour le nettoyer de tous ses ennemis. »

De son œil à demi ouvert et rempli de larmes, l'animal regarda les deux hommes qui se tenaient près de lui.

« On dirait qu'il comprend que c'est de nous qu'on parle, remarqua le Manchot.

— Moi, je suis considéré comme un ennemi du peuple, rectifia Yong Sheng. Toi, tu as été réhabilité. » Il se tut un instant et reprit : « Il va mourir. Je vais lui réciter un passage de la Bible. » Il se pencha vers l'oreille du bœuf agonisant et murmura :

L'Éternel est mon berger ; je ne manquerai de rien.
Il me fait reposer dans de verts pâturages,
Il me dirige près des eaux paisibles[1].

Ce fut ce psaume, que les pasteurs récitent pour les chrétiens à l'agonie, qui sortit spontanément d'entre les lèvres de Yong Sheng.

---

1. Psaumes 23, 1-2.

C'était le miracle de la mémoire. Les mots coulaient sans la moindre hésitation, bien qu'il lui fût, depuis seize ans, interdit de pratiquer des cérémonies et d'assister les mourants.

Puis il entonna un cantique en anglais, dont le Manchot ne comprit pas les paroles, mais qui lui parut très beau, si bien qu'il ne put s'empêcher de fredonner l'air avec lui, au second couplet.

Après quoi, il lui demanda :

« C'est un chant religieux ?

— Oui. Il s'intitule "Quand je vois ta croix, ô mon sauveur". C'est un pasteur anglais du dix-huitième siècle qui en a écrit les paroles. »

Ils se turent l'un et l'autre. Dehors, les haut-parleurs étaient eux aussi redevenus silencieux.

« Je voudrais que tu me donnes le… le… » Le Manchot se mit à bégayer, avant de reprendre : « Pasteur Yong, j'aimerais que tu me baptises.

— Tu es fou ! s'écria Yong Sheng, en jetant des coups d'œil inquiets autour de lui. Mon Dieu ! Heureusement qu'il n'y a personne pour nous entendre. Pourquoi veux-tu être baptisé ? Tu as fait la guerre, tu as tué, tu as torturé des chrétiens…

— Parce que Helai est chrétienne. »

Qui eût pu imaginer qu'en ce jour historique du début de la Révolution culturelle, un ancien droitier manchot – un révolutionnaire qui avait sacrifié un bras pour l'avènement d'une Chine nouvelle – recevrait le baptême en secret, et se convertirait au christianisme, devant le fourneau allumé du pressoir à huile de Jiangkou ?

Comme chaque soir, vers minuit, quand les autres ouvriers furent endormis, Yong Sheng se faufila dans l'atelier, jusqu'à une huche située à gauche du tronc creux, qu'il éclaira avec une torche électrique. La lumière fit scintiller les toiles d'araignées, qui envahissaient ce coin de la pièce. Le meuble, en bois de longanier, qui mesurait presque deux mètres, était monté sur des pieds en bois, sculptés de spirales. Il était relégué là depuis plusieurs dizaines d'années. C'était l'ancienne huche à riz de l'orphelinat, qui avait servi de « coffre-fort », quand l'église avait été fermée et transformée en pressoir à huile. Puis, les affaires étant de plus en plus florissantes, un bureau de comptable avait été créé, et le meuble, qui ressemblait un peu trop à un cercueil, avait été abandonné dans l'atelier.

Il trônait désormais dans un coin sombre, sous le tronc évidé. Chaque nuit à la même heure, une torche électrique braquait sur lui sa lumière si particulière et une main faisait grincer, dans le silence, la planche qui lui servait de couvercle. Il était rempli de vieux outils et d'un tas de bazar inutile, mais aussi d'un paquet en tissu, dans lequel étaient enveloppées des branches d'aguilaire. Yong Sheng y prit une lampe à pétrole, un exemplaire des écrits du président Mao, un cahier, un gobelet en porcelaine, un pinceau, puis il referma le couvercle, qui brisa de nouveau de sa plainte la tranquillité des lieux. Il alluma la lampe, en retira l'abat-jour en verre, plaça son aiguille dans la flamme, tira sa langue et se la perça. Le sang tomba goutte à goutte dans le gobelet. Il déboucha alors un flacon rempli d'un liquide pailleté de poudre d'or, qu'il mélangea au sang du gobelet, et il commença à recopier au pinceau l'œuvre du Grand Timonier.

Il se produisit alors quelque chose qu'il fut incapable d'expliquer. Lorsqu'il relut la phrase qu'il venait d'écrire, il en fut terrifié :

« J'ai trouvé ma brebis qui était perdue. »

Tout son torse se couvrit de sueur froide.

Cette phrase n'avait jamais été prononcée par le président Mao, mais comme tout bon pasteur le savait, elle était issue de la parabole de la brebis égarée, au chapitre 15 de l'Évangile selon Luc :

Tous les publicains et les gens de mauvaise vie s'approchaient de Jésus pour l'entendre. Et les pharisiens et les scribes murmuraient, disant : Cet homme accueille des gens de mauvaise vie, et mange avec eux. Mais il leur dit cette parabole : Quel homme d'entre vous, s'il a cent brebis, et qu'il en perde une, ne laisse les quatre-vingt-dix-neuf autres dans le désert pour aller après celle qui est perdue, jusqu'à ce qu'il la trouve ? Lorsqu'il l'a trouvée, il la met avec joie sur ses épaules, et, de retour à la maison, il appelle ses amis et ses voisins et leur dit : Réjouissez-vous avec moi, car j'ai trouvé ma brebis qui était perdue[1].

Dans un mouvement instinctif, il souffla sur la flamme de la lampe pour l'éteindre, terrorisé d'être pris en flagrant délit.

« C'est sans doute l'excitation de la conversion du Manchot qui m'a fait écrire cette phrase, pensa-t-il. Yong Sheng, tu es vraiment un incurable pasteur contre-révolutionnaire ! Qu'est-ce que tu attends, pour déchirer au plus vite la preuve de tes pensées criminelles ? »

Il ralluma la lampe, et ne put s'empêcher de relire la phrase, après quoi, au lieu de déchirer la page, il se reperça la langue, et écrivit la suite de la parabole : « De même, je vous le dis, il y aura plus de joie dans le ciel pour un seul pécheur

1. Luc 15, 2-6.

qui se repent, que pour quatre-vingt-dix-neuf justes qui n'ont pas besoin de repentance. »

Le dortoir des ouvriers se composait de trois pièces, où de simples paillasses étaient posées sur le sol. Yong Sheng et le Manchot dormaient côte à côte. Cette nuit-là, alors que tous les autres ronflaient de concert, il lui lut la parabole qu'il venait de copier avec son sang.

À partir de ce jour, le texte biblique, caché au milieu des pensées du président Mao, devint leur secret.

En fait, il fut bientôt connu d'une troisième personne, car le jeune homme ne put s'empêcher de le partager avec Helai.

Minuit venait de sonner.

Yong Sheng marchait à travers les rizières, car il n'avait pas osé emprunter la route qui menait à Putian, ni longer la rivière Mulan.

Il se pensait intrépide, pourtant, il suffisait d'un coassement de grenouille, d'un éboulis de terre sous ses pieds, de la chute d'une pierre dans l'eau, pour le faire sursauter.

« Tu vas juste lire les dazibaos affichés dans la ville, se disait-il pour tenter de se rassurer. De quoi as-tu peur ? Si tu te fais attraper, tu n'auras qu'à dire la vérité : que tu vas lire les dazibaos du lycée, où enseigne ta fille. »

En 1958, après que Helai avait été diplômée de Fudan, toutes les grandes universités du pays avaient rejeté sa candidature à un poste d'enseignante, à cause des problèmes politiques de son père. Aucun laboratoire de recherches scientifiques n'ayant non plus accepté de l'engager, l'État l'avait renvoyée dans sa province natale, où elle avait été affectée au lycée n° 5 de Putian. Cela faisait huit ans qu'elle y enseignait lorsque éclata la Révolution culturelle. Yong Sheng avait entendu dire que depuis les professeurs faisaient l'objet des critiques de leurs élèves. Le doyen des professeurs du lycée nº 1, qui enseignait la littérature, avait même été molesté par des lycéens, qui lui avaient cassé une jambe. Un autre, dans le lycée nº 3, ne supportant plus les humiliations qu'ils lui faisaient subir, s'était suicidé, en se jetant dans le fleuve.

Soudain, il vit les murailles de la ville dressées devant lui.

« Mon Dieu ! Combien de tonnes de papier et de colle a-t-il fallu pour couvrir la totalité de ces murailles ? »

Telle fut sa première réaction, devant les murs entièrement tapissés de dazibaos.

Sous le faible éclairage des lampadaires, il lui fut impossible de déchiffrer le contenu des affiches. Tout ce qu'il put lire fut les slogans inscrits sur les larges banderoles suspendues dans les rues, qui vibraient dans le vent.

Son cœur battait à tout rompre : y avait-il autant d'affiches dans le lycée nº 5 ? Et parmi elles, y en avait-il pour critiquer ou dénoncer Helai ?

Après qu'il eut franchi la porte de la ville, une forte odeur de brûlé, mêlée à celle de la colle, lui assaillit les narines. La Révolution culturelle avait déjà répandu le feu dans la moindre ruelle. Elle n'avait commencé que depuis quelques semaines, et pourtant, à son grand étonnement, le nom de nombreuses rues avait été changé. La rue de la Petite Inde, dans laquelle il s'était si souvent arrêté pour manger un bol de nouilles, avait été rebaptisée rue du Grand Bond en Avant ; celle d'à côté, rue du Modèle de l'Armée Révolutionnaire. Quant au petit pont jadis nommé le demi-pont, il était devenu le pont de la Victoire. Partout où il passait, il avait le sentiment que la ville venait d'être pillée. Dans la plupart des rues, des bûchers étaient allumés, sur lesquels finissaient de se consumer les tablettes des ancêtres que leurs propres descendants avaient décidé de brûler. L'air était saturé de colonnes de fumée noire. Dans une ruelle, où ils avaient fait un autodafé de livres, des débris de pages carbonisées, soulevés par le vent, volaient de tous côtés, comme de sombres papillons de nuit. Ils se collèrent sur le nez et les vêtements de Yong Sheng, qui peina à s'en débarrasser.

Il arriva enfin devant le lycée n° 5. De chaque côté du portail ouvert, des pinceaux de toutes tailles, des seaux d'encre et de colle de farine séchée, qui sentait la pourriture, étaient éparpillés sur le sol. Partout, sur les murs des bâtiments, les tableaux d'affichage et même les parterres de fleurs, des dazibaos étaient collés. Les murs, de chaque côté du corridor qui traversait l'établissement, étaient pareillement recouverts d'affiches. Ils avaient même dressé une longue palissade pour pouvoir en coller davantage. À de nombreux endroits, il y en avait plusieurs couches. Le lycée était désert, à l'exception de papillons de nuit attirés par la lumière des ampoules, allumées au-dessus de la palissade.

Il jeta un coup d'œil rapide au contenu des affiches, sans s'attarder, car il y en avait tant, qu'il ne pourrait les lire toutes avant le lever du jour.

Tout ce qu'il voulait savoir, c'était si le nom de Helai y apparaissait.

Après en avoir parcouru quelques dizaines, il se sentit soulagé. Aucune ne mentionnait sa fille.

C'était presque un miracle qu'une fille de pasteur pût échapper à la vindicte des révolutionnaires.

Au même moment, il entendit quelqu'un déchirer rageusement un dazibao sur le panneau, et, se tournant dans sa direction, il reconnut l'homme qui, par ce geste, sabotait l'ouvrage de la grande Révolution culturelle.

Comme lui, il s'était introduit dans le lycée en pleine nuit : de sa seule main gauche, il réduisait en miettes certaines des affiches, tandis que la manche droite de sa veste ballottait en cadence, contre son flanc.

Est-il besoin de le préciser ? C'était le Manchot, qui, comme Yong Sheng, avait traversé la vallée de Putian, pour se rendre au lycée n° 5 déchirer les dazibaos à propos de Helai.

Ceux qui l'accusaient d'avoir tenu de prétendus propos contre-révolutionnaires n'étaient guère nombreux. Rédigés par des élèves et d'autres professeurs, ils dénonçaient, pour la plupart, le fait qu'à trente ans, elle n'était toujours pas mariée, ou ils l'insultaient à cause de ses yeux bleus. Chacun de ses faits et gestes, chacune de ses attitudes à l'égard des hommes, y était passé au crible, analysé et critiqué, du point de vue de la lutte des classes. D'autres, qui l'accusaient, en tant que fille de pasteur, d'être par nature une abominable bourgeoise, révélaient comment, par des manipulations biologiques, elle concevait dans son laboratoire des créatures diaboliques, qui en disaient long sur la noirceur et la perversité de son être : des oiseaux aux corps difformes, créés de toutes pièces avec les organes d'autres espèces, la bouche pleine de dents et les ailes toutes tordues. Elle avait même élaboré un liquide qui rendait transparents les animaux morts qu'elle plongeait à l'intérieur de bocaux, dans lesquels ils flottaient éternellement.

Tapi derrière la palissade, Yong Sheng, tremblant d'effroi, avait l'impression que les bruits de lacération et de déchiquetage des affiches lui crevaient les tympans. Il avait envie de se jeter sur le Manchot, pour l'empêcher de se mettre en danger, mais il n'osait bouger. Incapable de retenir les sanglots qui envahissaient sa poitrine, il s'appuya contre le panneau d'affichage : dans ce monde cruel, un autre que lui aimait sa Helai d'un amour profond et indéfectible.

La salle de biologie se trouvait derrière les deux principaux bâtiments de l'établissement. Le premier, un édifice en brique de quatre étages, construit au début des années soixante, abritait le collège. Le second, qui hébergeait le lycée, était un bâtiment gris de deux étages, dont la construction remontait au début du vingtième siècle. Il avait jadis été une école de filles, financée par l'Église chrétienne. Son architecture était un mélange des styles occidental et chinois (qu'on retrouvait dans ses colonnades rouges et son toit en ailes d'hirondelle). Pour préserver les deux bâtiments de l'humidité, on les avait construits sur une immense terrasse en pierre, d'un mètre cinquante de profondeur, sur laquelle les élèves sortaient en récréation quand la cloche sonnait la fin des cours ; elle résonnait alors de cris et de rires. Au début des années cinquante, l'établissement était devenu mixte, et c'était dans cette cour que, chaque matin, les élèves se mettaient en rangs, pour écouter le discours du directeur et chanter des chants révolutionnaires. Après le lancement de la Révolution culturelle, ce fut là que se tinrent les différents meetings. Il y en avait presque tous les jours, même la nuit, éclairée comme en plein jour par des torches. Les dalles de pierre tremblaient, sous les trépidations fanatiques des Gardes rouges, qui levaient le bras, brandissaient des drapeaux rouges et hurlaient des slogans révolutionnaires.

À la fin de ces séances de critique, le lycée retrouvait un calme tout relatif. Les deux grands ginkgos centenaires, surnommés « le couple d'amoureux », qui se dressaient de part et d'autre de la porte du laboratoire de biologie, étaient toutes les nuits envahis par des centaines de cigales, qui entamaient un stridulant concert. Par vagues déferlantes, les insectes interprétaient leur musique folle et, brusquement, ils s'arrêtaient, comme répondant au coup de baguette d'un invisible chef d'orchestre. Quand le silence tombait, on ne discernait plus dans le noir que les caricatures des ennemis du peuple, dont les noms étaient barrés de gros traits rouges.

Avec ses vitres aussi épaisses que celles d'un aquarium et ses lourds rideaux de velours, dignes de la scène d'un théâtre, la salle de biologie était une enceinte impénétrable aux cris et slogans des élèves, comme aux récitals nocturnes des cigales. C'était presque un bunker, coupé du monde extérieur. Un univers à part. Des rangées de bocaux, dont les couvercles luisaient dans l'obscurité, étaient alignées sur des étagères, qui montaient jusqu'au plafond. À l'intérieur, des spécimens de diverses espèces baignaient dans le formol.

Certains de ces échantillons – les plus privilégiés de la collection – avaient eu la chance d'assister à la naissance d'une histoire d'amour, et ce qui s'était alors reflété sur le verre de leur bocal semblait les avoir revivifiés. On eût dit qu'ils rayonnaient de l'intérieur, comme animés d'une étincelle nouvelle.

L'héroïne de cette romance était un professeur de biologie d'une trentaine d'années, et le héros, un ancien droitier manchot, de dix ans son aîné.

Sur l'étiquette d'un grand bocal, on pouvait lire : Échantillon d'oreille moyenne et interne de mammifère. Helai – la seule enseignante de biologie du lycée – avait tracé ces quelques mots avec un enthousiasme évident : les traits verticaux s'élançaient comme des coups d'épée, qui lacéraient l'espace vierge de l'étiquette, tandis que les traits horizontaux étaient empreints d'une grande douceur. Les deux segments d'oreille, qui avaient appartenu à un cochon et baignaient à présent dans le formol, semblaient épier les moindres bruits de la salle de classe : le frémissement presque imperceptible des lourds rideaux, les légères vibrations du parquet, l'insensible cheminement d'un insecte sur un mur, l'inaudible dispersion des fines particules tombées des ailes d'un papillon de nuit, surgi de Dieu sait où.

La date et le lieu d'origine de leur prélèvement étaient pareillement inscrits sur l'étiquette : « Fête de la Lune 1965. Village de Guanghou. Commune de Jiangkou. Putian ».

Cette année-là, la fête de la Lune était tombée à la fin du mois de septembre. Helai était rentrée à Jiangkou pour assister au mariage d'un parent éloigné. En tant qu'ancien pasteur, il était interdit à Yong Sheng de participer à ce genre de réunions familiales. Toutefois, la veille de la cérémonie, il était allé porter un modeste présent aux futurs mariés : une bouteille d'huile d'aleurite, provenant de son atelier. La famille du marié était désemparée. Le cuisinier et ses aides étaient arrivés, mais ils n'avaient trouvé personne pour tuer le cochon. Il leur avait alors envoyé le Manchot.

Le lendemain matin, chaussé de ses socques à semelles de bois, « le fabuleux boucher » avait fait la démonstration de son talent exceptionnel devant les invités. Une certaine enseignante de biologie en avait été particulièrement impressionnée. Elle avait suivi, fascinée, les mouvements habiles de son couteau, qui glissait sur les muscles, avec la fluidité d'un filet d'eau. Il avait tant d'aisance qu'à peine touchait-il les articulations qu'elles semblaient s'ouvrir d'elles-mêmes sous sa lame. De tout ce qu'elle avait appris dans les livres sur l'anatomie du cochon, il lui avait fait ce jour-là la vivante démonstration.

En réalité, elle l'avait déjà rencontré à plusieurs reprises, sur le campus de l'université Fudan, à Shanghai, mais ils ne s'étaient jamais parlé. La plupart des étudiants le connaissait, car il était à l'époque le leader de l'association des étudiants en journalisme. C'était un brillant orateur, et ses prises de parole en public étaient toujours impressionnantes. Le fond de ses discours était d'une grande pertinence, la forme d'une prodigieuse élégance, et le timbre de sa voix d'une délicieuse profondeur. Une telle vedette n'avait jamais eu le temps d'accorder son attention à une simple étudiante en biologie. À présent, chose incroyable, ce petit génie était là, dans ce pauvre village, et il tuait le cochon pour le mariage de paysans. Elle n'en avait ressenti que plus d'admiration à son égard.

« Puis-je te demander de me découper l'oreille, lui avait-elle demandé. Je suis professeur de biologie, au lycée n° 5 de Putian. Elle pourrait me servir dans mes cours sur l'anatomie des mammifères.

— Tu veux l'oreille moyenne ou l'oreille interne ? » avait-il répondu en levant la tête vers elle. La main dans les entrailles encore fumantes de la bête, il avait plongé son regard dans les yeux azur de la jeune femme.

Elle avait été étonnée par sa question, qui supposait certaines connaissances scientifiques.

« Les deux me seraient utiles, pour une leçon sur l'appareil auditif.

— Si les osselets de son oreille moyenne sont bien nets, ce sera idéal pour ta leçon. »

Après avoir débarrassé le crâne de sa chair, il avait ouvert l'oreille, de manière à rendre visible la membrane translucide qui sépare le conduit auditif externe de l'oreille moyenne.

« C'est parfait, avait dit Helai. On distingue bien la membrane tympanique. Je peux toucher ? »

Elle avait posé le doigt sur la membrane, qui lui avait semblé plus résistante que ne le laissait supposer sa minceur.

De la pointe d'un canif, comme en utilisaient les enfants pour tailler leurs crayons, il avait dégagé la caisse du tympan.

Trois minuscules osselets étaient apparus à l'intérieur, qu'elle n'avait pu s'empêcher de nommer à voix haute :

« Le marteau, l'enclume…

— Et l'étrier », avait-il ajouté calmement.

Il avait délicatement sorti du tympan les trois petits os, reliés par un fin chaînon, et les avait déposés sur une pierre.

« Dans le milieu des bouchers de Putian, il est interdit de parler, quand on prélève l'oreille interne d'un cochon. Faute de quoi, on peut devenir sourd.

— Vraiment ? »

Elle avait fermé la bouche et retenu sa respiration.

« Je plaisante ! » avait-il répondu en riant.

Après avoir mis au jour la trompe d'Eustache de la pointe de son canif, il avait atteint le segment le plus important de l'appareil auditif : l'oreille interne.

« Tu vois ces cavités ? C'est le labyrinthe », avait-il précisé.

Les deux échantillons avaient fait l'admiration des élèves de sa classe, et certains en avaient même dessiné le schéma sur la couverture de leur cahier de biologie. Ces jeunes innocents ignoraient encore qu'ils deviendraient des Gardes rouges professant farouchement leur haine de la science.

Deux semaines plus tard, à l'occasion de la fête nationale, elle avait profité de ses deux jours de congé pour se rendre à vélo à Jiangkou, où elle avait offert un sifflet de colombe au Manchot pour le remercier d'avoir contribué à la réussite de son cours.

C'était la première fois qu'il voyait un tel objet, pas plus gros qu'une bille de verre des jeux d'enfants, autour duquel étaient fixés de fins tubes de bambous et de roseaux. L'ensemble était d'un raffinement exquis. La caisse de résonance ressemblait à une minuscule calebasse creuse. La peinture violette qui la recouvrait était craquelée, parfois écaillée, car le sifflet était ancien. Il l'avait soulevé dans la lumière du soleil pour l'examiner, et avait découvert deux caractères gravés à l'intérieur du double fond de la gourde : « Yong le Jeune ».

« C'est qui, Yong le Jeune ? C'est Yong Sheng ?

— Oui. C'est lui qui l'a fabriqué. Son père signait ses sifflets "Yong l'Ancien".

— Je ne savais pas que ton père faisait des sifflets.

— Il n'en a plus jamais fait après ses études, à la faculté de théologie de Nankin. Sauf celui-là, qu'il m'a offert pour mon septième anniversaire. Il s'appelle "la gourde violette à treize tubes". »

Une cordelette de soie était attachée à l'extrémité du sifflet. Le Manchot l'avait fait tournoyer à toute vitesse, au-dessus de sa tête, et le long son aigu qui avait vibré dans l'air l'avait émerveillé. Il l'avait alors fait tourbillonner jusqu'au vertige. Décrivant des courbes et des cercles, le sifflet en orbite avait déployé toute sa palette sonore : les vibrations émises par la gourde étaient solennelles et profondes, tandis que les fins tubes rendaient chacun un son différent, tous plus cristallins les uns que les autres.

Au même moment s'était produite une chose incroyable : une colombe, attirée par le chant si familier du sifflet, était apparue dans le ciel et venue se poser sur le toit de chaume du pressoir, où elle s'était installée, le cou tendu, attentive comme un spectateur au balcon d'une salle de concert.

Dans un regain d'espièglerie enfantine – ou peut-être était-ce pour montrer l'habileté de son unique main –, le Manchot avait placé le sifflet dans un panier d'osier, en avait ouvert le couvercle, en le bloquant avec un bâton relié à une cordelette qu'il avait déployée jusqu'à l'intérieur de l'atelier. Puis il avait posé le panier par terre.

Helai et lui s'étaient cachés de chaque côté de la porte.

La colombe était descendue du toit, pour se poser près du panier, autour duquel elle avait fait quelques pas, hésitante mais intriguée. De sa place, Helai avait pu admirer son petit bec, dont la mandibule supérieure était noire et l'inférieure couleur chair, ses fines paupières blanches, et ses petits yeux rouges à reflets dorés.

« La semaine prochaine, je dois faire un cours sur le système respiratoire des oiseaux. Je pourrais me servir de cette colombe », avait-elle suggéré.

Il lui avait fait signe de se taire.

L'oiseau s'étant perché sur le bord du panier, au fond duquel se trouvait le magnifique sifflet, le Manchot avait brusquement tiré la cordelette. Le couvercle s'était refermé d'un coup, et la colombe s'était retrouvée piégée à l'intérieur. Helai n'avait plus entendu que le battement convulsif de ses ailes contre l'osier.

Quoi de mieux que des spécimens prélevés sur de la

matière vivante, pour enseigner aux élèves la structure et le fonctionnement des organes internes ? Elle était allée récupérer toutes les balles de ping-pong cassées dans l'école du village, le Manchot y avait ajouté une vieille brosse à dents usée (parmi tous les ouvriers de l'atelier, il était le seul, avec le pasteur, à se brosser quotidiennement les dents), et ils avaient fait fondre le tout dans un creuset. Après quoi, à l'aide d'une grosse seringue qu'elle avait empruntée au dispensaire, elle avait injecté la solution encore chaude dans les poumons de la colombe. Quand le plastique avait refroidi et durci, elle avait badigeonné les tissus mous d'acide chlorhydrique, de façon à ne garder que le moulage.

Lorsqu'elle l'avait plongé dans un bocal de formol, dans la salle de biologie, les ramifications des bronches des deux lobes s'étaient déployées dans le liquide, à la manière de deux branches de corail blanc, au fond de la mer. Les deux poumons, couverts de fins et sinueux sillons, s'étaient ouverts et refermés, comme pour aspirer une dernière bouffée d'air, et leurs bronchioles, aussi ténues qu'un fil de soie, s'étaient étalées, entraînant dans leur sillage les bourses argentées des alvéoles, gonflées comme des bulles.

Le nouveau propriétaire du sifflet signé « Yong le Jeune » avait en retour décidé d'offrir un cadeau à Helai, pour son anniversaire – dont il avait, mine de rien, obtenu la date par Yong Sheng. Dans cet objectif, il était prêt à dépenser toutes ses économies (sur les dix-huit yuans qu'il touchait par mois, pour payer sa nourriture et les autres frais du quotidien, il avait réussi à en mettre plusieurs dizaines de côté). Il s'était rendu dans le grand magasin qui venait d'ouvrir à Putian, dont les vitrines exhibaient quantité d'objets attirants. Là, il s'était attardé à caresser des coupons de tissu soyeux, avait demandé à voir des chaînes et des bracelets étincelants, et finalement, il avait porté son choix sur un appareil photo bifocal de la marque Mouette. Il bouillait d'impatience de la prendre en photo, le jour de son anniversaire. Quand le viseur s'était ouvert sous ses doigts, il en avait frissonné, et lorsqu'il y avait collé un œil, il lui avait semblé ne voir, dans le champ, que les yeux bleus de la jeune femme. Puis, en plans enchaînés, comme dans un film, il avait vu défiler des images de son anniversaire, et enfin de leur mariage, où il se tenait à ses côtés, les cheveux fraîchement coupés, sa longue barbe rasée de près.

L'appareil coûtait cent quatre-vingts yuans, un prix exorbitant. Il lui eût fallu encore trois ans d'économies, pour pouvoir se l'offrir.

Sur le chemin du retour, en passant par Hanjiang, il avait fait un saut à la société de transports Vent d'est, pour leur demander de venir ramasser les déchets au pressoir. Et c'est dans cette cour remplie de charrettes que, sans s'y attendre, il avait trouvé le cadeau idéal. Il buvait le verre d'eau qu'on lui avait offert, tout en repensant à l'appareil photo du grand magasin, quand son regard était tombé sur une enveloppe fœtale duveteuse et sanguinolente, dans laquelle était lovée une petite masse de chair brun foncé. Il s'en était approché et avait discerné un corps pourvu de quatre membres, d'une longue encolure et de gros yeux fermés, haut placés sur les tempes, comme seuls en ont les chevaux.

C'était un fœtus de poulain, encore enveloppé de son placenta.

Un employé lui avait raconté que, la veille au soir, une jument avait mis bas, quarante jours avant le terme, et que le fœtus, qui n'avait que huit mois, n'était pas viable.

Le cœur du Manchot s'était empli de tendresse pour cette petite créature, morte avant même d'avoir ouvert les yeux.

« Je vais t'offrir une nouvelle existence, lui avait-il dit. Tu vas devenir le plus beau spécimen d'un cours de biologie, et ce sera toi le cadeau d'anniversaire de Helai. Tu seras le témoin de notre amour, et à ce titre, tu deviendras immortel. »

La librairie de Hanjiang se trouvait justement en face de la société de transports, et bien que de taille médiocre, elle proposait un grand nombre d'ouvrages, parmi lesquels il avait déniché une brochure intitulée *Méthode de momification translucide*.

Quel plus beau cadeau, pour un professeur de biologie, qu'un spécimen de fœtus de poulain ?

Suivant les indications contenues dans la brochure, il avait incisé une artère, et, de sa seule main, il avait délicatement massé le fœtus, pour le vider de son sang.

« La pression exercée doit être très douce, précisait l'auteur du fascicule. Cette douceur est la clé de la réussite, car si le moindre vaisseau rompt, tout le processus est ruiné. »

Les employés de la société de transport étaient tous venus voir ce qu'il faisait, et ces hommes, d'ordinaire si bruyants (la plupart tiraient des voitures à bras, quelques-uns étaient charretiers, et un seul conduisait un tracteur, ce qui le plaçait nettement au-dessus des autres), s'étaient regroupés en silence autour du petit cadavre, comme autour d'un objet solennel, presque sacré.

Après l'avoir vidé de son sang, il lui avait injecté dans les veines une solution rouge et visqueuse, à base de farine et de cinabre, que les ouvriers lui avaient procuré. Selon la brochure, il aurait dû les diluer dans cent grammes d'alcool éthylique, mais la pharmacie du bourg étant fermée, il avait remplacé l'éthanol par de l'eau. Le vétérinaire lui avait fourni la seringue. Après cette opération, il s'était rendu à l'hôpital de Hanjiang, où un employé de laboratoire avait accepté de lui donner du formol, en échange de cigarettes. Il en avait rempli une bassine en aluminium, trouvée dans la cantine de la société, et y avait plongé le fœtus, qu'il était venu récupérer deux jours plus tard. Lorsqu'il l'avait sorti du bain, le cadavre présentait une parfaite rigidité, et il était passé à l'étape de la dessiccation. De nouveau, les employés s'étaient regroupés autour de lui, pour observer chacun de ses gestes : il avait méticuleusement séché la peau avec de la gaze. Émus par cette preuve d'amour, que voulait donner un ancien droitier handicapé à l'élue de son cœur, les charretiers s'étaient cotisés pour lui permettre d'acheter un seau de cinq litres d'éthanol. Il y avait fait macérer le fœtus, dont il avait percé la peau de milliers de trous d'aiguilles. Au bout de cinq jours, il s'était entièrement déshydraté.

Avec ses économies, il avait acheté un immense bocal en verre, qu'il avait rempli de benzène, dans lequel le fœtus était peu à peu devenu translucide, laissant nettement apparaître les ramifications les plus fines de son système vasculaire sanguin, qui évoquait le complexe réseau radiculaire d'un arbre.

« J'ai du mal à retenir mes larmes », avait fini par dire Helai, que ce cadeau d'anniversaire avait un instant laissée sans voix. Puis elle avait eu un geste, qui avait définitivement confirmé que du sang étranger coulait dans ses veines : elle avait embrassé le Manchot.

De la fête de la Lune de l'année 1965 jusqu'au 1er juin 1966, date de la diffusion du premier dazibao de Pékin par la Radio du peuple, ils avaient réalisé ensemble plus d'une vingtaine de spécimens biologiques, dont douze par « momification translucide » et cinq par dessiccation. Des autres, ils n'avaient gardé que les squelettes (après avoir écorché et éviscéré les animaux, ils les plaçaient dans une boîte hermétique, où les vers se repaissaient de leurs chairs, et ne laissaient que les os).

Ils avaient de même collectionné des œufs de grenouilles, aux différentes étapes de leur incubation.

De l'œuf à la grenouille, en passant par le têtard, comment une créature aquatique se transformait-elle en créature terrestre ? C'était un cours indispensable, dans l'enseignement de la biologie. Avant de connaître le Manchot, chaque année, à la saison des amours, elle achetait avec son propre argent des batraciens, que des paysans lui rapportaient des rizières. Elle procédait alors à une fécondation in vitro : elle pressait délicatement l'abdomen d'une femelle pour la faire pondre, puis elle prélevait la vésicule séminale d'un mâle, qu'elle broyait et mélangeait aux ovules pour les féconder. Quant aux différents stades de l'incubation, elle ne pouvait que les dessiner au tableau.

Après la saison des pluies, la moindre mare était envahie de grenouilles. À Putian, la saison des amours était le mois d'avril. Un soir, chargés d'un seau et d'une louche à long manche, ils s'étaient rendus dans des rizières, où les paysans n'avaient pas encore repiqué le riz, mais où les batraciens se faisaient la cour. Sitôt qu'elle s'était éloignée de l'enceinte du lycée et avait humé l'odeur si particulière des rizières, Helai, qui avait toujours aimé la nature, en avait ressenti une agréable ivresse. Elle avait retiré ses chaussures, pour courir pieds nus, comme une folle, sur les étroites levées de terre, en poussant en direction des étoiles des cris assourdissants, qui semblaient répondre au chant d'amour des grenouilles.

À son tour, le Manchot s'était déchaussé, et il avait balayé la surface de l'eau avec une torche électrique. Puis il avait retroussé son pantalon et était entré dans la vase. Des bulles d'air s'étaient formées autour de lui, et il s'était enfoncé dans la boue jusqu'aux genoux. Il était revenu déposer sa montre dans une de ses chaussures, qu'il avait laissées sur un remblai, et était retourné dans l'eau, où il avait braqué sa lampe sur un couple de batraciens en plein coït. Mais à peine avait-il eu le temps d'entrevoir la tête vert vif, marquée de deux bandes dorées, du mâle, que la femelle l'avait déjà entraîné au fond de l'eau, où ils avaient disparu tous les deux.

Helai avait été la première à découvrir un paquet d'œufs, en bordure d'un champ. Elle avait demandé à son compagnon de remplir le seau d'un peu d'eau et de plantes aquatiques, mais il n'avait pas osé prélever le paquet d'œufs, de crainte d'abîmer la membrane qui les enveloppait. Elle lui avait pris la louche des mains, pour les pousser délicatement dans le seau.

Quand elle les avait observés, à la lumière de la torche électrique, elle avait été déçue. « Ils ne viennent pas d'être pondus. Ils sont déjà recouverts d'une croûte de terre », avait-elle déploré, en les replongeant dans la rizière.

À cet instant, le vent s'était mis à souffler, des nuages avaient assombri les étoiles, et une violente averse s'était abattue sur eux. Ils n'avaient eu que le temps de se réfugier sous un grand arbre pour éviter d'être trempés jusqu'aux os.

C'était un if de Chine du Nord, haut d'une vingtaine de mètres, dont l'épaisse frondaison devait mesurer au moins cent

mètres carrés. Il était planté à proximité d'un village de la minorité She[1] et quantité d'objets propitiatoires étaient suspendus
aux arbres, selon la coutume de cette ethnie. Une large anfractuo-
sité était ouverte au pied du tronc, dans laquelle ils étaient entrés.

L'intérieur de la cavité était si bas que le Manchot avait été
obligé de se courber pour s'y déplacer. Le sol était couvert
d'une épaisse couche de feuilles ramollies, presque putréfiées
par l'humidité ambiante, dans laquelle leurs pieds s'étaient
enfoncés. « Je sais où on est, avait dit le Manchot. C'est un
endroit que tout le monde connaît, où les amoureux se
retrouvent. Quand un couple veut y être tranquille, il attache
un ruban rouge à un arbuste, près de l'entrée, pour signaler
que la place est occupée. »

Alors qu'il avait voulu ressortir pour lui montrer l'arbuste, il
avait glissé sur le tapis de feuilles, et, en voulant se rattraper à
elle, l'avait entraînée dans sa chute. Ils s'étaient retrouvés
allongés sur le sol, leurs deux corps enlacés. Comme elle était
au-dessus de lui, il avait eu la sensation de s'enfoncer dans cette
couche poisseuse, à l'odeur d'iode et de fange. Lui dessous, elle
dessus, leur étreinte avait ressemblé à celle de ces couples de
batraciens, dont ils avaient traqué le coït une partie de la soirée.

À neuf heures le lendemain matin, ils avaient regagné
Putian, avec leur seau rempli d'ovules fraîchement fécondés,
et étaient entrés dans le bureau communal, situé à côté du
pont de la Victoire. C'était l'administration civile la plus
proche des dortoirs des professeurs du lycée n° 5.

« Nous voudrions faire enregistrer notre mariage », avait dit
Helai.

---

1. Une des cinquante-cinq minorités nationales officiellement reconnues en
Chine, vivant principalement dans le sud-ouest du pays.

L'employée qui s'occupait des actes de mariage la connaissait. Sa fille était une ancienne élève du lycée. Par bonheur, elle n'avait pas cherché à compliquer les choses. Elle ne leur avait pas demandé à voir les certificats matrimoniaux, établis par les autorités de leurs deux lieux de résidence. Ils n'eussent pas pu justifier leur union, si elle l'avait fait. Ils ignoraient même qu'ils devaient obtenir l'aval des autorités. L'employée avait sorti d'un tiroir une feuille de papier rouge, sur laquelle elle avait apposé un tampon, après les avoir invités à y inscrire leur nom, leur adresse et leur date de naissance.

« C'est quoi ?

— Votre acte de mariage. »

Lorsque, main dans la main, ils étaient ressortis du bureau, il n'y avait presque personne dans les rues.

« Si, comme moi, tu avais été chrétien, on aurait pu se marier religieusement, avait dit Helai.

— Comment cela ?

— On aurait pu demander à mon père de nous bénir en secret.

— Tu voudrais une robe blanche et une cérémonie ?

— Il faudrait que tu sois baptisé. Faute de quoi, tu ne pourras pas m'épouser devant un pasteur. »

Malheureusement, quelques jours plus tard, alors qu'ils n'avaient pas encore réglé les détails de la cérémonie, la Grande Révolution culturelle avait éclaté, et Helai avait dû reléguer leur acte de mariage au fond d'un tiroir, où il avait bientôt été noyé sous un tas de tracts du bureau politique et de coupures du *Quotidien du peuple*. Pendant un certain temps, personne, y compris Yong Sheng, n'avait su qu'ils étaient mariés.

CHAPITRE 4

La trahison

Bien que la commune populaire de Jiangkou fût éloignée de la capitale, le brasier de la Grande Révolution culturelle ne tarda pas à embraser sa population, aux mœurs jadis si paisibles. Le vice-secrétaire du bureau communal fut déclaré ennemi du peuple, le chef de la milice fut critiqué par de nombreux dazibaos, et l'économe de la cantine fut dénoncé. Comment ce dernier, qui ne gérait que quelques cuisinières avec qui il entretenait de bonnes relations et que tout le monde appréciait, avait-il pu devenir soudain la cible de dénonciations calomnieuses ? Il était entré au Parti dès le début des années cinquante, ce qui faisait de lui un révolutionnaire de longue date. Mais à cause de son illettrisme, il n'avait jamais eu l'occasion d'évoluer, au sein du Parti, et n'avait jamais pu prétendre à d'autre fonction que la sienne. Nul n'eût pu lui reprocher d'être « un influent membre du Parti, fourvoyé dans la voie du capitalisme », mais, par une brûlante journée d'été, il avait étalé une natte sur le sol en terre battue de la cuisine et proposé aux cinq cuisinières, qu'il appelait ses « cinq Fleurs d'Or[1] », de faire

---

1. Titre d'une comédie de Wang Jiayi (1959), dans laquelle un forgeron tombe amoureux d'une jeune fille prénommée Fleur d'Or. Mais alors que ses amis veulent

une petite sieste à côté de lui, raison pour laquelle au cours d'une séance de critique, on le força à porter un haut chapeau pointu en papier – le cornet d'infamie – sur lequel était inscrit : « Harceleur de femmes ». L'une des « cinq Fleurs d'Or », une matrone obèse à la cinquantaine bien tassée, monta à la tribune pour expliquer, son gros corps tout secoué de sanglots, comment ce nouveau Huang Shiren[2] avait osé faire, à elle qui était aussi vierge et pure que la pauvre Xier, des propositions indécentes. Comme la plupart des gens du cru, ce que redoutait le plus l'économe était la honte et l'humiliation. Acculé par ces fausses accusations, dont il savait qu'il ne sortirait pas indemne, il se procura un puissant insecticide et une bouteille d'eau-de-vie. Dans le cagibi où il dormait, devant le cornet d'infamie sur lequel était écrit son prétendu crime, il commença par se saouler, puis il avala l'insecticide pour en finir avec la vie.

Un après-midi, alors que Yong Sheng et ses compagnons cognaient le lourd marteau sur les chevilles du pressoir à huile, le chef d'atelier (qui avait jadis été le chef d'un village voisin) vint le trouver.

« Tu es dans la merde ! J'ai reçu l'ordre de te faire conduire dans les locaux de l'ancien temple. »

Quand un ennemi du peuple de la commune populaire de Jiangkou entendait les mots « locaux de l'ancien temple », il devenait livide car, avant d'être transformé en bureau commu-

---

l'aider à la retrouver, ils découvrent quatre autres filles, qui portent le même prénom. D'où une série de quiproquos amusants, qui firent le succès du film.

2. Nom de l'ignoble propriétaire foncier, dans l'opéra révolutionnaire *La fille aux cheveux blancs*, qui réduit Xier, une jeune fille, en esclavage. Elle parvient à s'enfuir dans la montagne, rejoint les révolutionnaires et libère son peuple du joug des réactionnaires.

nal, l'édifice avait servi, à l'époque de la réforme agraire[1], de tribunal où les communistes interrogeaient et torturaient les propriétaires fonciers. À présent, l'un des bâtiments était une prison, dans laquelle étaient détenus les ennemis du peuple.

Escorté par deux ouvriers du pressoir, Yong Sheng arriva à la porte de l'ancien temple, au moment même où le chef de la sécurité en sortait. C'était l'homme qui, un mois plus tôt, le soir de la diffusion par la Radio centrale du peuple de la lecture du premier dazibao de Pékin, l'avait menacé de lui « arracher les couilles » avec des pincettes.

« Emmenez-le dans le bâtiment derrière la cour, dit-il aux deux autres. Et prenez un cornet d'infamie à lui mettre sur la tête. »

Ne sachant pas où en trouver, les ouvriers semblèrent déconcertés. « Il y en a des tout faits, dans la salle de réunion. On les a préparés pour ces saletés de contre-révolutionnaires. Prenez celui sur lequel il y a son nom. »

Le bâtiment derrière la cour de l'ancien temple ressemblait étrangement à la résidence du pasteur Gu, à Hanjiang, bien qu'il ne possédât qu'un patio, entouré de deux bâtisses. La première était réservée aux membres du Parti ; la seconde abritait le bureau chargé de la production agricole, de la milice, des femmes, de la santé, de la culture et des sports.

Pour accéder à la salle de réunion, ils traversèrent le premier bâtiment, puis passèrent devant une enfilade de petites pièces, séparées les unes des autres par des murs en brique. L'un des accompagnateurs de Yong Sheng lui dit que c'était dans une de ces pièces de la taille d'une chiotte que l'économe de la

---

1. Réforme au début des années cinquante pendant laquelle toutes les propriétés agricoles ont été nationalisées.

cantine s'était suicidé. Rassemblant son courage, Yong Sheng y jeta un coup d'œil. Bien que les portes fussent fermées, il eut l'impression d'être soudain assailli par des effluves d'eau-de-vie et d'insecticide, et la vision de l'économe se tordant de douleur, criant et se débattant sur sa paillasse, s'imposa à son esprit.

Les deux ouvriers du pressoir entrèrent dans la salle de réunion où se trouvaient les cornets d'infamie mais, comme ils ne savaient pas lire, ils demandèrent à Yong Sheng de prendre lui-même celui qui portait son nom.

L'endroit, qui avait jadis été une maison de thé, était pourvu du haut seuil en bois typique de ces établissements.

« Je ne sais pas si c'est convenable, dit-il en hésitant à le franchir. Je suis un criminel, et vous représentez le peuple. C'est un cornet d'infamie choisi par le peuple que je dois porter. »

Ils le poussèrent à l'intérieur.

Il bascula de l'autre côté du seuil.

Une dizaine de ces chapeaux pointus en papier blanc se dressaient sur une grande table, calée contre une fenêtre. Il n'était pas possible d'en déchiffrer les inscriptions depuis la porte.

Il n'y avait rien d'autre dans la salle de réunion, hormis cette table rectangulaire et ces hauts cornets, dont les ombres se reflétaient sur le parquet.

Sur chacun, le nom et le crime dont était accusé celui à qui il était destiné étaient inscrits verticalement, à l'encre noire. À la manière de ceux des condamnés à mort publiés sur les panneaux d'affichage des tribunaux, certains noms étaient barrés d'une croix rouge.

Yong Sheng les examina un à un et n'y trouva pas son nom.

« Le chef de la sécurité doit s'être trompé. Il n'y en a pas pour moi. »

Un courant d'air filtra par la fenêtre entrouverte, et les cornets, fabriqués dans du simple papier d'emballage, furent parcourus d'un léger frisson.

Ils faisaient, sous le vent, le même bruit que les affiches en papier des sentences de mort qui, à l'époque de la réforme agraire, étaient épinglées sur des tablettes en bois ou en bambou, dans le dos des gros propriétaires fonciers qu'on allait fusiller. De nouveau, Yong Sheng entendit les slogans d'alors bourdonner à ses oreilles, et il revit les images affreuses des condamnés, poussés en bas de la tribune où ils avaient été jugés, et traînés de force jusqu'à la plage, où, d'un coup de fusil dans la nuque, on leur faisait sauter la cervelle, qui se répandait sur le sable ensanglanté.

Les cornets pointus alignés sur la table étaient tous de hauteur différente. Le plus haut devait mesurer un mètre vingt et le moins haut un mètre.

« C'est comme pour les raviolis, pensa-t-il. Les premiers qu'on fabrique sont toujours plus grands et plus remplis de farce que les suivants. » Puis il songea que, peut-être, cette différence n'était pas aléatoire mais intentionnelle, et que la hauteur correspondait à la gravité du crime.

Il déchiffra d'abord le plus petit, pour constater, à regret, que le nom inscrit dessus n'était pas le sien.

Il continua par ordre de grandeur croissante, toujours sans trouver son nom.

Jusqu'au dernier, le plus haut.

Les rayons du soleil, qui frappaient la vitre de la fenêtre, se réfléchissaient sur le papier blanc, et, à cause de la réverbération, il ne parvint pas à en lire l'inscription.

Il reprit espoir. « Le chef de la sécurité s'est réellement trompé. Mon nom ne figure sur aucun cornet. »

Toutefois, il tourna le dernier, pour voir ce qui y était écrit. Son geste fut maladroit. Le plus haut des chapeaux pointus roula sur la table et tomba sur le sol, où il rebondit légèrement. C'est alors qu'il y vit un nom, rayé à l'encre rouge. Il sentit un voile noir lui obscurcir les yeux.

C'était son nom.

Son crime : pasteur contre-révolutionnaire.

Une pluie de crachats épais s'abattit sur le cornet d'infamie en papier.

C'était une honte immense, pour celui qui le portait.

On se sentait comme un rat acculé au coin d'une rue que les gens voulaient voir crever. Ces gens, les mêmes qui jadis s'inclinaient avec respect devant lui, leur pasteur, lorsqu'ils le rencontraient, lui crachaient à présent dessus. Même les enfants. De chaque côté, cette rue de Jiangkou était bordée de galeries, qui abritaient des petits commerces. Assises devant leur porte, des vieilles femmes, qui cousaient des chaussons en toile, lui lancèrent des bordées d'injures. La plus hargneuse se leva, une semelle à la main, et se posta devant lui, pour lui en cingler le visage.

« Voilà pour ta sale gueule de pasteur ! Prends ça sur la joue droite ! Et maintenant, tu tends la gauche ? »

La chaussée étroite était encombrée de charrettes à bras, de brouettes et de vélos, contre lesquels il se cognait régulièrement, la vue brouillée par ce cauchemar.

Crachotant des bouffées de fumée noire, un tricycle à moteur, la remorque pleine de briques et de tuiles, le croisa si rapidement que le souffle emporta son cornet.

Les badauds hurlèrent de rire en le voyant courir derrière pour le rattraper. Il vola jusqu'à une boucherie, où il retomba dans une flaque de déchets sanguinolents. Il se baissa pour le ramasser et le replaça soigneusement sur sa tête. Aux crachats déjà collés sur le papier se mêlaient à présent de longues traînées de sang.

Le chef de la sécurité qui l'escortait se dirigea vers le pont Taihe. La boutique de l'apothicaire Lin Zhongyi était fermée. Un groupe de gens étaient rassemblés devant la maison de sa famille, dont le mobilier, en partie renversé, avait été sorti dans la rue.

Yong Sheng y reconnut aussitôt le meuble préféré de Lin : un grand fauteuil de la dynastie des Ming. Il connaissait bien cette famille, chez qui il avait maintes fois récolté des dons pour son église. Lin Zhongyi s'asseyait toujours sur une chaise à haut dossier, son fils sur un tabouret en bois, et son petit-fils restait debout. L'antique fauteuil était réservé à l'invité. Quand l'épouse du patriarche était présente, elle prenait place dans un fauteuil à dossier rond, qui avait lui aussi été jeté sur le trottoir. Debout sur une charrette déjà surchargée, des jeunes, qui arboraient sur leur manche le brassard des Gardes rouges, tentaient d'y faire monter une coiffeuse finement ouvragée, en la tirant avec des cordes. Parmi les objets déjà entassés dans le véhicule, il reconnut un paravent, sur lequel figuraient les Huit Immortels, et une collection de vases rituels, utilisés lors des mariages ou des funérailles, auxquels Lin était particulièrement attaché.

« Ces gens-là se comportent vraiment comme des bandits », pensa-t-il.

« Tu as de la chance de ne pas avoir de maison, lui dit le chef de la sécurité. Sinon, nous, le peuple révolutionnaire, on aurait fait comme pour Lin Zhongyi. On t'aurait confisqué tous tes biens. Tu comprends ça ?

— Oui.

— De quoi je parle ?

— De confiscation.

— Et qui confisque à qui ?

— Le peuple révolutionnaire confisque les biens des réactionnaires. »

Soudain, il aperçut Lin Zhongyi, de l'autre côté de la charrette. Il était agenouillé sur le trottoir, devant un tas de disques en bakélite noire et un tourne-disque, qu'il fracassait à coups de marteau. Les fragments volaient et rebondissaient tout autour de lui. Certains retombaient sur les pavés, d'autres dans le caniveau.

Le pont Taihe était surmonté d'une galerie que la population nommait « le kiosque du pont ». C'était une structure en bois, soutenue par des colonnades à la peinture écaillée et surmontée d'un toit en ailes d'hirondelle, sous laquelle, d'ordinaire, des marchands ambulants vendaient des fruits et des pâtisseries. Aujourd'hui, les camelots étaient absents, et sur les bancs où se reposaient habituellement les passants étaient juchés une dizaine d'hommes, coiffés eux aussi du haut cornet d'infamie en papier.

Avant même que le chef de la sécurité ne lui en eût donné l'ordre, Yong Sheng grimpa sur le banc, à côté d'eux.

Sur son crâne trempé de sueur, le grand cornet qui le coiffait de honte ne cessait de glisser, comme si, sous le poids de son humiliation, son tour de tête avait rétréci. Il lui descendait à présent au niveau des sourcils.

Et il continuait de glisser.

Son visage était tellement crispé qu'il semblait plus petit

qu'à l'ordinaire. On eût dit qu'il cherchait à disparaître, pour échapper à la torture psychologique.

Au bout d'une heure, sa coiffe ridicule lui tombait carrément sur le nez. Il ne voyait plus grand-chose à travers l'épaisseur du papier blanc, sinon des silhouettes sombres. Seule l'eau qui coulait sous le pont, sur laquelle se reflétaient les rayons du soleil, lui apparaissait légèrement brillante. Mais elle finit elle aussi par s'obscurcir, sous la couche des crachats que les gens recommencèrent à lancer sur lui, en l'abreuvant d'insultes abominables.

Cette nuit-là, quand tous les autres furent endormis, il se rendit à l'atelier, mais cette fois, ce ne fut pas pour écrire avec le sang de sa langue. Il souleva le couvercle du grand coffre en bois de longanier relégué à l'arrière du tronc creux, où il prit les fragments d'aguilaire qu'il y avait cachés. C'était tout ce qu'il possédait. Si les autres les trouvaient, cela ne pourrait qu'aggraver son cas. Avec le Manchot, il alla discrètement les enterrer au pied d'un vieil orme, derrière le pressoir.

Le Manchot l'avait souvent entendu parler, de même que Helai, de cette merveilleuse résine aromatique, mais c'était la première fois qu'il en tenait entre les mains, et sitôt qu'il huma son parfum, il se sentit transporté dans le lieu secret où le pasteur bénirait son union avec Helai. Bien qu'ils provinssent tous de « l'arbre du pasteur », chacun possédait un arôme plus ou moins prononcé, selon l'époque à laquelle il avait été récolté. Il y avait dans le paquet des branches brisées par la tempête, à l'écorce bleuâtre et à la pulpe bleu profond, dont l'odeur fraîche évoquait celle du lotus. Pour le Manchot, elle évoquait surtout l'image de sa Helai, jeune étudiante sur le campus. L'essentiel de la collection se composait de fragments pourpres, que Yong Sheng avait arrachés aux fourmilières et aux nids de serpents. Quand il les porta à son nez, leur épais parfum sucré, légèrement lacté, lui rappela les effluves qui s'échappaient des pâtisseries françaises de Nankin et de Shanghai. Un parfum presque aussi grisant que celui de Helai, dans la fleur de l'âge.

Il y avait en tout six brindilles, dont trois petites, pas plus grosses que des os de poulet, de trois à huit centimètres. La quatrième était légèrement plus longue. Après une tempête, elle était restée plusieurs jours enfouie dans la boue, ce qui lui avait donné cette belle patine lustrée sur laquelle le clair de lune se reflétait. La cinquième était la plus surprenante de toutes : c'était une branche d'environ trente centimètres, dont le coude, plus foncé que le reste, était hérissé de trois épines tranchantes.

« Celle-là me fait penser à un vers du président Mao : "L'épée qui transperce le firmament garde sa lame immaculée", déclara le Manchot.

— Tais-toi ! dit Yong Sheng en posant un doigt sur sa bouche. Comment oses-tu citer le président Mao à tort et à travers ? Le firmament dont il parle, c'est le firmament du socialisme, le firmament du peuple. Et nous sommes des ennemis du peuple. Cette branche n'a rien à voir avec une épée.

— À quoi elle te fait penser ?

— À un thon. Ça ne se remarque pas quand elle est droite, mais si tu la couches, elle ressemble vraiment à un thon, avec sa grande bouche en arc. »

La sixième branche, Yong Sheng l'avait trouvée trois ans auparavant, dans la tanière d'un python, alors qu'il creusait une rigole. Elle devait elle aussi avoir été brisée lors d'une tempête, et le serpent, séduit par son odeur, l'avait probablement traînée jusqu'à son refuge. Au toucher, sa texture ressemblait à celle du charbon, mais, à certains endroits, suintait une matière visqueuse, légèrement grasse.

« Celle-là, je l'ai nommée le "mont Wuyi[1]", à cause de sa forme.

— J'aimerais bien savoir ce que ça sent, quand on en brûle un morceau, dit le Manchot en pensant à la cérémonie de mariage dont rêvait Helai. Certainement que tout enveloppé de fumée, il ressemble encore plus au mont Wuyi, avec son sommet toujours noyé dans un océan de nuages. »

Après avoir enterré les fragments aromatiques d'aguilaire, ils regagnèrent l'atelier en se promettant la plus grande discrétion, afin de ne pas attirer l'attention. Ils décidèrent même de ne plus s'adresser la parole, et de se comporter en parfaits étrangers. Comme leurs paillasses étaient voisines, ils convinrent qu'en cas d'urgence ils se préviendraient par des petits mots glissés sous leur couverture.

Un jour que le garçon qui menait les bœufs était malade, Yong Sheng fut désigné pour les faire tourner à sa place, autour de la grande meule circulaire.

Soudain, on entendit du brouhaha en dehors de l'atelier. Deux hommes, qui venaient de déverser des fruits concassés dans la cuve d'ébouillantage, descendirent en hâte les trois marches de l'estrade sur laquelle reposait le fourneau, pour aller voir ce qui se passait. De son côté, Yong Sheng continua

1. Montagne de la province du Fujian, célèbre pour la beauté de ses paysages, très fréquentée par les touristes.

d'aiguillonner les bœufs (l'aiguillon était en fait une simple canne de bambou) pour les faire tourner, sans prêter attention aux rumeurs extérieures. De temps à autre, il s'arrêtait pour ramasser les fruits, qui sautaient hors du cercle, et les remettre sur la meule.

La rumeur s'amplifia devant l'atelier.

Le bruit des voix finit même par couvrir les assourdissants craquements des fruits écrasés par la meule. Les ouvriers préposés au marteau s'arrêtèrent à leur tour, pour aller voir de quoi il retournait.

Au même instant, deux lycéens de quinze ou seize ans entrèrent dans l'atelier. Malgré la chaleur insupportable de cette journée d'été, ils étaient vêtus d'uniformes de l'Armée populaire de libération, défraîchis et trop grands pour eux. Ils portaient vraisemblablement les habits militaires de leurs bons révolutionnaires de pères, à ce détail près qu'au centre des casquettes vissées sur leurs têtes, l'étoile rouge à cinq branches avait été remplacée par un badge à l'effigie du président Mao. Sur leur poitrine était épinglé l'insigne blanc du lycée n° 5 de Putian, où Helai enseignait.

« C'est toi, Yong Sheng ?

— Oui. »

Ils le traînèrent à l'extérieur de l'atelier, où la foule s'était amassée. Il baissa aussitôt les yeux. En dehors d'un groupe de lycéens, il n'y avait que des gens de Jiangkou que la curiosité avait attirés.

Tête baissée, le corps profondément incliné, il n'osait les regarder.

Tous s'étaient tus, à son arrivée. Dans ce silence de mort, seul se fit entendre le grincement des barreaux d'une échelle, sur laquelle on grimpait.

Yong Sheng y jeta un coup d'œil furtif, et aperçut une femme juchée au sommet, un dazibao dans une main, un seau dans l'autre.

Les reflets du soleil sur le métal du seau l'éblouirent, et il pensa que ses yeux, frappés par l'éclat brutal de la lumière, lui jouaient des tours, car la femme, en haut de l'échelle, ressemblait étrangement à Helai.

Il ferma les yeux, sans plus oser les rouvrir.

Il entendit le bruit d'une brosse qu'on plongeait dans le seau, et une odeur de colle de farine lui emplit les narines.

Puis ce fut un bruit de brosse, qui badigeonnait un mur, et enfin celui d'un dazibao, appliqué sur de la colle.

Un tonnerre d'applaudissement et de cris d'encouragement salua l'action de la colleuse, avec autant d'enthousiasme que s'il se fût agi d'une action hautement héroïque.

Yong Sheng n'osait toujours pas ouvrir les yeux.

La femme répondit à la foule en hurlant un slogan révolutionnaire.

Dieu que sa voix ressemblait à celle de Helai !

« Avoir été dupé n'est pas un crime ! »

Il perçut chacun des mots, sans pourtant comprendre le sens de la phrase. De qui parlait-on ? Qui avait dupé qui ?

La foule révolutionnaire reprit le slogan derrière elle.

De nouveau, elle cria :

« L'important, c'est de dénoncer les dupeurs ! »

Bien que ne sachant toujours pas de quoi il était question, il ouvrit la bouche, pour brailler avec les autres.

Levant enfin la tête, il la reconnut. Mon Dieu ! C'est bien elle ! Ma Helai ! Elle frappait l'affiche fiévreusement de la paume de la main, comme pour s'assurer qu'elle ne se décollerait pas au premier coup de vent.

Il put enfin lire le titre du dazibao : «L'ignoble secret d'un pasteur, qui prétendait recopier les œuvres du président Mao avec son sang.» Il voulut faire un pas en arrière, pour lire la suite, mais sa vue se brouilla, et il s'effondra sur le sol.

Lorsqu'il se réveilla, il ne portait plus le haut cornet d'infamie en papier, mais une plaque de ciment de dix kilos était attachée à son cou.

Au-dessus était collée une feuille, avec ces inscriptions :

Nom du chien : Yong Sheng.
Âge : 55 ans.
Statut : Pasteur contre-révolutionnaire.
Lieu de naissance : Putian.
Adresse : Pressoir à huile de Jiangkou.
Principal crime : Tromperie aggravée. Reproduction secrète de
    la Bible, avec le sang de sa langue.
Les masses révolutionnaires qui le croisent doivent le molester.

CHAPITRE 5
Le pressoir en ébullition

L'héroïne qui venait de dénoncer son père ne se satisfit pas de cette victoire. Professeurs, élèves et employés du lycée n° 5 vinrent lui témoigner leur soutien, avec les armes de la Révolution culturelle : du papier, de l'encre, de gros pinceaux, et un seau de colle de farine, dont l'odeur écœurante envahit le pressoir. C'étaient eux qui avaient transporté en cyclo-pousse, de Putian à Jiangkou, la plaque de ciment que Yong Sheng portait autour du cou.

Cette plaque était un pur produit de l'usine rattachée au lycée n° 5[1]. Trois ouvriers en avaient conçu l'idée originale, un groupe de professeurs de physique l'avait élaborée, et de là on avait réalisé des moules. À présent, les plaques étaient produites en grandes quantités et envoyées gratuitement dans tous les coins de la province. Les premiers à les avoir testées étaient seize employés du lycée, déclarés ennemis du peuple. Chaque matin, une plaque de ciment suspendue au cou, ils avaient dû faire le tour de l'établissement sur les genoux, puis

---

1. Durant toute la période de la Révolution culturelle, chaque établissement scolaire était rattaché à une usine, où les élèves allaient travailler au contact des ouvriers, afin de former leur pensée révolutionnaire.

passer à quatre pattes sous une haie de pupitres et de bancs de trente centimètres de haut, appelée « la niche du chien ».

L'atelier du pressoir ne disposait pas de table pour permettre aux professeurs et lycéens de rédiger leurs affiches. Qu'à cela ne tienne ! Entonnant le chant intitulé « L'Armée rouge ne craint pas les épreuves de la Longue Marche », ils étalèrent les feuilles de papier par terre, et, sous la houlette de Helai, ils tracèrent à grands coups de pinceau des slogans, dont chaque mot claquait comme une balle en plein cœur du pasteur contre-révolutionnaire.

« Si l'ennemi ne capitule pas, qu'on le condamne à mort ! »

« Écrasons la tête de chien de qui ose falsifier les paroles du président Mao ! »

« Nous préférons mourir plutôt que laisser les réactionnaires attaquer notre Grand Timonier ! »

Ce jour-là, la commune populaire de Jiangkou fut presque totalement paralysée. Les habitants des villages environnants et les pêcheurs des bateaux qui mouillaient dans le coin prirent d'assaut le chemin de la colline, en direction du pressoir à huile. De nombreuses femmes firent le déplacement avec leurs enfants, dont certains marchaient à peine. Personne ne voulait rater l'événement ; des affaires pareilles, il ne s'en présentait pas tous les jours. Une mère, qui venait d'accoucher, arriva même avec son bébé à la mamelle, afin qu'il fût lui aussi témoin de ce moment capital de l'histoire régionale.

Le dernier rassemblement de cette ampleur avait eu lieu un mois plus tôt, lors de la réunion de critique du vieil économe de la cantine : pour l'occasion, une tribune avait été aménagée avec les battants de porte de la salle de réunion de l'ancien temple. La cour, qui pouvait contenir près de deux cents personnes, était noire de monde. La foule était si compacte que même les bambins avaient peiné à se faufiler entre les jambes des adultes. Des centaines de badauds avaient été obligés de rester à l'extérieur du bâtiment. Ils en avaient été terriblement dépités, et pendant des semaines, ils avaient supplié les chanceux qui avaient pu entrer de leur raconter ce qu'ils avaient vu. Ces derniers, avec des mines entendues et des effets de voix étudiés, leur avaient complaisamment mimé le chef de la cantine, avouant le détail de ses relations coupables avec les cinq Fleurs d'Or.

Quand la grande chaumière de Yong Sheng lui avait été confisquée, pour y établir un pressoir à huile, l'ancien dortoir des orphelins était devenu celui des ouvriers, la chambre du pasteur avait été transformée en garde-manger, et une autre pièce aménagée en latrines, à l'usage des travailleurs. Mais comme tous étaient des hommes, les femmes venues pour assister à la séance de critique ne surent où faire leurs besoins.

Après avoir écrit quelques slogans sur des affiches, l'héroïne du jour, qui avait changé de camp, partit brusquement en courant. Le Manchot, qui attendait depuis le début de lui parler en tête à tête, en profita pour la suivre. Il supposait qu'elle avait un besoin pressant. Le souvenir de Hong Zhujiu, le médecin-chef de l'hôpital de Putian (qui était lui aussi un ennemi du peuple), lui revint à l'esprit. Il avait été accusé d'avoir exprimé une thèse contre-révolutionnaire, selon laquelle hurler des slogans et cambrioler une maison avaient le même effet sur l'être humain : ces deux émotions agissaient pareillement sur les sphincters. On retrouvait souvent des déjections humaines sur les lieux des cambriolages. De même, on racontait qu'au début des années cinquante, la population d'une minorité nationale était venue assister à une réunion politique. Selon leur coutume, les hommes comme les femmes portaient tous de longues jupes. Ils s'étaient assis par terre, et avaient crié des slogans avec autant d'enthousiasme et de ferveur que les autres. Mais quand ils s'étaient levés, à la fin de la réunion, on avait découvert qu'ils avaient tous chié sous eux.

Le Manchot songea avec amusement que les thèses du docteur Hong s'appliquaient aussi à la vedette du jour, contrainte de quitter ses nouveaux amis révolutionnaires, pour aller se soulager.

Afin de ne pas attirer l'attention, il la suivit de loin.

Bien que le brasier de la Grande Révolution culturelle se fût propagé jusqu'à Jiangkou, on n'avait toujours pas installé de latrines publiques pour femmes, dans la galerie pluricentenaire du pont Taihe. Helai fut obligée de traverser la rue principale et de longer quantité de boutiques, pour se rendre à l'intérieur de l'ancien temple, où se tenaient les bureaux de la commune.

Les latrines, ce joyau de la civilisation contemporaine, étaient divisées en deux. Sur la porte de gauche était dessinée la tête d'une femme. Le côté des hommes avait une porte à deux battants, dont l'un, en partie sorti de ses gonds, était fortement incliné vers l'intérieur. L'autre avait disparu. Peut-être l'avait-on arraché pour en faire du bois de chauffage, ou emprunté pour installer une tribune, lors d'une réunion de critique.

La Manchot avança avec prudence, pour éviter de recevoir la porte sur la tête, et se faufila à l'intérieur, où il fut assailli par une nuée compacte de mouches. Par chance, il n'y avait personne. Le sol était trempé de flaques jaunâtres, et on ne savait si elles étaient dues à la pluie qui s'infiltrait par le toit ou à des gamins – les rejetons de cadres du Parti –, qui s'étaient amusés à qui pisserait le plus loin depuis la porte. Pour le reste, on eût dit que les hommes qui s'étaient soulagés ici avaient charrié avec eux toute la poussière des chantiers, la gadoue des rizières et la boue des chemins, car l'endroit était d'une sale couleur fangeuse. L'accumulation de crachats, de mégots écrasés et d'excréments avait fini par former une croûte brunâtre sur les murs badigeonnés à la chaux. Une planche, longue de plusieurs mètres, était percée et les usagers s'y asseyaient, les uns à côté des autres, sans aucune intimité. Sous la planche était creusée une fosse d'une insondable profondeur, de laquelle montait une odeur suffocante de déjections et d'ammoniaque.

Un mur épais, sans aucune ouverture, séparait ces latrines de celles des femmes, afin de les protéger du voyeurisme, d'autant que les usagères étaient pour la plupart des cadres du Parti, dont la vertu était sacrée. (Les moins gradées étaient les cinq Fleurs d'Or des cuisines.) Pour tous les vicieux de Jiangkou, ce mur était un vrai crève-cœur.

Nul ne connaissait son épaisseur exacte, mais à en juger par le niveau sonore des bruits et des voix qui parvenaient depuis l'autre côté, elle était d'au moins trente centimètres. Une balle n'eût pu le transpercer. Aussi, quand le Manchot crut entendre pleurer un bébé, ce fut en fait une plainte étouffée, comme derrière une porte insonorisée, qu'il perçut. Longtemps après, chaque fois que ces petits cris lui revenaient en mémoire, il se disait qu'il avait peut-être distingué l'appel d'un embryon, dans l'utérus de sa mère. De l'autre côté du mur, il entendit une femme quitter les latrines. Au bruit des pas, il reconnut que ce n'était pas Helai. Il supposa que c'était la mère du bébé, et colla l'oreille contre le mur de séparation.

Une femme vomissait.

« Helai, c'est moi. On peut se parler ?

— Oui, je suis seule. Je t'ai vu me suivre.

— Pourquoi ne pas m'avoir averti de ce que tu allais faire ? Il n'y avait que le ciel, la terre, lui et moi, à savoir qu'il avait recopié un passage de la Bible. Ça fait de moi un dénonciateur, pour le moins ton complice. Or je n'ai jamais dénoncé personne. Il y a encore quelques semaines, tu voulais te marier religieusement, et aujourd'hui tu le dénonces. Tu as tourné le dos à…

— Tais-toi et laisse-moi parler ! Je suis… Tu m'entends ?

— Oui. Tu es quoi ?

— Je n'ai pas eu mes règles, le mois dernier. Depuis quelques jours, j'ai des nausées. Je n'arrête pas de vomir.

— Tu es allée à l'hôpital ?

— Oui.

— Tu es enceinte ?

— Oui. C'est pour ça que j'ai décidé d'écrire ce dazibao. »

Le Manchot éclata d'un rire si sonore qu'il fit s'envoler une armée de mouches et les quelques oiseaux perchés sur le fil télégraphique, au-dessus du toit des latrines.

« Ça te fait rire ! Tu es vraiment incroyable ! Tu ne peux pas être plus discret ?

— Pardon, je n'ai pas pu m'en empêcher. Sais-tu que tout à l'heure, j'ai cru que tu confirmais les thèses du docteur Hong ?

— C'est quoi, ça ?

— Laisse tomber. C'est un truc sur ce qui lie les cambrioleurs et les révolutionnaires : une irrépressible envie de faire caca.

« — Au départ, j'étais venue faire pipi. Mais à peine entrée, j'ai eu envie de vomir.

— J'ai entendu, mais je ne savais pas que c'était toi et que ce bruit, de l'autre côté du mur, était celui de mon bonheur. Dieu soit loué ! Tu sais que je suis converti. Ta grossesse est un cadeau du Seigneur. Je voudrais pouvoir passer de l'autre côté du mur, pour entendre les battements du cœur de notre bébé.

— J'admets que j'ai trahi Yong Sheng, mais je devais le faire pour que plus tard, notre enfant n'ait pas à souffrir d'avoir pour grand-père un pasteur contre-révolutionnaire.

— On en reparlera après, mais je ne suis pas de ton avis.

— J'entends quelqu'un. On n'a plus le temps. Toi aussi tu dois dénoncer Yong Sheng.

— Tu veux que je dénonce ton père ?

— Il n'est pas mon père !

— Que veux-tu que je dise ?

— Ce que tu voudras. Si tu ne le fais pas, c'est toi qui en subiras les conséquences.

— Je n'ai aucune idée de ce que je pourrais dire.

— La révolution a besoin d'actes, pas de cogitations. Si tu ne le fais pas pour toi-même, fais-le pour ton enfant ! Je me demande ce que j'ai fait pour tomber sur pareil irresponsable ! »

Au début de l'après-midi, le temps changea brusquement, et le ciel se teinta d'une angoissante couleur d'encre. Afin de se prémunir d'une possible averse estivale, les élèves et professeurs du lycée n° 5, en accord avec les paysans révolutionnaires du coin, décidèrent de ne pas tenir la réunion de critique de Yong Sheng sous le grand dazibao marxiste-léniniste collé par

Helai, mais à l'intérieur de l'atelier, où ils installèrent la tribune autour de l'estrade du fourneau.

Les paysans présents depuis le matin étaient rentrés déjeuner chez eux, mais sitôt leur repas pris, ils revinrent avec leurs enfants, et des tabourets bas pour s'asseoir. Assister à une séance de critique n'était pas un acte gratuit. Selon le barème en vigueur, une demi-journée de présence rapportait cinq points à un homme, quatre à une femme, trois aux vieillards, aux malades et aux handicapés. Quant aux cadres non rémunérés par l'État, ils touchaient une prime, en plus de leur salaire régulier.

Le Manchot, en tant qu'ancien droitier réhabilité, jouissait théoriquement de ses droits civiques, mais en pratique, il n'était jamais autorisé à assister à une réunion politique de la commune. Non pas qu'on lui refusât la petite compensation financière ou la journée de repos qu'impliquait une participation à de tels rassemblements – pour les paysans et les ouvriers c'était moins dur qu'une journée de travail –, mais son statut de « consigné » le mettait à part. Chaque mois, en tant que boucher en attente d'emploi, il était rémunéré par le district, qui ne l'autorisait pas à assister aux meetings et l'obligeait à travailler. Cet après-midi-là, le chef d'atelier lui confia donc la tâche de mener les bœufs au bord de la rivière et de couper du fourrage.

Il conduisit les bêtes jusqu'à la jetée, le cœur empli du bonheur d'être bientôt père. Plus encore que du bonheur, il ressentait une folle ivresse ; il avait la sensation que le sol s'était amolli sous ses pieds. De la jetée, il embrassa du regard les prairies et la rivière de sable blanc, que Yong Sheng lui avait fait découvrir. En tournant la tête, il aperçut la frondaison du grand aguilaire, dressé devant le pressoir.

Il s'assit sur l'herbe et regarda paître les bœufs. À cet instant, un rayon de soleil perça les nuages noirs et éclaira leurs corps, dont le pelage roux prit des reflets rougeâtres. À mesure que la lumière s'intensifiait, leurs ombres s'allongeaient sous eux. Puis le soleil disparut, et avec lui, leurs ombres s'évanouirent. L'herbe sur laquelle ils pâturaient perdit elle aussi ses chatoiements cuivrés. La menace d'une averse semblait s'éloigner. Un oiseau se percha sur le dos d'un buffle, pour en picorer les parasites. Le Manchot les fit entrer dans l'eau, où il les arrosa et nettoya les saletés collées à leurs paupières. C'était là que, dans son enfance, Helai aimait courir pieds nus et ramasser des cailloux pour faire des ricochets.

Soudain, il songea à la séance de critique de Yong Sheng, et sa joie de devenir père s'assombrit d'un coup. Instinctivement, il sentit qu'il devait retourner à l'atelier et monter à la tribune pour le dénoncer. S'il ne le faisait pas, Helai ne le lui pardonnerait jamais.

« Je me demande ce que j'ai fait pour tomber sur pareil irresponsable ! » Le souvenir de la phrase qu'elle avait prononcée lui restait sur le cœur.

Yong Sheng était-il si irréprochable ? Ne pouvait-il pas lui trouver une faille ? Était-il vraiment un modèle de rééduqué ? Avoir recopié un passage de la Bible était-elle sa seule et unique erreur ? Qu'avait-il bien pu commettre d'encore plus terrible ?

« Helai sait qu'il m'a baptisé, se dit-il. Mais elle ne l'a pas mentionné dans son dazibao, de crainte que je sois moi aussi puni. »

À force de tourner et de retourner le problème en tous sens, il finit par trouver quelque chose d'assez fort, qui n'entraînerait pas pour autant sa condamnation à mort. Cela s'était produit cette année, à la période la plus fébrile, que les paysans nommaient « le mai rouge », quand ils devaient à la fois récolter le blé et planter les jeunes pousses de riz. L'activité était telle que le pressoir à huile fermait et que les ouvriers étaient renvoyés dans leurs villages, pour participer aux travaux agricoles. La commune populaire organisait alors de grandes réunions, pour haranguer les troupes avant la bataille, au cours desquelles les communistes et les membres de la Ligue de la jeunesse faisaient serment de remporter la victoire pour le Parti. Yong Sheng et le Manchot avaient été envoyés repiquer des plants dans les rizières, où ils avaient passé leurs journées les pieds dans la boue, sous un soleil de plomb. Au bout de quinze jours, leurs jambes étaient comme mortes et leurs corps perclus, mais tête baissée, ils avaient continué à travailler, sans jamais oser se plaindre. Ils savaient qu'à la fin de cette période les dirigeants de la commune réuniraient tout le monde pour faire le point, et que la moindre faute commise par un ennemi du peuple serait qualifiée de « sabotage ». À force de travailler courbés, ils ne parvenaient même plus à se redresser, à la fin de la journée. Toutefois, ils étaient conscients que si leurs plants de riz n'étaient pas parfaitement alignés, mais légèrement zigzagants, ils seraient accusés d'avoir « subverti la production agricole de la Révolution ». Un après-midi, on les avait envoyés réparer une des levées de terre qui séparaient les rizières. Durant des heures, Yong Sheng avait répété le même geste : enfoncé dans l'eau jusqu'aux genoux, il avait plongé ses bras au fond de la rizière, pour en rapporter de grosses poignées de boue, qu'il avait jetées sur le remblai à consolider. De sa seule main, si habile qu'on eût plutôt dit une truelle de maçon, le Manchot avait enduit le remblai à une vitesse vertigineuse, jusqu'à obtenir une levée de terre assez haute pour retenir l'eau des rizières. Sa surface était si parfaitement lissée qu'elle ressemblait à celle d'un miroir. Le soleil leur brûlait la peau, et, au bout de quelques heures dans cette fournaise, leur soif avait atteint la limite du supportable. Soudain, Yong Sheng lui avait raconté une anecdote du temps qu'il était étudiant en théologie, à Nankin : un de ses professeurs, un missionnaire allemand, lui avait fait un jour goûter un vin de Bourgogne, importé de France. Il se souvenait encore de la profondeur de sa robe, de son parfum, qui avait titillé ses narines, et de sa saveur gouleyante, qui avait réjoui ses papilles et s'était répandue dans tout son corps.

« Oh, là là ! avait-il murmuré, en poussant un long soupir. Aujourd'hui, sans parler de ce divin breuvage, je pourrais mourir pour une simple gorgée d'eau de riz fermenté. » Il va sans dire que cette phrase constituait un crime : elle était imprégnée de nostalgie envers les valeurs de l'impérialisme et de haine à l'égard de la patrie socialiste.

Le Manchot posa sa hotte sur le sol et se mit à couper du fourrage, tout en continuant à fouiller sa mémoire, à la recherche d'un autre faux pas de Yong Sheng qu'il pourrait dénoncer.

« Bon sang ! s'écria-t-il. Comment ai-je pu oublier ses bouts de résine d'aguilaire ? »

Quand sa hotte fut pleine, il la chargea sur son dos, et courut vers l'endroit où ils les avaient enterrés ensemble. La séance de critique n'avait peut-être pas encore commencé, et ses révélations allaient sans doute faire l'effet d'une bombe. Il imaginait déjà le vieux pasteur s'effondrer sous le coup de l'explosion. Il courait si vite, que les roseaux et les jeunes pousses de bambou, qu'il avait placés au-dessus du fourrage, ballottaient follement dans sa hotte.

« Helai, j'arrive ! Je vais te montrer que tu te trompes sur moi ! »

Un fil métallique cisaillait le cou de Yong Sheng, agenouillé sur le sol.

La plaque de ciment de dix kilos y exerçait une pression telle que l'acier pénétrait profondément dans sa chair. La large tuméfaction qui s'était formée autour ne cessait de gonfler. Ses vertèbres cervicales semblaient sur le point de se briser.

La boursouflure entourait sa nuque trempée de sueur comme un gros ver brunâtre, qui se fût glissé dans les profonds sillons de sa peau à vif. À la saillie des vertèbres, l'inflammation montrait une vilaine couleur couperosée.

Avoir passé des heures à genoux sur une planche avait mis ses rotules au supplice, surtout celle de la jambe droite. Il avait la sensation qu'elle était en miettes. Pour la soulager, il tenta de porter son poids sur le genou gauche, mais ce changement de position déséquilibra la plaque de ciment suspendue sur sa poitrine, ce qui le fit basculer vers l'avant. Il en fut si effrayé qu'il se mit à suffoquer. On pouvait voir ses côtes monter et descendre spasmodiquement, sous son maillot de corps. La boursouflure sur sa nuque vira au violet.

La plaque de ciment finit par se stabiliser. Il s'en était fallu de peu qu'il ne se fût écroulé sur le sol.

De grosses gouttes – non pas de pluie, mais de sa sueur – ruisselaient comme des larmes sur son visage barbu, et se rejoignaient à la pointe de son menton, en longs filets scintillants qui tombaient sur le bois, dont ils pénétraient les veines. Une flaque s'était formée sous sa tête baissée.

Son maillot trempé de sueur collait à sa peau. La transpiration plaquait ses cheveux sur son crâne. Ses mèches poivre et sel étaient si mouillées qu'on eût dit qu'il avait un paquet d'algues sombres sur la tête. Son pantalon était déchiré à plusieurs endroits. À la jonction de sa jambe et de sa cuisse, s'était formée une sorte d'écume brunâtre.

Il songea que les concepteurs de la plaque de ciment étaient d'une intelligence redoutable. Ils avaient vraiment été inspirés. Avec leur invention, ils avaient écrit, au vingtième siècle, un nouveau chapitre des lois de la gravité : plus le fil de fer sur lequel reposait le poids de la plaque était fin, plus la gravité en démultipliait la pesanteur.

Il leva la tête, et, à travers la sueur épaisse qui brouillait ses yeux, il aperçut devant lui le visage de Mao, comme une apparition confuse, entourée d'un halo trouble. C'était un portrait du président que ses accusateurs avaient installé devant lui, pour la réunion de critique.

« Président Mao, je suis vraiment incurable. Mon infection idéologique est trop grave. Vous me donnez l'occasion d'être critiqué par les masses, mais, alors que je suis à genoux devant vous, mon cerveau malade se préoccupe encore des notions physiques que j'ai étudiées à la faculté de théologie, et la seule chose à laquelle je suis capable de penser, c'est la loi de la gravité découverte par un Occidental. Grâce à votre Révolution culturelle, j'espère pouvoir enfin rompre à jamais les liens qui m'attachent encore à la pensée des impérialistes. »

L'averse attendue ne tomba pas.

Dans l'après-midi, la lueur sautillante d'un timide rayon de soleil frémit sur le drapeau rouge planté sur le tronc creux du pressoir à huile, avant de s'élancer sur un second drapeau, posé de travers contre un mur. Puis il s'éleva vers le portrait de Mao que Helai avait dessiné des années plus tôt, et s'attarda un instant sur ses cheveux de jais parfaitement peignés, qu'il anima de reflets dorés. Il darda ensuite la tribune improvisée, dressée sur la plateforme du fourneau, éclaira les visages des paysans assis tout autour, sembla jouer à cache-cache avec les enfants qui gambadaient entre les tabourets, se réverbéra sur les lunettes des professeurs du lycée n° 5, illumina les poings levés de la foule qui hurlait des slogans assourdissants, et, tout en faisant danser la poussière sur son passage, il s'arrêta enfin sur les jeunes pousses de bambou qui dépassaient d'une hotte, auxquelles le tressautement de la lumière donna l'aspect de plumes virevoltantes.

Le Manchot était le seul à savoir qu'au fond de son panier, cachée sous le fourrage fraîchement coupé, se tenait la preuve du crime de Yong Sheng, qu'il venait de déterrer : des fragments aromatiques d'aguilaire.

D'un pas décidé, il monta les trois degrés qui menaient à la tribune. Il y avait bien longtemps qu'il n'avait marché avec tant d'assurance. En cet instant, il n'était plus le pauvre hère soumis, qui courbait l'échine devant tout le monde, mais le héros de jadis, à l'allure fière, dont les coups de colère effrayaient les nuages et le vent. Celui qui n'avait qu'à lever le bras pour enflammer les foules. Le terrible Manchot ! Avec les bambous qui ballottaient dans sa hotte, au rythme de ses pas fébriles, il ressemblait à l'un de ces généraux imposants et redoutables des opéras de l'ancienne époque, dont le dos de l'armure était bardé de flèches.

Agenouillé sur la deuxième marche de l'estrade, la tête presque à ras du sol, Yong Sheng se mit à trembler.

Le Manchot lança un regard empli de fierté à Helai, qui avait pris la parole pour dénoncer son père.

Elle ne lui prêta pas plus d'attention qu'à un étranger. Il en fut si déstabilisé que lorsqu'il se débarrassa de sa hotte pour la poser par terre, son geste fut aussi maladroit que celui d'un clown feignant d'être empêtré dans des lanières. Les gens assemblés autour de la tribune eurent l'impression d'assister à un numéro de cirque, dans lequel un illusionniste s'apprêtait à faire surgir un lapin blanc, une colombe, ou une poule en train de pondre. Ce ne furent que des roseaux et des jeunes bambous qui s'échappèrent de la hotte et se répandirent sur le sol, déclenchant l'hilarité générale. De nouveau, il chercha le regard de Helai ; de nouveau, elle refusa l'échange, les yeux rivés sur le peuple révolutionnaire groupé devant la tribune.

Pauvre Manchot ! Avant qu'il n'eût prononcé le moindre mot (il avait fini par comprendre l'attitude de Helai, visiblement soucieuse de montrer aux autres qu'elle n'avait rien à voir avec lui, et cette constatation lui avait cloué les lèvres), le chef de la sécurité le rejoignit et lui lança cette phrase, qui résonna à ses oreilles comme un coup de tonnerre, et le laissa désorienté.

« Tu as un sacré culot ! Tu as oublié que tu n'as pas le droit de te mêler aux paysans ? »

Helai tourna la tête de l'autre côté, pour ne pas le voir.

« J'ai récupéré mes droits civiques », répondit-il d'une voix tremblotante.

Le chef de la sécurité le reprit sévèrement :

« Ce n'est pas pour autant que tu fais partie du peuple. C'est entre les mains du peuple que sont tes droits civiques. Et le peuple peut, à tout moment, décider de te les confisquer encore. »

Il leva le poing en direction de la foule, et se mit à hurler :

« Les droitiers sont aux ordres du peuple ! Il leur est interdit de parler et d'agir à tort et à travers ! »

Tous imitèrent son geste, et reprirent ses paroles en chœur. Soudain, dans la forêt de poings levés, le Manchot en reconnut un, qui lui était familier. Combien de fois n'en avait-il caressé, du bout de la langue, le moindre creux, la moindre bosse ? À présent, il était brandi sous son nez. Le bien-aimé poing de Helai. Elle ne l'agitait pas que pour la forme, mais avec une ferveur fanatique, tout en braillant le slogan à tue-tête.

« Regardez ! Il y a le pasteur qui chiale ! » Ce cri, jailli de la bouche d'un enfant, détourna l'attention des participants.

Le Manchot se tourna vers lui et vit effectivement le dos de Yong Sheng secoué par les sanglots.

À la tribune, un jeune révolutionnaire, vêtu du maillot de l'équipe de football du lycée n° 5, se leva pour donner un grand coup dans les côtes du vieil homme, dans un dégagement au pied digne d'un joueur professionnel. Le choc fut si violent qu'il le fit dégringoler d'une marche. Le fil de fer glissa de sa nuque. Aussitôt, à la manière d'une bête sauvage libérée de ses entraves, la plaque de ciment bondit vers le sol, brisa sur son passage quelques fragments de marches, et percuta violemment un tabouret, dont les pieds volèrent en éclats. La paysanne révolutionnaire dont c'était le siège se retrouva les quatre fers en l'air. Au terme de la dégringolade, la feuille de papier sur laquelle était inscrit le crime de l'ancien pasteur était si fripée et déchirée que la plupart des mots en étaient illisibles.

Les insultes de la paysanne en colère et les cris de fureur des autres emplirent ses oreilles, tandis que des mains l'empoignaient pour le relever, lui remettre la plaque autour du cou et le forcer à s'agenouiller de nouveau sur l'estrade.

Qui était responsable de ce qui venait de se produire? Ce serait peut-être un futur sujet de dispute dans le couple. Selon le Manchot, Helai en portait la responsabilité. Et selon Helai? Elle ne voudrait jamais répondre à la question, mais en insistant un peu, elle accuserait sans doute l'aguilaire.

L'incident fâcheux troubla le Manchot, sans toutefois entamer sa lucidité.

« Puisqu'elle n'ose pas montrer en public qu'elle me connaît, se dit-il, c'est qu'elle a une pensée affreuse en tête, tout en lisant son texte ridicule: celle qu'un homme qui n'a même pas le droit d'assister à un rassemblement de paysans ne peut pas être le père de son enfant. »

Il avait une trop grande expérience de la lutte des classes pour se satisfaire de cette simple analyse.

Il se demanda comment étouffer dans l'œuf la possibilité d'une telle trahison.

Après sa tentative de monter à la tribune, les miliciens l'en avaient chassé, en envoyant bouler sa hotte derrière lui. Par miracle, les fragments aromatiques d'aguilaire étaient restés au fond. Ils étaient son salut.

« Si j'en brûlais un bout? Qui sait, son odeur empêcherait peut-être Helai de me trahir honteusement? »

Il avait été refoulé de la tribune, mais il était toujours dans l'atelier. Les professeurs et lycéens révolutionnaires étaient assis devant l'estrade, et, entre l'arrière du fourneau et la meule circulaire, il n'y avait personne. L'atelier avait été aménagé dans la chaumière du pasteur et le fourneau, installé sur la tribune depuis laquelle il faisait ses sermons. Son ouverture faisait ainsi face à la foule. Jadis, l'espace était divisé en deux parties, séparées par un rideau : le côté gauche était réservé aux hommes, le droit aux femmes. L'acoustique architecturale avait été bien pensée. C'était à la place où se tenait le pasteur que la propagation et la réception du son étaient les meilleures. À l'arrière de l'atelier, là où se trouvait le Manchot, la résonance des cris de la foule et des prises de parole des accusateurs était moins intense, plus étouffée.

Il se faufila derrière le fourneau. La tribune d'origine, quand l'atelier était encore une église, était une plateforme en pierre, à laquelle on accédait par trois marches en bois, qui en faisaient le tour. Pour les besoins de la réunion, les révolutionnaires en avaient élargi l'avant avec des planches de bois et des battants de porte, mais ils n'avaient pas réaménagé l'arrière, qui restait ouvert.

Il se glissa à quatre pattes sous les marches.

La lumière ne filtrait presque pas, sous la plateforme, et il se retrouva pratiquement dans le noir. Le sol était inégal et très humide, comme infiltré par l'eau qui bouillait en permanence dans la cuve. Soudain, sa tête cogna si fort contre une des pierres qui soutenaient les marches qu'il en vit trente-six chandelles. Contre une autre, il s'égratigna le cou.

« Quel empoté ! pesta-t-il contre sa propre maladresse. Dire que quand j'étais soldat je me faufilais à l'intérieur de barbelés, pour les couper à la cisaille ! »

Il crapahuta jusqu'à l'avant de la tribune. Les marches étaient à claire-voie, mais comme la plus basse reposait sur des blocs de pierre, cela lui offrait un espace d'une trentaine de centimètres de hauteur, pour se dissimuler. Allongé à plat ventre sous cette première marche, il n'était qu'à quelques pas de la foule. Il entendait, au-dessus de lui, la voie pleurnicharde de Helai, dont le discours était régulièrement ponctué par les cris des paysans déchaînés.

Il déplorait que deux autres marches le séparassent du plancher de la tribune, sans lesquelles il eût pu allumer la résine aromatique aux pieds adorables de la jeune femme. Il ignorait si c'était pour grimper plus aisément à l'échelle et coller le grand dazibao, ou pour montrer aux paysans qu'elle était des leurs, mais ce jour-là elle ne portait pas de chaussures. Il imaginait déjà les volutes de fumée parfumée s'insinuer entre ses orteils et envelopper ses chevilles.

Le deuxième orteil de son pied gauche était plus long que le pouce.

« Helai, soupira-t-il en faisant le signe de la croix, dès que tu sentiras cette odeur, tu ne songeras plus à me critiquer ou à me trahir. »

Il prépara le « thon ».

Il songea d'abord à en prélever un minuscule morceau et à le brûler sur la pointe de son canif, pour se faire une idée de l'effet produit. Puis il changea d'avis, et décida de le traiter comme une offrande. Il le déposa solennellement sur une marche.

De sa seule main, si experte, il craqua une allumette. Ce geste lui rappela un film américain, qu'il avait vu à l'époque de ses études, dans lequel les cow-boys allumaient toujours leurs cigarettes en frottant d'une seule main une allumette contre les talons de leurs bottes. Cette similitude le fit sourire.

De la large bouche du « thon » s'éleva un filet de fumée, dont le suave parfum, légèrement lacté, se répandit autour des marches.

C'était la première fois qu'il sentait semblable odeur, dans laquelle se mêlaient des notes de miel, de lait et de soie. Il se hissa tout près du fragment, les narines dilatées, pour en inhaler avidement les vapeurs, comme un drogué devant une ligne de cocaïne. Puis il souffla dessus pour en accélérer la combustion, de façon que les effluves s'élevassent jusqu'à la troisième marche et atteignissent enfin l'estrade.

« Vas-y! Exerce ton charme ensorcelant sur la femme qui parle à la tribune. Fais-lui sentir ton parfum miellé, dont elle a si souvent rêvé. Fais une démonstration de ta puissance à tous ces idiots qui braillent leurs slogans. Envoûte-les, qu'ils ferment enfin leurs gueules! »

Tout en soufflant, il agitait sa main pour répandre la fumée, qui peinait à se disperser. Par chance, un courant d'air vint à sa rescousse, et un bouquet de volutes bleutées s'éparpilla à ras du sol, sans toutefois monter jusqu'à la tribune. Malheureusement, la fragrance fut aussitôt noyée dans la puanteur de l'atelier : c'était un mélange infect des odeurs de l'encre et de la colle de farine des dazibaos, de la bouse des bœufs, de la pisse des latrines, de l'huile rance d'aleurite, du bois pourri, des déjections de rats, des poissons salés qui pendaient dans la cuisine (chaque matin, le cuisinier achetait un panier de poissons, qu'il vidait et écaillait, et dont la forte odeur devenait vite nauséabonde, les jours de grosse chaleur), de la paille en putréfaction, et des relents de sueur et de crasse de la centaine de paysans, à qui la mauvaise nourriture et les dents cariées donnaient une haleine épouvantable, qui jaillissait de leurs bouches en bouffées putrides, chaque fois qu'ils l'ouvraient.

Il se concentra, pour tenter d'entendre si la fumée du « thon » avait un impact sur leur comportement, et il comprit qu'il n'y avait aucun changement. La fétidité du lieu semblait ruiner l'effet escompté. Ou peut-être, la femme qui parlait à la tribune, les jeunes qui scandaient des slogans, la foule qui les reprenait, le poing levé, avaient-ils tous le nez bouché? Étaient-ils enrhumés? Avaient-ils une sinusite? Ou étaient-ils privés du sens de l'odorat, pour continuer à brailler comme si de rien n'était?

Alors qu'il commençait à désespérer, tous se turent brusquement. Il regretta de ne pouvoir distinguer, sous la première marche, dont la volée était bouchée par les pierres, ce qui se passait autour de lui. Il tenta de s'en faire une idée, aux bruits qui lui parvenaient. Apparemment, Helai, qui avait été la première à sentir quelque chose, cherchait de tous côtés d'où venait l'odeur, bientôt suivie par la foule, qui se mit à renifler bruyamment. Mais comme rien ne lui parut suspect, le chef de la sécurité leur demanda de poursuivre la réunion.

Après cet épisode, le Manchot réalisa que la nature du rassemblement commençait à changer : la première concernée fut Helai. Ses propos perdirent de leur agressivité, et son discours se fit moins virulent. Elle semblait même avoir oublié qu'elle participait à une séance de critique. Elle était simplement redevenue un professeur de biologie, donnant un cours sur la reproduction des batraciens, dans une salle de classe. Seul le chef de la sécurité, toujours hermétique à l'odeur miraculeuse du « thon », continuait à gueuler des slogans révolutionnaires, qui faisaient suer tout le monde. La foule ne l'écoutait plus. Elle avait démissionné. Beaucoup ricanaient de le voir se démener tout seul à la tribune.

Les yeux de Yong Sheng, toujours agenouillé sur les planches, se remplirent de larmes. Il ouvrit grandes ses narines pour se repaître du parfum merveilleux, dont nulle friandise au lait et au miel, fût-elle la plus chère du monde, n'avait la délicate suavité. D'ailleurs, la comparer à un bonbon, c'était comme comparer une symphonie à quelques notes de pipeau. De crainte d'être à nouveau puni pour avoir pleuré – il se souvenait trop bien du drame provoqué par les larmes qu'il avait versées un peu plus tôt, par compassion pour le Manchot –, il s'empressa de fermer les yeux. Toutefois, un souvenir s'imposa à son cerveau, qui lui fit oublier la position dans laquelle il se trouvait : le souvenir d'un petit garçon, qui traversait une cour sous la pluie battante, et franchissait une salle de prière, jusqu'à une alcôve cachée dans un mur, où il découvrait une paire de seins aux mamelons brunâtres, légèrement rougis, frémissant comme la gorge d'un oisillon, desquels un jet de lait jaillissait sur le visage du Crucifié.

Il rouvrit les yeux et renifla à pleins poumons. L'odeur n'était pas celle de l'encens qu'on brûlait dans les églises ou les temples, non plus celle de la myrrhe ou du storax[1] que mentionnait la Bible, mais une odeur unique, qui constituait à elle seule un univers à part. Plus que magique, elle était miraculeuse, et dissipait, sur l'instant, les plus horribles cruautés qu'on vous faisait subir. Lui-même en oubliait la lourde plaque de ciment qui cisaillait son cou et ne ressentait plus la douleur cuisante de la boursouflure de sa nuque. Jamais il n'eût imaginé, alors qu'il se tenait à genoux devant une foule d'accusateurs, pouvoir se sentir si heureux et si libre. Il avait envie de leur crier : j'ai eu une vie extraordinaire et si bien remplie !

Il leva la tête pour regarder où était le Manchot, car, bien qu'il ne l'eût pas vu, il avait deviné que c'était lui qui avait

1. Exode 30, 34. Un des ingrédients du parfum du sanctuaire (parfois traduit « stacté »). Le storax est un arbuste méditerranéen, produisant une sorte de baume résineux.

déterré les fragments d'aguilaire. Il ne savait pas précisément lequel était en train de se consumer, mais il était sûr que ce n'était pas « le mont Wuyi », dont le parfum envoûtant était aussi subtil qu'une douce brise de mai, glissant sur le feuillage. Le frais sillage de celui-ci révélait qu'il provenait plutôt d'un nid de serpents.

Il avait fini par se faire aux insultes de la foule qui l'entourait. Ceux qui montaient à la tribune comme ceux qui criaient des slogans, assis sur leurs tabourets, n'avaient jamais un regard pour lui, comme s'il eût été transparent. Seuls ceux qui se déplaçaient pour le gifler ou lui donner un coup de pied lui accordaient un regard méprisant, pour lui signifier qu'il était moins que rien, à peine un être vivant, qu'il convenait de maltraiter. Après quoi, ils ne le regardaient plus. Il n'avait été pour eux qu'un exutoire sur lequel déchaîner leur colère, et, quand ils l'avaient soulagée, il n'existait plus à leurs yeux.

À présent, chaque fois qu'il levait la tête pour regarder ses détracteurs, il constatait avec fierté à quel point ses fragments aromatiques les avaient transformés. Ils ne cessaient de lui jeter des coups d'œil empreints d'un mélange d'étonnement, de respect et de crainte, comme s'ils ressentaient inconsciemment que l'odeur qui les enveloppait avait une dimension religieuse. Elle leur rappelait leur ancienne église, leur ancien pasteur. Nombre d'entre eux semblaient soudain remarquer, avec une gêne évidente, la blessure que le fil de fer infligeait à sa nuque, et sa sueur qui mouillait le plancher sous lui.

Dans leur regard, tout à l'heure si cruel, se lisait à présent une certaine compassion. Les enfants, qui avaient jusque-là veillé à se tenir éloignés de lui, semblaient ne plus en avoir peur. Un gamin vint même déposer une clémentine épluchée à côté de lui, sans qu'un seul lycéen révolutionnaire ne l'en écartât ou ne repoussât le fruit d'un coup de pied. Il la ramassa et la porta à sa bouche, avec un bonheur non dissimulé. Il n'était pas heureux d'avoir enfin suscité de la pitié, mais de constater le miracle opéré par les branches d'aguilaire. Les gens n'étaient pas aussi abominables qu'ils le paraissaient. Il avait suffi de brûler un minuscule morceau d'un arbre, qu'un charpentier avait jadis planté presque par hasard, pour que les plus cruels des enfants (qui avaient commencé par le taper et cracher sur lui) se missent à l'aimer, lui, le pasteur contre-révolutionnaire. Il avait envie de prendre dans ses bras le petit qui lui avait offert la clémentine et le porter sur ses épaules, mais ce geste eût été déplacé dans le contexte d'une réunion de critique, qui lui était consacrée. Pourtant, il était sûr que la mère de l'enfant n'eût rien trouvé à redire et l'eût même remercié pour cette attention, comme par le passé.

Force était de reconnaître que la cible principale du Manchot – Helai – avait elle aussi été touchée. Toutefois, sa transformation fut de courte durée, et elle ne tarda pas à se ressaisir. Elle jeta des coups d'œil à droite et à gauche, pour vérifier si la foule avait remarqué qu'elle avait un instant perdu le contrôle de ses émotions.

Voyant que Yong Sheng la regardait, elle frissonna et se mit à rougir. Une fraction de seconde, elle sembla prête à sauter de la tribune, pour fuir cet atelier, en se fondant dans les vapeurs parfumées qui montaient vers elle.

Elle détourna le regard et colla contre son nez la feuille de papier sur laquelle elle avait rédigé son acte d'accusation, comme pour s'empêcher de respirer. Sans doute espérait-elle que tous ces mots pleins de fureur lui serviraient de rempart contre l'odeur envoûtante. Les médias de l'époque ne prétendaient-ils pas que chaque mot pouvait être une balle tirée dans la tête de l'ennemi, un poignard à lui planter dans le cœur ?

Pour mieux retrouver le chemin de la Révolution, elle décida carrément de se pincer le nez avec les doigts.

C'était compter sans le « thon », dont le parfum prit soudain une autre dimension.

À mesure que le fragment se consumait, la concentration de la résine n'étant pas la même à tous les endroits, son odeur était plus ou moins prononcée. Au début, il avait exhalé un parfum très sucré, qui avait empli les fosses nasales des participants, sans monter jusqu'aux sinus. Quand la carbonisation s'était rapprochée du coude de la branche, il avait répandu des notes mentholées, toujours sucrées mais plus fraîches, qui s'étaient infiltrées au plus profond de leur crâne et avaient éveillé leur conscience comme un coup de fouet.

Les effluves qui flottaient à présent dans l'atelier provenaient de la fin du fragment. C'étaient ceux que Yong Sheng appelait « le bouquet final ». C'était un peu comme lorsqu'un groupe de colombes disparaissait derrière les nuages, et que le ciel résonnait tout entier du son de leurs invisibles sifflets. Le bouquet final qui se dégageait du « thon » était aussi exquis qu'élégant, délicatement miellé, avec des touches de cannelle, de citronnelle et de musc.

Helai se débattit et lutta pour réintégrer la ligne politique, mais le combat fut long et difficile. Une dizaine de pages de son discours dans la main gauche, le reste dans la main droite, elle agita la liasse de gauche devant son visage pour chasser les effluves qui l'assaillaient de ce côté, et plaqua celle de droite contre son nez pour faire barrage à l'ennemi invisible qui l'attaquait de l'autre.

Au-dessus des feuilles, ses yeux bleus affichaient un regard empreint du plus grand sérieux.

« Helai, se dit-elle, c'est aujourd'hui que tu dois trahir ta famille pour changer le cours de ton existence. Réveille-toi ! Attaque ceux qui t'empêchent d'être une vraie révolutionnaire et qui te gâchent la vie ! Ne laisse pas passer ce moment décisif ! »

D'un bond, elle sauta sur une table et plongea son regard vers la foule. Elle ne pouvait compter que sur elle-même, pour rétablir la situation. Elle voulut lever le poing et hurler un slogan, afin de relancer la séance, mais elle ne parvint pas à bouger ses bras amollis, et sa bouche refusa de s'ouvrir. Son esprit résistait encore à l'effet du parfum, mais son corps avait déjà rendu les armes. Plus personne ne lui prêtait attention. La réunion avait tourné court et la situation semblait irrécupérable. Les plus révolutionnaires des lycéens, qui faisaient montre un peu plus tôt d'agressivité et de violence, étaient à présent de nouvelles personnes. Certains étaient à genoux et pleuraient à chaudes larmes, comme si le président Mao en personne leur fût apparu, au milieu des volutes de fumée. Des jeunes filles, profitant du désordre pour prendre la main des garçons au regard perdu, s'étaient mises à entonner : « Le président Mao est un soleil rouge au-dessus d'une montagne d'or. » Les professeurs d'éducation physique et de musique s'étaient lancés dans une farandole à la gloire du Grand Timonier.

Les croquants, d'abord surpris par la fumée, s'étaient sentis d'un coup très joyeux, et de grands sourires avaient peu à peu réjoui leurs trognes renfrognées. Soudain, un paysan d'une quarantaine d'années se tourna vers le secrétaire du Parti de son village : « Fils de pute ! lui cria-t-il, voilà des années que tu nous fais chier avec ton pouvoir de merde ! »

Le « bouquet final » avait fait tomber les masques les uns après les autres, et fissuré les barrières dressées entre les dirigeants et les dirigés. Les anciens voisins s'invectivaient, les conflits familiaux éclataient au grand jour, les vieilles querelles se ranimaient, et le linge sale était étalé sur la place publique. « Vas-y ! Dis clairement ce que tu penses », hurlaient les uns, tandis que les couples adultères s'entre-déchiraient.

Soudain, une forte odeur marine se répandit dans l'atelier. « Ça, c'est l'odeur du "mont Wuyi" », se dit Yong Sheng, en reconnaissant la fragrance de ce fragment, à la texture rugueuse et au toucher légèrement gras, qui ressemblait à une falaise rocheuse. Il en avait jadis prélevé un morceau, aussi mince qu'une feuille de papier à cigarette, au-dessus d'un seau d'eau, dans lequel il l'avait laissé tomber par inadvertance. Il avait directement coulé au fond du seau, tant sa masse était dense. Il l'avait ensuite porté à ses lèvres et en avait croqué une miette. Aussitôt, une explosion de saveurs particulièrement épicées et piquantes lui avait éclaté dans la bouche, comme s'il eût mastiqué une pleine bouchée des fruits du xanthoxyle, qu'on utilise dans la cuisine si pimentée du Sichuan. Ses gencives avaient été complètement anesthésiées, il n'avait plus senti ni sa langue ni ses lèvres engourdies, et il avait mis du temps à retrouver un semblant de sensibilité buccale. Lorsqu'il avait brûlé ce petit fragment, la substance huileuse qui l'imprégnait avait bouillonné, en répandant une odeur à la fois piquante et iodée, au sillage d'amandes salées, qui lui avait irrité les narines.

Quel exploit ! Le Manchot avait dû crapahuter, ramper, se faufiler sous la tribune. Aucune de ces étapes n'avait été facile. La mise en œuvre de son plan avait exigé la puissance de concentration d'un agent secret et la souplesse d'un sportif de haut niveau. Fort de son succès, il rebroussa chemin sous les marches, et sortit de derrière le fourneau, avec sa hotte vide.

Si les premiers effluves du « mont Wuyi » étaient plutôt agressifs et fortement iodés, les suivants étaient légers et fleuris, avec des notes d'herbe fraîchement coupée. Sitôt entrés dans les narines, ils se répandaient sur la langue et dans la gorge, auxquelles ils apportaient une délicieuse sensation de fraîcheur.

Le plus grand désordre régnait à présent dans l'atelier. Les uns chantaient, les autres dansaient et sautaient, les enfants excités poussaient des cris d'orfraie. Dans ce capharnaüm, nul ne fit attention au Manchot, qui surgit brusquement à la tribune et sauta sur la table, aux côtés de Helai.

Dans le regard si sérieux de la jeune femme passa une lueur de surprise, qui fit bientôt place à des étincelles de désir.

Ses yeux bleus semblaient supplier le Manchot de la faire disparaître de ce lieu cauchemardesque.

« Envole-toi avec moi, ma tendre épouse », lui chuchota-t-il à l'oreille, avant de déposer à ses pieds sa hotte dans laquelle il la fit entrer. Puis il s'accroupit, passa les lanières autour de ses épaules, et la souleva sur son dos.

Sentant sous ses pieds nus un fragment aromatique, elle plongea la main au fond de la hotte et le porta à son nez : « Envolons-nous ! » dit-elle.

Et ils s'envolèrent.

Ils prirent de la hauteur, en direction de la lucarne faîtière, percée au-dessus du tronc creux du pressoir. Elle était ouverte et laissait filtrer le soleil, dont les rayons mouchetaient le bois sombre de lueurs micacées.

Le Manchot s'éleva dans les airs, respirant à pleins poumons le parfum du « mont Wuyi ». « Quelle odeur extraordinaire ! » se dit-il, alors qu'éclatait enfin le « bouquet final », aux arômes de fruits secs, qui ravirent ses narines.

Son charme était tel qu'il ne fut plus pressé de quitter les lieux. Soudain, le chef de la sécurité attrapa Yong Sheng par le fil de fer autour de son cou, et le traîna au milieu de la tribune.

« Bon ! Maintenant, tu vas réciter un passage du *Petit Livre rouge*, pour demander au président Mao de te pardonner.

— Quel passage ? Laissez-moi réfléchir.

— Dépêche-toi !

— Voilà. Si j'ai commis des erreurs, je demande à tous les camarades de me corriger. »

La charité est patiente, elle est pleine de bonté.

Au pied de la tribune, un groupe d'enfants répéta sa phrase.

La charité n'est point envieuse.

D'autres enfants se joignirent au premier groupe, pour reprendre ses paroles. On eût dit un chœur de petits catéchumènes, dont les voix cristallines s'élevaient dans ce lieu, qui avait jadis été une église. Helai et le Manchot, qui volaient dans les airs au-dessus d'eux, en furent si séduits qu'ils regagnèrent le sol.

La charité ne se vante point, elle ne s'enfle point d'orgueil, elle ne fait rien de malhonnête, elle ne cherche point son intérêt.

Peu à peu, les gens cessèrent de se quereller, pour mêler leurs voix à celles des enfants, et répéter mécaniquement le sermon de Yong Sheng, à la manière d'automates.

Elle ne s'irrite point, elle ne soupçonne point le mal, elle ne se réjouit point de l'injustice, mais elle se réjouit de la vérité.

Bientôt contaminé par la ferveur de la foule, le chef de la sécurité commença à remuer les lèvres. Lorsque, à son tour, il répéta les mots prononcés par Yong Sheng, le son qui sortit de sa bouche ressembla plus à un aboiement qu'à une voix humaine.

Elle excuse tout, elle croit tout, elle supporte tout.

Cette phrase, que Yong Sheng fit traîner comme une longue plainte, lui rappela ses bénédictions d'antan.

La charité ne périt jamais.

Les révolutionnaires, exaltés, reprirent cette dernière expression, et leurs voix retentirent comme un coup de tonnerre sous la voûte de l'atelier.

Enfin, avec une infinie douceur, il leur livra la source de cette homélie.

« I Corinthiens. Chapitre 13, versets 4 à 8. »

Là, ils hésitèrent un instant, puis ils répétèrent mot à mot ce qu'il venait de dire.

« Il n'y a pas ce passage-là dans le *Petit Livre rouge* », cria quelqu'un dans l'assistance. Le chef de la sécurité se tourna vers Yong Sheng.

« À quoi tu joues ? lui demanda-t-il.

— J'ai eu un moment d'égarement. Je me suis trompé de récitation.

« — D'où ça sort, ces phrases-là ?

— De la Bible. Le Nouveau Testament. »

Sans le laisser finir sa phrase, l'autre lui balança un grand coup de pied, qui le fit tomber de la tribune. De nouveau, la plaque de ciment dégringola, comme un homme ivre, les trois marches du soubassement du fourneau.

CHAPITRE 6

L'avenir d'un enfant

« Regardez les flammes ! »

« Il y a le feu ! »

« Le pressoir est en train de brûler ! »

Le 13 janvier 1967, à seize heures, ces cris retentirent dans tout Jiangkou, et un vent de panique souffla sur la population locale. La nouvelle de l'incendie se propagea comme un tourbillon, de maison en maison, et les gens se précipitèrent hors de chez eux. Déjà, des panaches de fumée noire jaillissaient du pressoir.

Une seule personne n'entendit pas leurs appels. C'était Yong Sheng.

Une serviette sale autour du cou, il récurait les latrines du comité de la Révolution. Le seul bruit qu'il discernait était celui de l'eau, qu'il versait à grands seaux sur la longue planche percée qui servait de sièges, et la seule odeur qu'il sentait, la fétidité des lieux, si puissante qu'elle parvenait à masquer les émanations d'huile brûlée, qui saturaient l'air.

Tous les hivers, le pressoir cessait ses activités, faute de matière première, et les ouvriers, pour la plupart issus des villages voisins, regagnaient leur lieu d'origine. Les bœufs roux étaient mis à l'étable, et les seuls à garder l'atelier étaient les deux ennemis du peuple, Yong Sheng et le Manchot. Toutefois, depuis la séance de critique de l'été précédent, le pasteur, l'ennemi public numéro un, non seulement devait se présenter toutes les semaines dans les bureaux du comité des Rebelles de la Révolution[1], mais n'était pas autorisé à se reposer durant les trois mois de l'hiver.

Chaque matin, avant le lever du jour, armé d'un balai à long manche auquel était fixé un fagot de brindilles de bambous, d'un plus court constitué d'un faisceau d'épis de blé, d'un racloir et d'une brosse pour venir à bout de la saleté opiniâtre, il allait nettoyer les deux rues principales de Jiangkou, les six ruelles environnantes, le marché aux légumes et la halle aux poissons. Tous les dimanches – le 13 janvier 1967 était justement un dimanche –, il devait curer les latrines du comité des Rebelles de la Révolution.

Le toit de la chaumière qu'il avait construite trois décennies plus tôt était tous les ans recouvert de paille neuve ; il fut ainsi le premier à être dévoré par le feu. De grandes flammes léchaient avidement les poutres noircies. De jaunes qu'elles étaient au début, elles se coloraient de rouge, de bleu et de vert, à mesure qu'elles s'étendaient. D'abord, elles avaient englouti la chaux des murs, puis s'étaient attaquées au torchis, dont elles n'avaient fait qu'une bouchée. Seules les pierres résistaient encore à leur

---

1. Durant toute la période de la Révolution culturelle, l'appellation de « Gardes rouges » était réservée aux collégiens, lycéens et étudiants. Les travailleurs étaient appelés « Rebelles de la Révolution ». À la fin de 1966, Mao appela les Gardes rouges et les Rebelles de la Révolution à prendre le pouvoir sur le Parti communiste chinois (dont les dirigeants furent envoyés en camps de rééducation), et à former des « comités de la Révolution », à la place des comités du Parti.

dévastation. À cette époque, la commune de Jiangkou n'était pas ravitaillée en eau courante, et, sans parler d'une caserne de pompiers, elle ne disposait d'aucun équipement contre les incendies. Tout en priant le ciel d'envoyer une averse, avant que l'atelier ne fût réduit en cendres, les gens s'armèrent de seaux, et s'alignèrent en file indienne le long du chemin qui menait au petit étang jadis creusé pour les orphelins, derrière la colline. Mais à force de passer de main en main, les seaux arrivaient à moitié vides en fin de parcours, et l'eau qui y restait éteignait à peine quelques étincelles. Des jeunes gens plus téméraires tentèrent d'attaquer l'arrière de l'atelier, d'où l'incendie était parti, à coups de pelles et de pioches, et de creuser une tranchée tout autour, afin de circonscrire le brasier, qui menaçait de s'étendre à la plantation d'arbres fruitiers. Mais très vite asphyxiés par l'épaisse fumée, ils furent obligés d'abandonner.

Quant à l'ancien propriétaire de la grande chaumière, condamné à la rééducation par les travaux forcés, il n'avait toujours pas conscience du désastre. Après avoir pris le pouvoir sur les anciens communistes, qu'ils accusaient maintenant d'être des capitalistes, les Rebelles de la Révolution de Putian, qui se faisaient appeler « l'unité de combat maoïste », avaient entièrement repeint l'ancien temple, où siégeait leur nouveau comité, et construit de nouvelles latrines publiques, au centre du terrain vague qui avait jadis servi de lieu d'exécution, près de la rivière Mulan. C'était un long bâtiment, qui pouvait accueillir plusieurs dizaines de personnes en même temps. Le toit était couvert de tuiles grises, et le sol cimenté, percé d'une quantité de toilettes à la turque, séparées les unes des autres par des cloisons en bois. Les usagers qui s'y accroupissaient, les pieds calés sur des grilles, de part et d'autre du trou, n'avaient plus peur de tomber dans la fosse, comme au temps des longues planches trouées. Le pantalon en bas des genoux, ils avaient même le plaisir de voir leur merde descendre dans le trou et d'entendre le petit flop qu'elle faisait, en chutant dans l'eau. Ils se sentaient alors comme des immortels, flottant au-dessus des brumes montagneuses.

Coupé du monde extérieur par les murs épais de cette construction moderne, et entièrement concentré sur sa tâche, qu'il exécutait avec autant de sérieux qu'il en mettait jadis à évangéliser, Yong Sheng n'entendait rien. Comme l'hiver n'était guère rigoureux, il avait ôté son pantalon kaki – le seul qu'il possédait et qui était fort usé –, pour travailler en caleçon et maillot de corps ; un caleçon tout rapiécé et raccommodé, et un maillot troué, souillé de taches de sueur brunâtres. Il ne se contentait pas de laver le sol cimenté ou de gratter la merde restée collée autour des trous, mais il recouvrait aussi de chaux les mots et dessins obscènes, griffonnés sur les murs par des gamins. C'était ce qui lui prenait le plus de temps. Il commençait par les frotter jusqu'à les rendre indéchiffrables, puis il badigeonnait les traces restantes au pinceau. La plupart du temps, il finissait à la tombée de la nuit.

Ce soir-là, en sortant des latrines, il fut surpris par le rougeoiement particulièrement intense de l'horizon, mais il avait le cerveau si embrumé par les odeurs infectes qu'il respirait depuis des heures qu'il n'y prêta guère attention. Tout autour de lui, la nature s'endormait peu à peu. Une brume légère flottait sur les rizières. Dans les champs, la rosée commençait à perler sur les jeunes pousses de maïs. Il avait hâte de rentrer.

Il avait remis son pantalon kaki, gardé la serviette sale autour de son cou, et enfilé sa veste de Rebelle de la Révolution, par-dessus son maillot taché de sueur. Comme le port du haut cornet d'infamie en papier était difficilement compatible avec le travail, le responsable de l'unité de combat maoïste lui avait fait coudre, au dos de sa veste, une pièce de tissu, sur laquelle le mot « démon » était écrit en gros caractères. Cet usage rappelait celui de la Chine ancienne, quand les gouverneurs faisaient tatouer le nom de leur crime sur le visage des criminels. Quelques jours auparavant, il avait été surpris par une averse, en regagnant l'atelier, et bien qu'il se fût aussitôt déshabillé pour faire sécher ses habits trempés, le lendemain, la veste était encore mouillée. Il en avait alors enfilé une autre, à col Mao, toute rapiécée. Par malchance, il avait croisé un membre du service d'ordre, qui avait constaté l'absence d'inscription dans son dos, et l'avait vertement tancé. Il lui avait présenté des excuses, et, le soir même, il y avait cousu un carré de tissu blanc, sur lequel il avait copié au pinceau le mot « démon », en imitant l'écriture du responsable de l'unité de combat maoïste.

Depuis des années, il marchait la tête basse, le dos voûté. Il craignait, s'il s'était redressé, qu'on ne lui reprochât d'avoir une attitude arrogante d'ancien pasteur. Même lorsque, comme ce soir, il était seul sur la route, il marchait la tête rentrée dans les épaules, les yeux baissés, comme un chien errant, fuyant la méchanceté des hommes.

Soudain, un coup de vent lui fouetta le visage, et il sentit qu'il se passait quelque chose d'anormal. Des cendres noires, charriées par la brise, se collèrent sur sa veste. Il releva la tête, et aperçut son ancienne chaumière, dont la toiture était entièrement calcinée. Sur le coup, il n'entendit pas les voix de ceux qui tentaient de maîtriser l'incendie. Il vit seulement la colline ravagée par les flammes, l'atelier en feu, le verger embrasé.

Il comprit qu'il avait toujours considéré que les lieux lui appartenaient encore. Ses biens lui avaient été irrémédiablement confisqués et étaient désormais propriété de la commune, mais en dépit de cela, il s'y sentait chez lui. C'était ici qu'il avait été libre d'aller et de venir, de faire des sermons, d'enseigner la Bible et de conseiller ses paroissiens. Jamais il n'avait fermé ni ses fenêtres ni sa porte, car sa maison était toujours ouverte aux pauvres et aux désemparés. Il y avait passé toute sa vie, et depuis une dizaine d'années que sa demeure était devenue un pressoir à huile, c'était encore ici qu'il vivait et travaillait.

Le vent continuait à charrier des cendres, qui se collaient comme un masque sur son visage en sueur.

« Dieu tout-puissant ! » hurla-t-il en se précipitant vers la colline. En cet instant, il n'était plus que douleur.

Avant d'arriver au sommet, il vit son grand aguilaire, que tous nommaient jadis « l'arbre du pasteur ». Son feuillage complètement carbonisé, il dressait pitoyablement son squelette calciné vers le ciel chargé de fumée noire.

Il demanda à ceux qui se passaient les seaux de l'asperger d'eau, mais personne ne lui prêta attention. On eût dit qu'il n'existait pas, ou qu'ils avaient oublié qui il était. Ils semblaient ne pas reconnaître cet homme au masque de cendres et à la chevelure hirsute, enfarinée de résidus pulvérulents.

Il arracha un seau de la main d'un homme et se le renversa sur la tête. L'eau glacée le saisit jusqu'aux os. Puis il courut vers la fournaise.

Alors qu'il venait d'entrer dans l'atelier, un mur s'effondra derrière lui, dans un bruit abominable. Des gerbes d'étincelles s'abattirent sur lui, mais il continua d'avancer en direction du tronc évidé, dans lequel on pressait les fruits. Le grand coffre posé derrière avait disparu. Avait-il brûlé ? À cet instant, de grosses flammes fusèrent de l'intérieur du tronc, dont la combustion fut accélérée par la crasse et les dépôts huileux, qui s'étaient accumulés au fil des années dans les fibres du bois. Le tronc ne tarda pas à se fendre et à exploser, sous la pression du brasier. Il s'en écoula une matière visqueuse et épaisse comme de la lave.

Les trois marches en bois qui menaient au fourneau étaient pareillement dévorées par le feu, et le halo orangé formé par les flammes autour de la fonte, conjugué aux gerbes de vapeur de l'eau qui bouillait dans la cuve, donnait à l'ensemble des allures de brûle-parfum.

Soudain, il entendit derrière lui le bruit de socques en bois, et quelqu'un lui murmura à l'oreille :

« C'est moi qui ai mis le feu. »

Sans avoir besoin de tourner la tête, il sut que c'était le Manchot.

« Il ne te reste plus rien. Alors je te donne ma paire de sabots. »

Sur ces mots, il se rua en direction du grand fourneau ravagé par les flammes et, sans hésiter, il plongea dans la cuve d'eau bouillante.

Des cris abominables résonnèrent dans l'échaudoir, cerné de flammes de plus en plus hautes. Les sabots à la main, Yong Sheng, pétrifié, n'osa pas regarder.

Quand, à son tour, le tronc évidé s'écroula, les hurlements de douleur du Manchot se mêlèrent aux assourdissants craquements du bois. Les flammes, redoublant de violence, atteignaient à présent plusieurs mètres de haut. Couvrant son visage du mieux qu'il put avec les sabots, Yong Sheng se précipita vers le fourneau, mais il fut entouré par d'épais tourbillons de fumée noire et arrêté par les flammes, qui ravageaient les marches. La deuxième s'effondra sous ses pieds, et sa dernière vision, avant de perdre connaissance, fut celle de la fournaise, qui engloutissait le Manchot.

Lorsqu'il reprit connaissance, il fut surpris par une lumière blafarde, froide, presque sévère, et une forte odeur d'éther et d'ozone, comme on en sent dans les morgues. Puis il comprit qu'il était seulement allongé dans un lit d'hôpital.

Par le passé, il avait convenu avec le Manchot d'éviter de se parler ; ils communiqueraient par des messages glissés sous leurs couvertures.

Il pensa que le Manchot avait dû oublier.

Lorsque les policiers vinrent l'interroger, dans le cadre de leur enquête, ils lui montrèrent une lettre.

Selon eux, le Manchot avait incendié l'atelier après l'avoir reçue.

Yong Sheng la lut et la relut à maintes reprises, comme il l'avait fait jadis de la lettre de son père.

Celle du charpentier comportait quarante-neuf caractères ; celle-ci, plus de cinq cents. C'était une demande de divorce, que Helai lui enjoignait de signer. Elle l'avait écrite au stylo, non pas à l'encre bleue, qu'utilisaient la plupart des gens, mais à l'encre noire, comme pour souligner l'irrévocabilité de ses mots, sur la feuille blanche. Chaque trait était tracé avec précision, sans l'ombre d'une hésitation. On sentait qu'elle avait d'abord rédigé un brouillon, et l'avait soigneusement recopié de sa plus belle écriture. Un seul passage était raturé. C'était la première phrase du paragraphe qui expliquait la raison de sa démarche : «Je pense à l'avenir de l'enfant qui va venir au monde. » À la fin de cette lettre, elle avait inscrit la date et apposé son sceau, à l'encre rouge : Yong Helai.

QUATRIÈME PARTIE

Une lame de cutter trancha d'un coup le scotch transparent qui entourait un paquet.

C'était un colis postal, haut d'un mètre vingt, long de soixante centimètres, et large de trente, qui n'avait pas été distribué à son destinataire. Sur le côté droit du carton était collé un formulaire de recommandé, rempli par l'expéditeur.

Il était terriblement taché. On n'eût su dire si un autre colis contenant du liquide s'était éventré au cours du trajet, ou si les salissures étaient dues à la malpropreté des postiers, car il était difficile d'identifier les larges auréoles qui le maculaient. Ce pouvait être un produit chimique, de l'alcool, du lait concentré, ou de la pâte de piment. Même le formulaire était éclaboussé. Il n'avait pas été rempli au stylo à bille, mais au marqueur. Les traits étaient épais – après expertise, il s'avéra que la pointe du marqueur mesurait sept millimètres de diamètre –, et certains étaient incomplets, à la manière des inscriptions gravées sur les antiques stèles de pierre, que le temps avait en partie effacées. D'autres n'étaient qu'une sorte de griffonnage, dans lequel tous les traits étaient emmêlés.

La case destinée au numéro de téléphone de l'expéditeur était vide.

N'avait-il pas le téléphone ?

Ou avait-il quelque chose à cacher ?

Un gros doigt ganté de blanc se déplaça de gauche à droite, s'arrêtant sous chacun des mots, qui désignaient l'adresse d'expédition :

« Province du Fujian, Pu... »

Une tache de liquide avait fait disparaître le caractère suivant. Celui qui venait encore après avait pareillement été aspergé, et ne restait du mot qu'un long trait vertical, à l'extrême droite de la souillure ronde, aux bords légèrement argentés. Seule la dernière partie de l'adresse était parfaitement nette :

« Ancien pressoir à huile de Jiangkou. »

Dans la case réservée au nom de l'expéditeur, le premier caractère, qui avait lui aussi été souillé, ressemblait à « Yong ». Un mot bien connu de tous, car c'était le premier que les élèves traçaient, lorsqu'ils apprenaient à manier le pinceau, dans les cours de calligraphie.

Quant au prénom, il avait été complètement dilué, et il n'en restait plus aucune trace.

Soudain, l'homme qui inspectait le colis eut la sensation de recevoir une gifle en pleine figure.

C'était comme si l'expéditeur se payait sa tête.

Il avait sans doute voulu mettre son intelligence à l'épreuve, car, dans la case attribuée à la signature, il avait apposé un sceau à l'encre rouge, de forme carrée, dans lequel il n'y avait pas de nom, mais un mystérieux dessin géométrique : un trait horizontal, aux extrémités retroussées, avec un carré au-dessus du bout gauche, et deux carrés juxtaposés au-dessous du bout droit.

On pouvait interpréter le dessin comme une représentation stylisée d'un sampan, dont un carré eût figuré la cabine du batelier, et les autres son reflet déformé dans l'eau.

Il était aussi possible d'y voir l'épave d'une barque échouée sur une plage, dont les crabes eussent enfoui le pont dans le sable fin, et dont il ne restait plus que la cabine et son ombre sur la grève.

La paire de mains gantées décolla avec précaution le scotch transparent qui fermait le colis, et le déposa dans une boîte en plastique blanc, sur l'étiquette de laquelle furent inscrites la date et l'heure du prélèvement : 15 septembre 1999. 10 h 20. Le paquet une fois ouvert, apparut, sous le papier bulle qui la protégeait, une enceinte acoustique haute fidélité.

Une seule enceinte ? Généralement, une chaîne stéréo en nécessitait deux.

Le baffle était un produit danois, de marque Avance. L'expéditeur avait joint une note à l'envoi, qui traduisait ce nom en chinois, et précisait que la marque était l'une des dix meilleures du monde, très prisée par les amateurs de bon son.

Contrairement aux enceintes classiques, qui étaient le plus souvent cubiques, celle-ci avait une forme fuselée, très aéro-dynamique, qui offrait un meilleur rayonnement du son. Elle était constituée de panneaux de fibres agglomérées, entourées de parois en bois d'épicéa (une essence également utilisée, partout dans le monde, pour fabriquer les violons de concert) parfaitement poli et verni au four. En fonction de la lumière, sa surface glacée se parait de reflets rouges ou dorés.

À la manière des violons, le dos de l'enceinte était en bois d'érable verni, dont les veines apparentes rappelaient le pelage d'un tigre. À l'instant où le contrôleur ouvrit ce panneau, il se sentit aussi excité qu'un joaillier découvrant, dans un écrin de cuir noir, le froid mais envoûtant éclat d'un bracelet de diamants : à l'intérieur brillaient trois haut-parleurs d'excellente qualité. Chacun avait une taille différente. Le plus petit, qui se trouvait en haut, était le haut-parleur d'aigus. Il mesurait huit centimètres de diamètre. Il fut le premier à être démonté. Il était couvert d'une fine feuille de soie, qui vibra sous la pression des gants blancs. Le petit cornet pointu fiché au milieu, qui servait à fixer la direction du son, tomba sur le sol avec le bruit d'une balle en plomb, qui résonna dans le silence. Un par un, tous les éléments furent désassemblés, les plaques de fer, les moyeux, les aimants, la coque arrière, la cale d'épaisseur, les ressorts, les séparateurs de son, les capteurs, les fils en soie ou électriques... Enfin, la bobine d'accord fut déroulée en un long fil, de teinte cuivrée.

Le contrôleur ne trouva rien de plus.

À la place du haut-parleur d'aigus ne resta plus qu'un trou, garni de fibres de coton jaune clair, qui servaient d'amortisseurs de vibrations. Elles furent à leur tour minutieusement inspectées. Sans plus de résultat.

Situé au milieu de l'enceinte, le haut-parleur de médiums, de douze centimètres de diamètre, fut pareillement démonté en pièces détachées. Le poids de sa feuille de vibration, en matière synthétique, fut comparé à celui de la précédente, qui était en soie. Les fibres de coton, à l'intérieur de son logement, furent de même examinées une à une, puis posées sur la table, où le courant d'air propulsé par un ventilateur les fit danser.

Enfin, le contrôleur examina le haut-parleur de graves, mais à peine eut-il commencé son démontage qu'il fut stoppé dans son élan.

De l'intérieur du logement qu'il venait de dégager s'écoulait une poudre blanche.

Contrairement aux précédentes, cette cavité de dix-huit centimètres de diamètre n'était pas remplie de fibres de coton jaune clair, mais d'une substance qui ressemblait à du talc de mauvaise qualité.

Comme c'est le plus souvent le cas lorsqu'on est surpris par un grand bonheur ou une découverte inespérée, l'homme n'eut d'abord aucune réaction.

Dans le bureau, tout le monde resta coi.

Était-ce un nouveau matériau amortisseur de vibrations? La poudre blanche comme de la neige continuait de se répandre sur la table, où elle s'éparpilla en couche mince, au pied de l'enceinte.

En quelques secondes, elle forma un tas.

Un inspecteur des stups y trempa le bout de son index, et le lécha.

« C'est de la coke! »

Il bruinait. Sur la voiture de police, les essuie-glaces chassaient les fines gouttes de pluie avec une régularité de métronome. Enfin, le conducteur aperçut sur la droite une colline grisâtre, à laquelle le crachin donnait un contour un peu flou. Au sommet, légèrement voilée par une traînée de brume, se recroquevillait une petite maison en pierres. Devant, un arbre qu'aucun des policiers n'eût su nommer dressait sa fière frondaison, qui se perdait dans le brouillard.

Huit agents de la brigade des stups, cagoulés de noir et lourdement armés, se divisèrent en quatre groupes de deux, et investirent discrètement les buissons, afin d'encercler la maison.

C'était un bâtiment solide, construit avec de gros blocs de pierre, qui devaient résister aux incendies. Le toit, lui aussi pavé de dalles, était couvert d'une épaisse couche de fientes d'oiseaux et de brisures d'œufs tombés des nids. De loin, on l'eût cru blanchi à la chaux. La maison, qui ne faisait gère plus de trente mètres carrés, était entourée de broussailles compactes, qui la dissimulaient aux regards. Un lieu idéal pour la production de stupéfiants.

Au grand étonnement des policiers, un homme surgit du milieu des ronces et des plantes grimpantes, qui masquaient l'entrée.

Le trafiquant supposé était sans âge. Il eût pu avoir soixante ans comme quatre-vingt-dix. Il était coiffé d'un large chapeau en feuilles de bambou, portait une culotte courte et un manteau en fibres de jonc ; il marchait pieds nus. Une caricature de pauvre vieillard innocent.

Le chef de brigade fit signe à ses hommes de ne pas tirer, et de continuer à se rapprocher discrètement.

Mais le sol boueux était si spongieux qu'à chaque pas leurs lourds rangers s'y enfonçaient et en ressortaient avec un affreux bruit de succion. Toutefois, le suspect n'y prêta aucune attention. Il était sourd comme un pot, ou complètement shooté.

Il marcha jusqu'à un étang, situé à l'arrière de la colline, au milieu d'une épaisse bambouseraie. L'eau était d'un bleu très sombre, presque noire. Sa surface était tapissée de feuilles pourries, décomposées, dont la fermentation dégageait une forte odeur de gaz des marais. Une dalle était posée au pied d'un poteau, vers laquelle il se dirigea.

Au milieu des bambous, les canons des fusils braqués sur lui guettaient ses moindres mouvements.

Avec des gestes lents, il dénoua la ceinture de sa culotte, se plaça dos à l'étang, et s'accroupit sur la dalle en pierre.

Le silence fut brisé par le ruissellement de sa pisse dans l'eau, que suivit la chute d'un étron, dont l'écho se répercuta un bref instant au-dessus de la surface.

Décontenancés, les policiers baissèrent leurs armes, pour échanger des commentaires.

À l'endroit où il venait de se soulager s'agita un ballet de petits poissons, crevettes et sangsues, alertés par la soudaine intrusion de ce corps étranger dans leur domaine. Le vieux, qui n'avait évidemment pas apporté de papier toilette, se livra ensuite à des contorsions, qui exigeaient une certaine souplesse : tout en restant accroupi, il tourna légèrement la tête vers l'arrière (il avait rejeté sur sa nuque son grand chapeau, qui tenait par une ficelle autour de son cou) et s'arc-bouta de façon à déplacer son centre de gravité, pour se tremper les fesses dans l'eau, où il se dandina un moment, comme savourant le plaisir de ce frais contact. Après quoi, il se releva, remonta sa culotte et renoua sa ceinture.

Il repartit par le même chemin vers sa maison en pierre. Les policiers eurent un bref instant de flottement. Leur chef contacta la brigade des stups avec son téléphone mobile, pour vérifier qu'ils étaient bien à l'adresse d'expédition du colis bourré de cocaïne.

Au même moment, ils entendirent de la musique dans la maison. Ce furent d'abord quelques notes frappées sur des timbales, qui ressemblaient à des coups furtifs, qu'une femme élégante eût appliqués sur une porte ; quatre coups brefs, presque hésitants. La phrase musicale suivante fut un chœur d'instruments à cordes, de nouveau ponctué par quelques coups de timbales délicats, comme des bruits de pas légers. La femme tapota encore quatre fois contre la porte, mais avec plus de sensualité, comme imaginant déjà le plaisir qui l'attendait à l'intérieur de la maison. Se fit alors entendre un délicieux solo de violon, aux accents poétiques et au rythme très lent, comme interprété par un violoniste légèrement ivre. Puis, quatre nouveaux coups de timbales, cette fois très percutants, jaillirent avec tant de puissance, que leur écho se répercuta partout dans la colline. Après quoi, l'orchestre prit une nouvelle direction. Les instruments se firent plus doux, les notes plus basses. De nouveau, quatre coups de timbales. Puis le silence.

C'était le *Concerto pour violon en ré majeur*, composé par Beethoven, en 1806 – la période où sa musique fut la plus élégante –, qui introduisait les timbales pour la première fois dans son œuvre. On le devinait envoûté par ce son, qui ressemblait à s'y méprendre à des coups assénés sur une porte par une femme, dont on semblait sentir le parfum, à travers l'huis. Cette sensation lui était si délicieuse qu'il avait fait intervenir les timbales soixante-dix fois, rien que dans le premier mouvement. À la fin, on n'avait même plus l'impression d'entendre les percussions de l'instrument, mais les battements fébriles du cœur d'un amant.

Malheureusement, le concerto fut interrompu par les coups violents de la police, qui défonçaient l'entrée de la demeure. Des coups qui évoquaient plus ou moins le début de la *Cinquième Symphonie*, du même compositeur ; l'irruption brutale du destin.

La petite bâtisse en pierre n'avait ni seuil ni porte. On y entrait par une fragile clôture en bambous, que les policiers forcèrent en quelques coups de crosse.

Elle avait été construite fin 1986, à l'emplacement de ce qui avait été successivement une chaumière, un temple protestant, un orphelinat et un pressoir à huile. Des anciens bâtiments, on distinguait encore les solides fondations en roche rouge, sur une partie desquelles la nouvelle maison, de moindre dimension, avait été bâtie. Le reste portait encore, trente et un ans plus tard, les stigmates du tragique incendie qui avait ravagé les lieux.

Quelques policiers prirent position sur le toit, qui grinça et vacilla sous le poids de leurs corps et de leurs armes. Ils soulevèrent deux ou trois plaques de pierre, et découvrirent qu'au-dessous la charpente n'était pas en bois mais en bambous. Les vibrations firent trembler la hotte carrée qui surmontait un foyer creusé dans la terre battue, au milieu de la pièce, et dirigeait la fumée vers un conduit d'évacuation percé dans le toit. Aussitôt, un épais nuage de suie noire se répandit sur le feu, au-dessus duquel s'agita une bouilloire en cuivre jaune, suspendue au crochet d'une crémaillère.

Dans un coin trônait un lit en pierre, et devant, un guéridon sur lequel était posé un pot en terre, qui avait été cassé et réparé avec un mélange d'huile d'aleurite et de chaux. Quelques feuilles cuites de chrysanthèmes sauvages comestibles, épaisses et charnues, étaient collées au fond. C'étaient les restes d'un repas. Au pied du lit, une superbe enceinte acoustique flambant neuve, de forme aérodynamique, faisait tache dans ce décor misérable, presque primitif.

Le deuxième mouvement du concerto, qui n'était que lyrisme, poésie et douceur, dans lequel un violon déployait tout son charme voluptueux, sortait de ses haut-parleurs.

Il y en avait trois dans le baffle, qui était évidemment un produit danois, de marque Avance.

Les policiers comprirent immédiatement qu'il s'agissait de la jumelle de celle qu'ils avaient saisie. Enfin, ils tenaient la paire.

Le haut-parleur de graves était-il lui aussi bourré d'un kilo de cocaïne ?

Dans son impatience, sans même éteindre la musique, un inspecteur s'empara d'un couteau de cuisine posé à côté du feu, avec lequel il tenta d'arracher la plaque de bois, au dos de l'enceinte. Mais elle résista. Alors, il saisit la hache avec laquelle le vieux coupait son bois, et en asséna un grand coup sur la caisse, qui s'ouvrit en deux.

Il arracha en premier le haut-parleur de graves, afin d'examiner son logement, cependant que les deux autres continuaient à diffuser le son du violon. Le thème en était simple, presque naïf : sous un croissant de lune, une douce brise caressait la plaine de Putian. De blancs nuages se déplaçaient, en se reflétant sur les rizières. Une femme marchait sur un sentier éclairé par la clarté lunaire...

Nulle particule blanche ne s'écoula de la cavité du haut-parleur de graves.

Un policier y enfouit sa main gantée. À cet instant, comme si le soliste eût été pris de sueurs froides, le violon émit une succession de vibratos inquiets.

La main en sortit une poignée de fibres de coton jaune, qui servaient à amortir le son.

Les deux autres haut-parleurs furent pareillement dégagés, mais rien de suspect n'y fut trouvé.

Il n'y avait ni cuisine ni cuisinière dans la petite maison en pierre, seulement un trou creusé dans la terre, face à la clôture en bambous, dans lequel quelques morceaux de charbon finissaient de se consumer, en répandant une faible lueur.

Le suspect avança la main vers les braises brûlantes, et saisit entre le pouce et l'index une racine de taro, qui cuisait dans la cendre. C'était de ce tubercule que, depuis des milliers d'années, se nourrissaient les ermites et les grands maîtres du bouddhisme zen, retirés au fin fond des montagnes.

(Tout un chacun, en Chine, avait entendu, dans sa jeunesse, des histoires d'anachorètes, qui, à l'instant de porter la nourriture à leur bouche, entraient soudain dans cet état de cessation d'activité consciente de l'esprit, que les bouddhistes nomment «l'absence de pensée[1]». Lorsqu'ils se réveillaient, le tubercule de taro ratatiné était plus dur qu'un caillou, et couvert de moisissure, car six mois s'étaient écoulés.)

Deux grosses veines sinueuses traversaient la constellation de la Grande Ourse, que formaient sept taches de vieillesse brunes sur la peau fripée du vieux, entre le pouce et l'index, et remontaient jusqu'à son annulaire.

Il inspira longuement. Ses côtes saillantes remontèrent sous sa peau flasque et ridée, qui pendait sur ses os, à la manière d'un sac en toile de jute trop grand. Il souffla sur la racine qu'il tenait entre ses doigts. La cendre blanche qui la couvrait se dispersa, et retomba sur ses cheveux, ses sourcils et la peau de son visage, creusé de profonds sillons.

Le chef de brigade lui demanda : «Quel âge avez-vous?»

Comme s'il eût perdu l'usage de la parole, le suspect lui répondit par des gestes.

---

1. *Entretiens du Maître de Dhyâna Chen-Houei du Ho-Tso (668-760)*, par Jacques Gernet, École française d'Extrême-Orient, Paris, 1977, p. 51 : «L'absence de pensée est une méthode à l'intention des Saints, mais si les profanes la cultivent, ils ne sont plus dès lors des profanes. [...] Même au milieu des impressions réunies de la vue, de l'ouïe, de la perception et de la connaissance, on reste dans une vacuité et une quiétude constante. »

Le chef: « Quatre-vingt-neuf ans ? Vous êtes muet ? »

Le suspect acquiesça.

Le chef: « Depuis longtemps ? »

De nouveau, le suspect gesticula.

Le chef: « Depuis 1968 ? Ça fait trente et un ans ? »

Le suspect hocha la tête, avec un petit sourire.

Le chef: « Une chaîne stéréo a toujours deux enceintes, pourquoi la vôtre n'en a qu'une ? »

Le suspect n'eut rien à répondre.

Le chef: « Où est passée l'autre ? »

D'un geste, le suspect indiqua qu'il l'ignorait.

Le chef: « Vous ne savez pas ? Vous voulez qu'on vous rafraîchisse la mémoire ? »

Il sortit de sa poche le formulaire de recommandé.

Le chef: « Regardez ! C'est votre sceau ? »

Il lui agita sous le nez la feuille couverte de taches, sur laquelle un sceau rouge, de forme carrée, qui ne comportait pas de nom mais un dessin géométrique, avait été apposé dans la case réservée à la signature de l'expéditeur.

Le chef: « Certains de mes collègues y voient un sampan, avec sa cabine à gauche, et son reflet dans l'eau à droite. »

Le suspect fit non de la tête.

Le chef: « Qu'est-ce que ça représente ? »

Le suspect ouvrit la bouche, et désigna les trois dents qui lui restaient.

Le chef de brigade ne comprit pas.

Le chef: « Ça veut dire quoi ? »

Le vieux éclata d'un rire sonore en tapant dans ses mains, comme pour s'applaudir lui-même. Il était plié en deux. En cet instant, on eût dit un gamin de cinq ans.

398

Le bruit fit s'enfuir les moineaux, qui s'étaient posés sur les dalles du toit.

De nouveau, il ouvrit grand la bouche et désigna ses trois dents du bout de l'index.

Comme sur le dessin stylisé gravé sur le sceau, il lui en restait une sur le côté gauche de la mâchoire supérieure, et deux, l'une à côté de l'autre, sur le côté droit de la mâchoire inférieure.

Dans la petite maison de pierre, chaque objet était résolument marqué de l'énigmatique sceau carré.

Dans un coin trônait une échelle en bois vermoulu, que, on pouvait le supposer, le vieux montait, lorsque son âge le lui permettait encore, pour grimper sur le toit et colmater les dalles de pierre fissurées, par où la pluie s'infiltrait. À présent, il était trop avancé en âge pour faire de l'escalade, et lorsqu'il pleuvait à l'intérieur, il se contentait de placer un peu partout des cuvettes, des seaux, des bols et des assiettes, pour récupérer l'eau. Des cinq barreaux que l'échelle comptait à l'origine n'en restaient que trois. Les deux du milieu avaient disparu. Quand un policier épousseta l'épaisse couche de poussière et de toiles d'araignées qui la recouvraient, le même dessin que celui du sceau, gravé à la pointe d'un couteau et badigeonné d'encre rouge, apparut sur le bois.

La même figure géométrique se retrouvait en plein milieu de l'anse en bois d'un seau. Comme elle avait été gravée à l'endroit où il y attachait une corde, pour le plonger dans l'eau (à en juger par la différence de couleur du bois, à l'intérieur du seau, il n'avait plus la force de le remplir qu'à moitié), le frottement avait fini, au fil des ans, par polir les sillons, et sur les trois carrés, deux n'étaient plus visibles.

La cuvette émaillée dans laquelle il faisait sa toilette était une véritable antiquité. Elle était typique des années soixante, avec ses larges bords décorés de motifs de tournesols, aux couleurs passées, et son fond orné d'un drapeau rouge, sous lequel se tenaient trois personnages : un ouvrier et un soldat encadraient une paysanne, le front ceint d'une serviette, qui tenait dans un bras une grosse gerbe de paille, et brandissait une faucille de l'autre. Avec le temps, l'émail avait sauté en moult endroits, et de la faucille ne restait que le manche. La lame, jadis étincelante, avait disparu avec un fragment d'émail. À sa place, on avait dessiné à la peinture rouge le fameux sceau à figure géométrique.

Les policiers remarquèrent qu'il n'y avait aucun miroir dans la maison, et ils en déduisirent que le suspect ne voyait le reflet de son visage et de ses trois chicots que dans l'eau de la cuvette, en faisant sa toilette.

L'intérieur de la maison était très peu meublé. En dehors du lit en pierre et du guéridon, il y avait un tabouret en bois, une étagère en bambou, une petite commode, et deux caisses posées l'une sur l'autre, qui faisaient office de table. Tous ressemblaient à de petits orphelins issus de la même mère, marqués d'une identique tache de naissance : l'étrange sceau à dessin géométrique.

Le manche cassé d'un outil agricole était allongé sur le sol, à l'entrée de la maison. Sans doute servait-il à stabiliser la clôture en bambou, les jours de grand vent. Le sceau gravé dessus attira l'attention du chef de la brigade des stups. Le graphisme était toujours le même, mais il avait été sculpté à l'aide d'un instrument à pointe double, avec une force toute particulière. Une date était inscrite au-dessous : 1968.

Sans mot dire, il griffonna ces quelques mots sur un calepin :

« Le vieil homme s'est moqué de moi. Le motif gravé sur son sceau ne représente certainement pas les trois dents qui lui restent, car en 1968, il n'avait que cinquante-sept ans. Il est rare d'être édenté à cet âge. »

Dans la maison, où tous les objets portaient le même sceau, un seul échappait à la règle : l'enceinte acoustique.

Une conclusion s'imposait : son propriétaire avait dû l'acquérir depuis peu, et n'avait pas encore eu le temps de la marquer de son empreinte. Ou bien elle appartenait à une autre personne.

Le faisceau lumineux d'une torche électrique balaya lentement, à la manière d'un projecteur miniature, chaque centimètre de l'espace en dessous du lit en pierre. Mais tout ce qu'il éclaira furent des toiles d'araignées intactes et un monceau de déjections de rats. À en juger par le nombre, l'endroit devait se transformer, la nuit, en champ de bataille, où la gent trotteuse déchaînée rejouait à sa manière le concerto de Beethoven, à coups de couinements et de morsures. La lumière de la torche s'arrêta un instant sur un guêpier desséché, que les insectes avaient depuis longtemps déserté. Ou peut-être était-ce un trophée conservé par les rats dans leur royaume de ténèbres, après le festin des cadavres des guêpes.

Brusquement, le faisceau éclaira une petite caisse en bois brun foncé.

Les policiers de la brigade des stups, qui avaient sans doute vu trop de séries policières américaines, se tapèrent mutuellement la paume de la main, en criant « Bingo ! ». Un expert sortit un Nikon, et mitrailla l'objet sous le lit.

L'homme qui l'ouvrit était celui qui avait démonté l'enceinte, dans les bureaux de la brigade. De nouveau, il ressentit le même frisson d'excitation : celui du joaillier ouvrant l'écrin d'un bracelet de diamants. Et qu'y trouva-t-il ?

Quatre lames de scie, de différentes longueurs.

Trois fins ciseaux à bois, de diverses marques.

Un jeu de rabots : une varlope, un gorget et un feuilleret. Le plus large mesurait dix centimètres et le plus étroit à peine un demi.

Deux marteaux.

Six limes de différentes tailles.

L'enthousiasme des policiers fut balayé d'un revers de main. Il n'y avait pas la moindre trace de drogue, dans cette vulgaire caisse à outils.

C'étaient visiblement les instruments de travail d'un charpentier. Manquait toutefois le plus indispensable, le cordeau encré, alors que s'y trouvait un jeu complet de douze burins gouges, qui ne se vendait généralement que dans les boutiques de graveurs de sceaux. Le manche de chacun portait aussi le même motif géométrique, profondément gravé avec un instrument à pointe double. La gravure avait sans doute été réalisée à la même période que celle qui figurait sur le manche de l'outil agricole.

Soudain, une lueur d'espoir alluma le regard du chef de brigade, qui venait de remarquer une protubérance ronde, sous un chiffon crasseux.

Il le souleva et découvrit un objet, dont l'usage lui était inconnu. C'était une calebasse de la taille d'un poing, teintée de couleur brune, tirant sur l'acajou, au centre de laquelle un tube de bambou était planté, comme un nez au milieu d'une figure. Une languette aussi mince que les ailes d'une cigale était fichée à l'intérieur. Sa réalisation avait certainement nécessité un long travail à la lime, et beaucoup de savoir-faire. Autour de la gourde étaient piqués de nombreux roseaux, de longueurs différentes, qui portaient aussi de petites anches, si fines qu'on peinait à les voir.

La figure géométrique omniprésente avait récemment été gravée sur le tuyau de bambou, qui formait comme un nez. Était-ce ce vieillard sénile, l'auteur d'un ouvrage aussi délicat?

Possible. En comparaison des gravures de 1968, on sentait qu'ici la main avait moins de force, et que l'outil utilisé n'était plus à pointe double.

La gourde avait un double fond. Sur le premier était gravé un dessin, qui rappelait la menuiserie finement ouvragée des fenêtres de la Chine antique. Celui qui figurait sur la panse, et était inachevé, n'avait pas été effectué avec un burin, mais avec une aiguille fichée dans un bâton d'encens allumé, que les inspecteurs retrouvèrent au fond de la caisse à outils. Le bout en était encore tiède. Le vieux venait de s'en servir. Du dessin, il n'avait gravé que quelques traits, mais il avait esquissé l'ensemble au crayon : un vieillard était assis sous un grand arbre, semblable à celui qui était planté devant sa maison. À ses côtés, un enfant jouait du violon.

Le chef : « Qu'est-ce que c'est ? »

Le vieux se leva, ouvrit grand les bras, et se mit à battre des ailes en roucoulant.

Les policiers en restèrent sans voix.

Il prit la gourde, y attacha une cordelette, et la fit tourner au-dessus de sa tête. Un son léger, qui ressemblait au bourdonnement d'un fil télégraphique, en sortit.

Soudain, dans un mouvement brusque, il la balança vers la gauche, et un sifflement strident résonna dans la pièce.

Puis il la fit tourbillonner comme une toupie, de plus en plus vite, et toute une gamme de sons mélodieux et élégants ravit les oreilles des policiers.

Enfin, il s'arrêta. Malgré ses gesticulations, il ne semblait pas fatigué. Son souffle était paisible, comme s'il n'eût point fait d'effort. L'écho de la sérénade qu'il venait d'exécuter perdura un instant entre les murs. Le chef de brigade se tut pendant quelques secondes.

« C'est un sifflet pour les colombes ? » finit-il par demander, en arrachant une feuille de son calepin.

Le suspect prit la feuille de papier et le stylo qu'il lui tendait, et écrivit ce mot :

« Yong. »

L'officier, qui prenait son métier très à cœur, décida d'en savoir davantage. Il emprunta l'ouvrage de Wang Shixiang, intitulé *Les sifflets de colombes*, qu'il dévora en une nuit. Le lendemain matin, il revêtit une veste traditionnelle chinoise, enfila des chaussures en toile, et se rendit au marché aux oiseaux de Putian, où il se présenta comme un colombophile pékinois. En moins de deux heures, il fit la connaissance de deux collectionneurs de sifflets, qui l'invitèrent chez eux, admirer d'anciens spécimens de marque Yong, qu'ils avaient l'heur de posséder. Le plus ancien, qui était l'œuvre du charpentier, datait de la première année du règne de l'empereur Xuantong, de la dynastie des Qing, soit 1909.

Vers la fin du vingtième siècle, les Chinois les plus riches commencèrent à investir des fortunes dans les œuvres d'art. Les sifflets de colombes fabriqués par la famille Yong figuraient parmi les objets les plus recherchés. Avec les marionnettes en bois sculptées par le maître marionnettiste Jiang Jiazhou, leurs sifflets étaient considérés comme l'une des deux merveilles du sud de la province du Fujian. Le plus modeste de leurs ouvrages, une simple calebasse sans double cloison ni roseaux pour offrir une large palette de sons atteignait plus de dix mille yuans, s'il était signé par le père. Quand il était très élaboré et offrait une vaste gamme sonore, sa valeur dépassait celle d'un appartement dans le meilleur quartier de la ville.

Le chef de la brigade des stups nota sur son calepin tout ce que les collectionneurs lui révélèrent sur les fabrications du père et du fils : les différences entre leurs signatures, leurs préférences esthétiques, les sonorités qu'ils privilégiaient...

Ils affirmèrent qu'après une longue période d'inactivité, Yong Sheng avait recommencé à en fabriquer en 1977.

Le premier collectionneur s'en souvenait très bien : « La Révolution culturelle avait pris fin en octobre de l'année précédente[1]. Peu de temps après, le marché aux oiseaux de Putian avait rouvert, au pied du pavillon des Tambours. À la même époque, les congrégations chrétiennes étaient revenues s'installer en Chine. Les églises étaient noires de monde, et tous les amateurs de colombes se retrouvaient sur le marché, comme au bon vieux temps. Yong Sheng, on l'appelait jadis "pasteur Yong", et même pendant la Révolution culturelle, quand on parlait de lui entre nous, on disait toujours "le pasteur". C'est comme l'arbre devant sa maison, qu'on avait cru détruit au cours d'un incendie et qui a repoussé quelques mois plus tard : on n'a jamais cessé de l'appeler "l'arbre du pasteur". Maintenant, tout le monde dit Yong Sheng, car il n'est plus pasteur. En 1977, il n'avait que soixante-six ans, mais depuis 1968, après l'incendie, il n'avait plus jamais prononcé un mot. Vous vous rendez compte ? Neuf ans ! C'est encore plus long que la guerre contre le Japon ! À Putian, tout le monde savait qu'il n'avait pas perdu l'usage de la parole, mais qu'il refusait de parler. Cependant, si quelqu'un l'abordait dans la rue, il lui

---

1. Après la mort de Mao, survenue le 9 septembre 1976.

montrait une petite pancarte, sur laquelle il avait écrit : "Je suis muet."

» Il avait refusé l'aide financière de son ancienne Église et les allocations sociales de l'État. Il vivait dans sa petite maison en pierre, avec ce que lui rapportait la fabrication des sifflets, sur lesquels il ne gravait plus sa signature, mais un sceau étrange, à figure géométrique. Un trait horizontal légèrement retroussé aux extrémités, avec un carré au-dessus du bout gauche et deux en-dessous du droit. Avec le temps, il a fini par ne plus graver cette marque de fabrique sur la panse de ses gourdes, mais sur le principal tuyau à anche. »

Le second collectionneur possédait cent vingt sifflets, porteurs de ce drôle de sceau. Il était issu d'une famille chrétienne de Hanjiang. Le pasteur Gu étant mort, et l'Église baptiste américaine ayant quitté la province du Fujian, ses parents l'avaient amené à Jiangkou, pour le faire baptiser par Yong Sheng. Après la prise du pouvoir par les communistes, il était devenu professeur de biologie, dans un lycée local, et, à plusieurs reprises, il avait, dans le cadre d'échanges pédagogiques, rencontré Helai, qui enseignait la même matière, à Putian. Pendant la Révolution culturelle, il avait lui aussi été considéré comme un ennemi du peuple, et il s'était souvent retrouvé à genoux à côté de Yong Sheng, lors de réunions politiques, devant son lycée, dans les bureaux de la commune, ou sur le pont Taihe.

« On a plus marqué la terre de Jiangkou de l'empreinte de nos genoux que je n'ai de cheveux sur la tête », ironisa-t-il.

Considérant que la nature particulière des relations de cet homme avec le suspect pourrait servir de témoignage lors d'un éventuel procès, le chef de la brigade des stups rangea son calepin et actionna discrètement un minimagnétophone.

« De l'avis général, il aurait décidé de ne plus parler à la suite de l'incendie qui a ravagé le pressoir à huile, en 1968. Quoi qu'il en soit, il reste pour moi le pasteur qui m'a donné le baptême. J'ai même dit à mes enfants que le jour de mon enterrement, je ne voudrai la présence d'aucun religieux, si ce n'est celle du pasteur Yong.

» Bref, passons. Ce pressoir à huile, c'était en fait une grande chaumière, qu'il avait construite de ses propres mains. Il en avait fait son église, et l'avait plus tard transformée en orphelinat. Finalement, elle lui avait été confisquée pour y installer un pressoir. À partir de là, il y avait vécu l'enfer, condamné à la rééducation par des travaux forcés monstrueux. Pourquoi aurait-il décidé de ne plus parler, après la destruction de ce lieu détestable ? On imagine plutôt que, durant des années, il a secrètement prié pour qu'il soit ravagé par un typhon ou un tremblement de terre.

» À mon avis, sa décision n'a rien à voir avec l'incendie, mais avec le suicide du Manchot, qui s'est jeté dans une cuve d'eau bouillante. Imaginez, si vous aviez vous-même assisté à la mort aussi abominable d'un proche, vous en feriez des cauchemars toutes les nuits. En réalité, il s'est senti responsable du suicide du Manchot, car c'est parce qu'ils travaillaient dans le même atelier que sa fille Helai a fait sa connaissance. Et c'est parce qu'elle a voulu divorcer qu'il s'est donné la mort.

» Au plus profond de lui-même, le pasteur s'est toujours reproché d'avoir, d'une certaine façon, joué un rôle coupable dans la funeste destinée de ce malheureux homme.

» À l'hiver 1968, avec d'autres professeurs de mon lycée, eux aussi ennemis du peuple, on nous a un jour fait transporter des briques à Jiangkou, avec des charrettes à bras. Après quoi, on a dû curer les latrines du comité révolutionnaire. Ce jour-là, j'y ai rencontré le pasteur Yong, à qui on avait assigné la même besogne. Alors que personne ne nous regardait, je suis allé le saluer. Il ne m'a pas répondu. Cela ne lui ressemblait pas. Après le nettoyage, un jeune révolutionnaire nous a ordonné d'arracher les mauvaises herbes, dans la cour. J'ai profité d'un moment où je me trouvais derrière lui pour lui demander s'il allait bien. Il a alors tracé un mot sur la terre, avec sa binette : "muet". Je lui ai demandé pourquoi. D'une main tremblante, mais avec force, il a commencé à tracer un autre mot, que je n'ai pas eu le temps de lire, car les Gardes rouges revenaient vers nous. J'ai baissé la tête. Quand j'ai voulu regarder ce qu'il avait écrit, après leur départ, il avait recouvert les mots d'un tas de chiendent.

» Tout le monde est venu déposer ses mauvaises herbes sur ce premier tas et, à la fin de la journée, les Gardes rouges nous ont fait jeter des bouts de bois, bouts de papier et autres ordures par-dessus, pour brûler le tout. À l'heure du dîner, je ne suis pas parti avec les autres, et je suis resté jusqu'à ce que le feu s'éteigne, pour voir si, sous les cendres, subsistaient des traces des mots qu'il avait écrits. Mais il n'y avait plus rien que de la terre calcinée.

— Qu'est-ce que les gens pensent de lui ?

— Les gens de Putian ? Je ne saurais le dire. Je sais seulement qu'il a beaucoup marqué la communauté chrétienne, sans toutefois passer pour un saint.

— Vous pouvez m'en dire plus ?

— Puisque vous semblez tant vous intéresser à lui, je vais vous raconter une anecdote, que je tiens de son propre petit-fils.

— C'est l'enfant qui joue du violon à côté de lui, sur les gravures des sifflets ?

— Oui. C'est Jin Lala. Jin, c'est le nom de son beau-père, un Mandchou d'origine coréenne. Vous connaissez les Coréens, ce sont de grands amateurs de chants et de danses. Mais ce n'est pas de lui qu'il a hérité son don pour le violon, puisque ce n'est pas son père biologique. Il est en fait le fils du Manchot, l'ancien droitier qui s'est donné la mort avant sa naissance.

— Lala ? D'où lui vient cet étrange prénom ?

— Alors que sa mère était en train d'accoucher, à l'hôpital, un médecin, qui apprenait à jouer du violon, avait passé des heures à faire des gammes, dans le dortoir du personnel hospitalier, situé à côté. Invariablement, il butait sur le *la*, qu'il rejouait encore et encore. Si bien qu'elle a fini par le mettre au monde sur cette note, dont elle a fait son prénom.

» Laissez-moi calculer : le pressoir à huile a pris feu en 1968, et Lala est arrivé à Jiangkou fin 1976, après la mort de Mao. Il avait huit ans. Son grand-père soixante-cinq. Il est resté avec lui pendant presque un an.

» Cet hiver-là, un jour que j'étais allé acheter du tofu chez la mère Zhang, j'ai rencontré son mari, qui était notre facteur. Il venait d'apporter une lettre au pasteur, qui en reconnaissant l'écriture sur l'enveloppe avait visiblement eu un choc.

» Mao est mort en septembre, et en octobre la Bande des Quatre est tombée. À partir de là, le pasteur n'a plus été forcé de balayer les rues et curer les latrines.

» Toutefois, les églises chrétiennes n'avaient pas encore repris leurs activités, et personne n'osait aller rendre visite à l'ancien pasteur, dans sa petite maison. Les gens n'osaient même pas le saluer, lorsqu'ils le rencontraient. Dans ce contexte, la seule personne de qui il pouvait recevoir une lettre, c'était sa fille – je dis "sa fille" bien qu'aucun lien de sang ne les unisse –, l'ancienne enseignante du lycée n° 5 de Putian. Elle avait mis un terme à leurs relations depuis la Révolution culturelle. En dix ans, pas une fois elle n'était venue le voir.

» Pourtant, c'était bien elle qui lui avait envoyé la lettre. Elle avait obtenu son diplôme en biologie à l'université de Fudan, une des meilleures de Chine. Après la chute de la Bande des Quatre, les jeunes ont à nouveau pu se présenter au concours d'entrée à l'université, mais à l'issue des dix années de la Révolution culturelle, l'éducation nationale souffrait d'une pénurie de professeurs. Après avoir été persécutés, les plus âgés étaient morts. Chaque université en a alors recruté parmi ses anciens diplômés, et c'est ainsi que Helai a eu la chance d'être nommée à Shanghai. Son mari, qui était coréen, a été autorisé à s'y installer avec elle, mais les autorités l'ont informée qu'il faudrait attendre de longs mois, avant d'obtenir un permis de résidence pour son fils[1]. Comme l'enfant ne pouvait être scolarisé en l'absence de ce document, elle a écrit au pasteur pour lui demander de l'accueillir, jusqu'à l'obtention des papiers.

» Il a évidemment accepté, et quelques jours après sa réponse, le petit Lala est arrivé à Jiangkou. C'était la veille de Noël. À cette époque, la plupart des gens ne savaient même pas ce que ce mot signifiait. Helai a déposé son fils à la porte sud de Putian, où elle a demandé à un vélo-taxi de le conduire chez son grand-père. Dans notre région, il n'y a pas de cyclopousses, mais on trouve toujours des cyclistes, dont le porte-

---

1. *Hukou*, document capital, en Chine, qui témoigne de l'appartenance à un quartier, sans lequel un enfant ne peut être inscrit à l'école. Le document est plus important que la carte d'identité.

bagages est aménagé pour le transport de clients. C'est ainsi que Lala est arrivé, avec un petit sac de voyage, dans lequel il y avait son violon et quelques partitions.

» Il paraît qu'à l'instant où il a grimpé la colline qui menait à la maison de son grand-père, celui-ci a ressorti ses outils, dont il ne se servait plus depuis de nombreuses années, pour lui fabriquer un sifflet. Le soir, ils ont fêté Noël avec du poisson à la vapeur et une soupe de courges et de tomates. C'est Lala qui me l'a raconté.

» C'était son premier Noël. Mais il ignorait ce qu'ils célébraient, puisque son grand-père ne parlait pas. Il ne le lui a pas non plus expliqué par écrit. D'ailleurs, il était trop jeune pour comprendre ce que représentait cette fête chrétienne. Et à cet âge, on ne sait pas vraiment lire. À son réveil, le lendemain matin, il a trouvé un sifflet dans un de ses souliers. C'était son cadeau, apporté dans la nuit par le père Noël.

» Certains me traitent de fanatique, parce que je possède quarante-six sifflets signés "Yong le Jeune", dont le dernier, fabriqué en 1931, a été réalisé avec neuf écorces de longanes, collées en trois rangées de trois sur une planchette en bois soutenue par de petits os sculptés, disposés en croix. Ce fut sa dernière réalisation. La même année, il est parti étudier à la faculté de théologie de Nankin. À son retour, il est devenu pasteur, puis il a ouvert un orphelinat, et il n'a jamais plus fait de sifflets, à une exception près : pour le septième anniversaire de Helai, qui l'a offert au Manchot, au début de leur relation amoureuse. Après son suicide, on ne l'a pas retrouvé. C'est pourquoi, pour les collectionneurs, celui qu'il a réalisé pour le premier Noël de son petit-fils a une valeur considérable. On se demandait tous si, après quarante-sept ans d'interruption, il était toujours au sommet de son art.

» Ce sifflet-là, je l'ai longuement examiné. Il était radicalement différent de ceux qu'il avait fabriqués auparavant. D'abord, il n'était pas réalisé dans une calebasse. Comme vous avez pu le constater tout à l'heure au marché, c'est le principal matériau utilisé. On l'ouvre et on place une anche à l'intérieur. Celui qu'il avait confectionné pour Lala était entièrement fait en bambou, ce qui exige une technique beaucoup plus élaborée, car le corps du sifflet, façonné avec deux morceaux de bambou, doit avoir une forme ellipsoïdale parfaite. C'était un ouvrage très minutieux. Il lui avait fallu à la fois travailler sur l'écorce et sur la pulpe, avant d'obtenir le galbe idéal dans cette partie qu'on nomme "le jaune" d'une tige de bambou, une matière extrêmement légère, qui permet aux colombes de voler sur des dizaines de kilomètres, sans ressentir ni gêne ni fatigue.

» Dans sa lettre, Helai l'avait sans doute informé que l'enfant jouait du violon. C'est pour cela qu'il a choisi de lui fabriquer un sifflet en bambou, car avec ce matériau, on obtient une palette d'aigus à la fois subtile et tranchée, assez proche de la sonorité d'un violon.

» Le matin de Noël, le pasteur est venu me voir avec son petit-fils. Dès que j'ai vu le sifflet, j'ai compris le motif de leur visite, et je suis allé chercher une de mes colombes, pour leur permettre de l'essayer. Comme j'avais vu que le sifflet était du type "sept étoiles", c'est-à-dire qu'il comportait sept tubes, j'ai choisi une colombe de l'espèce noble, qu'on nomme "sept étoiles à dos moucheté", à cause des sept petits points blancs sur chacune de ses ailes, et de son dos parsemé de taches de son. Comme c'était Noël, le pasteur n'a pas choisi un simple fil de coton blanc, mais un cordon de soie de cinq couleurs vives, pour attacher le sifflet. Il avait encore une très bonne vue, à cette époque. Avec des gestes aussi assurés et précis que par le passé, il l'a cousu sur les plumes caudales de ma colombe. L'enfant ouvrait de grands yeux, comme si son grand-père était un magicien. Il observait le moindre de ses gestes avec admiration. Quand il l'a laissé faire le nœud, le gamin fut au comble du bonheur. Il était si ému qu'il s'y est pris à plusieurs fois avant d'y arriver.

» Le pasteur a placé le sifflet entre deux plumes de la queue du pigeon, et l'a stabilisé avec un fil de plomb.

» Mais quand ma colombe a pris son envol, le sifflet est resté muet. Tout était silencieux alentour. Elle avait beau effectuer de grands cercles au-dessus de nos têtes, pas un son ne sortait. Le pasteur était livide. Il n'osait même plus regarder son petit-fils. La sueur coulait sur son visage. J'ai supposé que les ouvertures étaient trop étroites ou les anches mal inclinées. Même moi, j'étais déprimé.

» Au même instant, alors que ma colombe avait disparu dans le ciel, un son fin et aigu a retenti. On aurait dit des notes de violon. Puis les sept petits tuyaux ont résonné en même temps, et j'ai eu l'impression d'entendre un concerto d'instruments à cordes. C'était une pure merveille. On ne voyait plus la colombe, seulement des nuages blancs, à l'intérieur desquels se jouait une musique presque miraculeuse. J'étais plongé au cœur de la Voie des Oiseaux, dont nos anciens sages avaient rêvé. Ces oiseaux dont on ne discerne pas la trace, mais dont on devine le passage à l'écho ondoyant de leur vol.

» Ce que je vais vous raconter maintenant, je le tiens de Lala. C'était après le nouvel an. Je lui avais demandé ce que son grand-père lui avait fait manger le soir du réveillon. Il faut vous dire que, malgré son jeune âge, ce gamin adorait parler et raconter des histoires. Il avait déjà une excellente maîtrise de la langue. Il maniait à merveille la métaphore. Il était assez génial, dans son genre. Par exemple, au sujet de la maison en pierre de son grand-père, il disait qu'il avait la sensation de vivre au fond d'un puits qui, le jour, quand la seule lumière était celle du foyer creusé dans la terre, sentait le taro grillé, et qui, la nuit, dégageait l'odeur de mousse et d'humidité des vieux puits.

» Il m'a dit que le soir du réveillon, tout lui avait paru trop calme. Dans cette maison étrange, qui ressemblait plus à la tanière d'un ours qu'à un lieu d'habitation humaine, il n'entendait pas même le souffle du vent. Il avait décidé de s'enfuir et de retourner à Putian, après avoir fait son sac de voyage. Puis il avait réfléchi. En pleine nuit, il ne trouverait aucun moyen de transport, pas même un vélo-taxi, et à pied il devrait marcher jusqu'à l'aube, avant d'atteindre la ville. Il ne s'en sentait pas le courage. Alors qu'il pesait le pour et le contre, il avait entendu des pas à l'extérieur, mais comme il faisait souvent des rêves dans lesquels il entendait des bruits de pas, semblables aux coups de timbales du *Concerto pour violon en ré majeur* de Beethoven, il n'y avait pas vraiment prêté attention. Il avait supposé que c'était l'écho d'un de ses rêves récurrents, dont il ne se souvenait, à son réveil, que du bruit obsédant. Les pas s'étant rapprochés, il en avait ensuite conclu que ce devait être un voleur. Il avait même reconnu que l'homme portait des tongs en plastique. Il avait l'oreille si musicale qu'il avait discerné que la savate de droite était plus éculée que la gauche, preuve que l'homme était probablement boiteux. À Putian, à l'exception des employés de bureau, tout le monde marche avec des tongs en plastique, mais Lala avait trouvé bizarre qu'un malfaiteur en portât pour cambrioler une maison. Ou bien c'était un amateur, ou bien il savait que dans cette demeure, personne ne lui courrait après.

» Il était descendu du lit en pierre, avait pris une torche électrique, sans oser sortir. Après avoir allumé, il avait secoué son grand-père, avec qui il dormait, mais le vieux ne s'était pas réveillé. Les bruits de pas avaient fait le tour du grand aguilaire et s'étaient éloignés. Puis il en avait entendu d'autres. Ceux de plusieurs personnes, qui couraient pieds nus. Il avait alors pensé que le boiteux n'était qu'un éclaireur, et que les suivants étaient les vrais voleurs. Eux aussi avaient fait le tour de l'aguilaire, sans s'approcher de la maison, puis ils étaient partis au pas de course, et le calme était revenu.

» Intrigué, le gamin avait fini par sortir jusqu'à la clôture en bambous, mais il n'avait vu personne. Le bas de la colline était noyé dans le brouillard. Dans le coin, il y a toujours beaucoup de brouillard, la nuit. Avant, je venais régulièrement jouer aux échecs avec le pasteur, et nos parties duraient souvent jusqu'après minuit, car il réfléchissait longuement, entre chaque coup. Depuis l'entrée de la maison, on voyait le brouillard monter dans la colline, au fil des heures. Peu à peu, il s'infiltrait sous la clôture, se répandait sur le sol et grimpait jusqu'à la table où l'on jouait. La lumière de la lampe à pétrole était peu à peu entourée par une brume si épaisse qu'on n'en distinguait plus qu'un faible halo.

» On peut sans peine imaginer le désarroi de Lala, seul sur le seuil de la bâtisse éclairée par un rayon de lune accroché dans le ciel comme un drôle de lampadaire. D'autres personnes grimpaient la colline, dans le brouillard. Il a vite refermé la clôture, pour se cacher dans la maison. Selon ses propres mots, à l'intérieur, les sons qui lui parvenaient étaient plus faibles d'une octave, comme si on avait joué du violon au fond de la mer et que les notes lui arrivaient aux oreilles à travers la masse de l'eau. C'était un enfant particulièrement intelligent pour son âge.

» À travers les interstices de la clôture, il a observé ce qui se passait au-dehors : quatre personnes, qui devaient appartenir à la même famille, un vieillard, un homme, une femme et un enfant, s'éclairaient avec une torche électrique, dont les piles devaient être usées, car sa lumière était faible. La femme portait un sac de noix, qu'elle donnait à manger à l'enfant, après en avoir brisé la coque entre ses dents.

» Ils marchaient lentement, dans les pas du vieillard qui tenait la torche. La lumière éclairait tantôt le visage de l'enfant, tantôt celui de ses parents, qui clignaient des yeux, comme éblouis par un puissant projecteur. Pas un ne prononçait un mot. Lala a vu l'homme sortir une pierre de sa veste, la donner à son fils, puis en sortir trois autres. Il en a tendu une à son père, l'autre à sa femme, et a gardé la troisième.

» Lala s'est demandé s'ils se préparaient à attaquer la maison de son grand-père. Détestaient-ils le vieil homme à ce point ?

» Leurs cailloux, à la lueur de la torche, semblaient recouverts d'une couche de peinture dorée. Lorsqu'ils n'étaient plus dans la lumière, ils avaient un éclat argenté. Ils se sont approchés de l'aguilaire, et, leurs pierres à la main, ils se sont penchés ensemble vers ses racines, comme pour les frapper. Puis ils se sont redressés et ont échangé un sourire complice. Ils avaient seulement posé les pierres sur le sol, sous lesquelles ils avaient glissé une feuille de papier.

» Grâce à la lumière de leur torche, Lala a remarqué d'autres bouts de papier sur lesquels des cailloux étaient posés, tout autour des racines moussues de l'arbre.

» Sans doute avaient-ils été placés là par ceux qui étaient venus plus tôt dans la nuit, l'homme boiteux et les va-nu-pieds.

» Le va-et-vient a duré toute la nuit. Parfois, c'était un homme seul, parfois toute une famille. Les femmes étaient plus nombreuses que les hommes. Il y a même eu un groupe de filles, qui travaillaient à la filature de Putian, d'après ce que m'a dit Lala, qui les avait entendues en parler. Ceux qui n'avaient pas de torche électrique tâtaient le sol dans le noir, pour poser leurs pierres.

» Lala a passé la nuit à les observer, sans comprendre leur manège. Au petit matin, quand enfin il n'y a plus eu personne, il est sorti. C'était le premier jour du nouvel an. D'innombrables cailloux entouraient le pied de l'arbre. À certains endroits, il y en avait plusieurs couches. Il y en avait des bleus, des gris, des blancs, des violets, tous plus beaux les uns que les autres.

» Sous chacun, il n'y avait pas un simple morceau de papier, mais un billet de banque, parfois une liasse de billets. Des billets de un yuan, mais aussi de cinq, de dix, et même de vingt. À l'époque, en 1978, le plus gros billet était de vingt yuans. Les billets de cinquante ou de cent n'existaient pas encore. »

Yong Sheng prit la photo que lui tendait le chef de la brigade des stups. Alors qu'il la tenait entre le pouce et l'index, les deux veines noueuses, qui saillaient sur le dos de sa main, se noyèrent dans les plis de sa peau ridée. Il observa l'image en clignant les yeux.

C'était un cliché en noir et blanc, jauni par le temps, dont le grain épais accentuait le côté suranné. Un faisceau lumineux tombait sur une scène, au-dessus d'un enfant, dont il éclairait le violon. La lumière se concentrait sur les quatre cordes de l'instrument, qui formaient quatre rayures argentées, sur lesquelles le gamin avait posé l'index de sa main gauche. Ses autres doigts, légers et vibrants, semblaient danser, en suspension au-dessus du manche.

Au premier abord, on eût dit un violoniste miniature, dans une boîte à musique. Mais en y regardant de plus près, on distinguait, derrière lui, la masse sombre d'un orchestre, que dirigeait un chef, à qui son queue-de-pie donnait l'allure d'un coléoptère.

« C'est une photo que nous avons trouvée dans la chambre de votre petit-fils, lors de son arrestation. »

Yong Sheng retourna le cliché, au dos duquel était écrit :

1982. Concours international de violon de Copenhague.
Œuvre interprétée : Concerto pour violon en ré majeur,
opus 61 de Beethoven.
Premier prix : Une paire d'enceintes danoises,
de marque Avance.

« Permettez-moi de préciser que nous avons consulté les archives du concours. Cette année-là, votre petit-fils a successivement interprété la *Sarabande* de Jean-Sébastien Bach, le *Caprice* n° 21 de Paganini et le premier mouvement du *Concerto pour violon en la majeur* de Mozart. Le tout sans partition. En demi-finale, il a joué une sonate de Debussy. »

Yong Sheng retourna la photo et ses yeux s'attardèrent longuement sur la main droite de l'enfant. Celle qui tenait l'archet.

« Je vois que vous observez l'archet. Si vous aviez quelques dizaines d'années de moins, vous pourriez faire un bon inspecteur. Étant donné l'angle de la prise de vue, on ne distingue pas bien le violon, mais je sens que vous avez remarqué que l'archet n'est pas celui que vous lui connaissiez. Effectivement. Lorsqu'il a intégré le conservatoire de musique de Pékin, son nouveau beau-père, un ancien professeur de français, lui a offert un violon italien, dont l'archet, fabriqué en bois d'ébène par un artisan français, a été spécialement conçu pour s'adapter à sa main. Ce qui est gravé dessus n'est pas votre énigmatique sceau, mais le nom de l'archetier. »

Il se tut, et, dans la maison redevenue silencieuse, on n'entendit plus que le bruit de leur respiration. Le policier finit par reprendre la photo des mains de Yong Sheng.

« C'était la première fois que votre petit-fils remportait un concours international. À l'époque, le prix d'une paire d'enceintes de cette marque et de cette qualité équivalait à celui d'un appartement, au centre de Putian. Or, c'est à vous qu'il les a offertes. Il est ensuite devenu premier violon dans un orchestre, mais il s'est fait arrêter pour consommation de drogue, et il a perdu son emploi. Il y a trois mois, il est revenu ici. Il a bourré une enceinte d'un kilo de cocaïne, et il l'a envoyée sous votre nom, en y apposant votre sceau, qui représente vos trois dents. »

Il dit cela en gardant les yeux sur la photo, car il n'osait regarder Yong Sheng. À force de promener son regard sur les chevilles du violon, sur la main gauche de l'enfant, dont les doigts volaient sur les cordes, sur la table de l'instrument calée contre son épaule, il eut l'impression d'entendre un faible soupir, presque une plainte, qui montait du cliché.

Puis il entendit une voix.

Il se souvint que quelqu'un avait comparé la maison de pierre à un puits. Qui était-ce déjà? Bien sûr, l'enfant prodige.

Les mots qu'il entendit ne semblaient pas sortir de la bouche de ce vieillard décrépit, mais du plus profond d'un puits :

« Lala n'a rien à voir là-dedans. Le trafiquant de drogue c'est moi. »

FINAL

Yong Sheng (un des meilleurs fabricants de sifflets pour colombes, ancien étudiant de l'université de théologie de Nankin, premier pasteur chinois de Putian, directeur d'un orphelinat, puis ouvrier du pressoir à huile de Jiangkou) avait encore quinze minutes à vivre. Le 18 juillet 2001, le tribunal populaire de la province du Fujian l'avait condamné à mort pour trafic de drogue. Compte tenu de son grand âge – il avait quatre-vingt-dix ans – et de son ancien statut de pasteur, il avait été décidé de l'exécuter par injection létale, une méthode expérimentée depuis quelques années dans certaines provinces du sud de la Chine.

Le 16 août à dix heures du matin, un exécuteur, vêtu d'une blouse blanche, monta à bord d'une fourgonnette – une ambulance de l'hôpital – garée dans la cour de la prison de Putian. C'était un homme d'une trentaine d'années, très petit et très maigre, dont le physique évoquait celui d'un prophète des temps bibliques. Il retroussa soigneusement les manches de la chemise de Yong Sheng, le sangla sur la table d'exécution, et lui planta, dans une veine de chaque bras, une aiguille reliée à une pompe à injection. Le vieux pasteur n'eut aucune réaction.

L'homme à blouse blanche sortit du fourgon, et la voix du commandant en chef résonna dans un haut-parleur :

« Exécution ! »

L'exécuteur appuya sur un bouton, et l'agent létal commença à entrer dans les veines de Yong Sheng.

Il était prévu quinze minutes entre le début de l'injection et l'arrêt irréversible des fonctions vitales, constatées par le légiste. En général, un gramme de thiopental sodique – un barbital très puissant – suffisait pour anesthésier un homme adulte en quarante secondes. Dans le cadre d'une exécution, où on en injectait cinq grammes, le condamné à mort perdait conscience en à peine dix secondes. Au bout de trois minutes, il entrait dans un état de mort cérébrale. À la dixième minute, le légiste constatait l'absence totale de réaction du condamné, et on procédait à une deuxième injection de Pavulon, qui paralysait les muscles et entraînait l'arrêt de la respiration. Enfin, une troisième injection de chlorure de potassium, qui intervenait à la quinzième minute, provoquait l'arrêt total et définitif du myocarde.

(Dix ans plus tard, les produits approuvés et distribués par le ministère de la Justice et la Cour suprême furent les seuls à être autorisés pour les injections létales sur tout le territoire. Mais en 2001, ce mode d'exécution était encore expérimental, et les autorités judiciaires de chaque province avaient tout pouvoir d'acheter les substances létales de leur choix, en fonction de leur budget. Cette année-là, la province du Fujian souffrit justement d'une pénurie de thiopental sodique, et les anesthésistes de l'hôpital de Putian suggérèrent de le remplacer par du midazolam, un puissant anesthésique. Leur proposition fut approuvée par le Tribunal populaire de la province. Les condamnés n'étaient évidemment pas avertis de ce changement, encore moins de ses éventuelles conséquences.)

Yong Sheng ne sentit pas la piqûre des aiguilles que l'exécuteur introduisit dans les veines de ses bras. Il n'entendit pas non plus l'ordre d'exécution. Pendant quelques secondes, son cerveau fut tout entier absorbé par le son d'un violon.

« Je suis toujours vivant », se dit-il.

Il se concentra pour écouter ce qui se passait autour de lui, et ne perçut que de faibles rumeurs, comme dans une salle de concert remplie de spectateurs.

Un musicien accordait son violon.

Est-il besoin de le préciser ? C'était le premier violon de l'orchestre, qui pinçait les cordes de son instrument pour donner le *la*. Lala lui avait expliqué quelles cordes correspondaient aux différentes notes, et sitôt qu'il entendait un *la*, il repensait à l'enregistrement qu'il lui avait offert du concours de Copenhague.

Il l'avait souvent écouté faire ses exercices sous le grand aguilaire, devant la maison en pierre. Chaque fois, c'était le même rituel. Il ouvrait son étui et sortait son archet, qu'il enduisait de colophane, et dont il resserrait la vis. Puis il prenait son violon et l'accordait. À cette époque, il n'avait encore qu'un violon d'étude, mais Yong Sheng prenait plaisir à en caresser les chevilles et les lisses contours de la table en bois.

Lala avait participé au concours de Copenhague avec un nouveau violon, de facture italienne, dont la tonalité était plus chaude, plus veloutée, plus harmonieuse que celui de son enfance. Sa résonance était aussi de meilleure qualité.

Il se représentait son petit-fils, son violon calé entre le cou et le menton, ses longs cheveux flottant sur ses épaules. Il l'imaginait poser sur les cordes l'archet façonné pour lui par un archetier français, et ressentait dans sa chair les vibrations des crins sur la chanterelle, et le léger tremblement de l'ouïe, ouverte sur la table supérieure de l'instrument.

« Mon Dieu ! Il ne va tout de même pas jouer le *Concerto pour violon* de Tchaïkovski ! »

Il avait souvent interprété des œuvres de Tchaïkovski et de Sibélius dans son enfance, en arguant qu'elles comptaient parmi les plus difficiles, mais Yong Sheng n'aimait ni l'un ni l'autre de ces compositeurs.

Par bonheur, Lala n'avait pas encore commencé à jouer. Il se contentait d'accorder son violon, dont il ne s'était sans doute pas servi depuis longtemps. Lui aussi avait fait un séjour en prison, et il devait à nouveau se familiariser avec son instrument. À plusieurs reprises, il fit des gammes. Soudain, il y eut quatre coups de timbales. C'était seulement une imitation que Lala faisait avec sa bouche, mais les yeux de Yong Sheng se remplirent de larmes ; il lui semblait retrouver un vieil ami. Son *Concerto pour violon en ré majeur* de Beethoven. À nouveau, il entendit les bruits de pas d'une femme douce et élégante. Elle s'arrêta devant sa porte. C'était Mary.

« Seigneur ! se mit-il à prier. Vous qui êtes le maître du temps, offrez-moi encore dix minutes, que je puisse entendre l'intégralité du premier mouvement. »

Depuis combien de temps n'avait-il pas prié ? Lui-même n'aurait su le dire. Vraisemblablement depuis la mort du Manchot, dont le suicide avait eu raison de sa foi. Depuis, il n'avait plus eu envie d'échanger un mot avec ses semblables. Après la Révolution culturelle, il eût pu redevenir pasteur. Il n'avait que soixante-cinq ans. Il était encore capable de prêcher. Mais il ne supportait plus les mots et les phrases qu'il utilisait depuis l'enfance. Que ce fût en mandarin, en dialecte de Putian ou de Fuzhou, le langage lui semblait vain, désormais. Il avait perdu son sens avec le Manchot, au fond de la cuve d'ébouillantage. Lorsqu'il avait fabriqué un sifflet pour son petit-fils, qui avait surgi dans sa vie de façon inattendue, il avait découvert que les sons remplaçaient fort bien la voix humaine. Ils étaient même plus riches et plus purs que le langage. Souvent plus profonds, et autrement majestueux. Ils variaient au gré du vent, s'étiraient à l'infini, mais restaient toujours harmonieux.

Dieu entendit peut-être la prière de son serviteur.

Le concerto de Beethoven jouait déjà depuis trois minutes, le temps prévu par les anesthésistes pour provoquer la mort cérébrale, et Lala continuait à faire chanter son violon. Le rythme en était plus lent. Le premier mouvement était riche de merveilleuses prolongations de notes, que le jeune homme tenait longuement, comme absorbé dans de lointains souvenirs. Porté par la musique, Yong Sheng revoyait les images du temps passé : deux ans après l'arrivée de Lala, ils avaient marché plusieurs jours le long de la rivière Mulan. C'était au début du printemps. Il avait reçu un colis du département des langues étrangères de l'université Jinan de Guangzhou qui contenait l'urne cinéraire de Mary. Une courte lettre expliquait qu'elle était morte de maladie, à la fin de la Révolution culturelle, en laissant un testament dans lequel elle demandait que ses cendres fussent envoyées à son ancien petit élève de Putian, afin qu'il les dispersât là où la rivière Mulan prenait sa source, dans le mont Bijia. La première journée, le vieil homme et l'enfant avaient remonté le fleuve sur cinquante kilomètres. Comme la mer était à marée basse, le lit du fleuve était presque asséché. Ils avaient marché sur le sable durci par le soleil. Le soir, la mer était remontée et l'eau avait reflué à une vitesse telle qu'ils avaient dû courir pour ne pas être emportés. Les berges étaient inondées. Par chance, ils avaient rencontré un paysan qui, contre une petite somme d'argent, avait accepté de prendre Lala sur le porte-bagages de son vélo. Ils avaient traversé un bois, à côté d'un barrage, où Yong Sheng avait ramassé des branchages pour faire un feu, et ils s'étaient arrêtés pour y passer la nuit. La situation avait rappelé au vieil homme la nuit passée avec son père dans un four à briques, alors qu'ils étaient partis couper un camphrier, à la demande de sa grand-mère agonisante. Le deuxième jour, ils avaient atteint le mont Bijia, et, au matin du troisième, ils en avaient découvert le sommet à leur réveil. C'était une longue crête de plusieurs kilomètres, dont les lueurs de l'aube doraient les lignes dentelées. Au quatrième jour de marche, le lit du fleuve, de plus en plus étroit, avait commencé à dégager une odeur marécageuse. Parfois, l'eau était aussi peu profonde que celle d'un ruisseau. Elle ne dépassait pas la hauteur de leurs chevilles et était d'une agréable fraîcheur. Parfois, elle se transformait en un torrent qui se perdait dans les bois. Enfin, ils avaient atteint la source qu'ils cherchaient. C'était à peine croyable : la naissance de ce large fleuve de plusieurs centaines de kilomètres de long, qui arrosait généreusement la plaine de Xinghua, était un simple torrent de montagne, si insignifiant qu'ils avaient failli passer devant, sans y faire attention. Au bord de l'eau était planté un vieux poteau télégraphique, légèrement de travers, que les gens de la région nommaient « la vieille colonne ». On eût dit le mât d'un bateau naufragé. Avec le temps, l'éclat de la peinture rouge s'était terni. Cependant, le soleil qui se reflétait à son extrémité lui donnait une allure de bougie allumée. C'était un endroit idéal pour disperser des cendres. Yong Sheng avait demandé à Lala de jouer un morceau pendant qu'il sortait l'urne de sa hotte. Puis il était monté au sommet du poteau, qui avait vacillé sous son poids.

À cette époque, le gamin n'avait qu'un violon d'étude, dont la sonorité était assez simple, mais pure et gracieuse. Dans ce paysage de montagne, le concerto de Beethoven avait résonné avec une beauté cristalline, presque scintillante.

Alors que Yong Sheng s'était apprêté à ouvrir l'urne, le poteau, dont la base était entourée de plantes aquatiques et de coquillages, s'était penché, centimètre par centimètre, jusqu'au ras de l'eau. Enfin, dans un bruit terrible, que l'écho avait répercuté durant presque une minute, le vieil homme était tombé dans le torrent avec l'urne, qui avait été emportée par le courant. Il avait bien essayé de la rattraper, mais l'eau était glacée, et au bout d'une dizaine de mètres, il avait renoncé. Alors, il l'avait regardée partir, jusqu'à ce qu'elle eût disparu. Il était transi, ses vêtements étaient trempés. Pour tenter de se réchauffer, il avait marché au bord de l'eau, et il s'était enfoncé dans un marécage, comme Mary, bien des années plus tôt, alors qu'il la poursuivait dans le mont Youyang, pour la tuer. Un instant, il avait cru de nouveau sentir l'odeur de la poudre de son fusil et ce mélange de sueur et de vase qu'exhalait le corps de la jeune femme prise au piège. Puis la pluie s'était mise à tomber, et la musique du violon avait été accompagnée par le bruit des gouttes, qui tombaient sur la boue avec un son étouffé, soulignant davantage le silence environnant. À la fin du premier mouvement, la montagne et les bois avaient retrouvé un calme serein, qui les avait tendrement enveloppés.

Le délai prévu avait expiré.

Si cette exécution par injection létale n'avait pas eu lieu en 2001 mais dix ans ou même cinq ans plus tard, elle ne se fût pas déroulée dans une ambulance empruntée à l'hôpital local, et Yong Sheng n'eût pas été attaché sur un simple brancard à roulettes. Le tribunal eût envoyé à la prison un fourgon spécialement aménagé pour ce type d'exécution. Mais la province de Fujian n'en fit l'acquisition qu'en 2005 : l'intérieur ressemblait à un wagon-lit de première classe, avec une couchette éclairée par un plafonnier, sur laquelle on sanglait le condamné à mort comme un patient de l'asile psychiatrique. Un écran d'ordinateur permettait de suivre l'évolution de son activité cérébrale, au cours de la première injection, grâce au tracé de l'électro-encéphalogramme, qui finissait toujours en ligne droite. L'enregistrement des données était imprimé sur papier et joint au dossier du condamné. Après quoi, l'exécuteur procédait à la deuxième injection.

L'homme en blouse blanche désigné pour administrer les injections à Yong Sheng n'était pas un professionnel des exécutions, mais un jeune anesthésiste de l'hôpital de Putian. Jusqu'à présent, les condamnés à mort étaient fusillés par un peloton de tireurs d'élite de l'armée. Or, dans le cas d'une injection létale, les militaires, qui n'avaient aucune formation médicale, étaient incompétents. Ils n'eussent même pas trouvé les veines à piquer. La prison comptait bien trois médecins et quatre infirmières, mais tous avaient refusé d'intervenir, la peine de mort étant incompatible avec leur éthique. On avait donc eu recours à un jeune anesthésiste hospitalier, qui n'avait pas de problème d'éthique. En revanche, comme après avoir piqué Yong Sheng, il devait sortir du fourgon pour actionner la pompe à injection, il avait estimé que ce cumul de fonctions méritait double salaire, et il était allé négocier avec le commandant en chef de la prison, qui lui avait opposé un refus catégorique.

Pour se venger, il fit exprès de ne pas suivre le protocole, et à l'issue des dix minutes suivant l'injection du midazolam – qui remplaçait le thiopental sodique, indisponible dans la province –, sans prendre le soin de contrôler les fonctions motrices et cérébrales de Yong Sheng, il appuya sur la touche « injection » du Pavulon, qui paralysait les muscles et provoquait l'arrêt de la respiration.

Je ne saurais dire combien de fois j'ai écouté ce Concerto pour violon en ré majeur *de Beethoven, mais je suis toujours émerveillé par le deuxième mouvement, quand les timbales se taisent et que le violon joue en sourdine. J'ai souvent entendu Lala l'interpréter sous l'aguilaire. Parfois, j'avais l'impression que les notes coulaient le long de ses racines à fleur de terre. Parfois, elles semblaient escalader son tronc et circuler entre les branches et les feuilles de son épaisse frondaison, jusqu'à sa cime bombée. Pour moi, le deuxième mouvement a toujours été un chant paisible, simple, profond. Une sorte de contemplation. À présent, je n'ai plus le même sentiment. J'ignore si c'est l'effet de l'injection, ou si c'est le style de Lala qui a changé. Aurait-il perdu la virtuosité de son enfance, quand sa main gauche excellait à ajouter des ornements à la mélodie ? C'est à ce genre de détail qu'on reconnaît les enfants prodiges. À présent, mordants, appoggiatures et gruppetti ont disparu de son jeu, transformant le deuxième mouvement en un cantique, qui me rappelle le temps où j'étais un pasteur jeune et élégant, qu'un silence majestueux accueillait, lorsque je montais à la tribune pour prêcher.*

Seigneur tout-puissant, depuis le jour où Tu as envoyé Lala dans mon humble demeure, je ne sais combien de fois je T'ai rendu grâce pour le bonheur dont Tu m'as gratifié. Comme Israël, à qui Tu as accordé, au seuil de sa vieillesse, de revoir son fils bien-aimé, qu'il croyait avoir perdu, j'ai souvent répété cette phrase qu'il a dite à Joseph, au chapitre 48 de la Genèse : « Je ne pensais pas revoir ton visage, et voici que Dieu me fait voir même ta postérité. »

Je ne connais plus la suite par cœur, mais je me souviens qu'Israël a embrassé ses petits-enfants et les a bénis en disant : « Que le Dieu qui m'a conduit depuis que j'existe jusqu'à ce jour bénisse ces enfants ! »

La mère de Lala n'est jamais revenue me voir et je n'avais pas espéré connaître mon petit-fils. Un jour, je l'ai emmené sur la tombe de sa grand-mère maternelle. Nous avons pris l'autocar à la porte sud de Putian, et nous avons roulé jusqu'au village de Zaolin. C'était un lieu très pauvre, que la jeunesse avait déserté. Nous avons demandé à une vieille femme où était la sépulture de Heling, et elle nous a demandé dix yuans pour nous l'indiquer. Le chemin était en mauvais état. Au bout d'un kilomètre, nous avons trouvé des tombes de la famille Huang, ensevelies sous les mauvaises herbes et les broussailles. Lala a appelé à la rescousse quatre paysans, qui travaillaient à côté, pour nous déblayer le terrain ; encore quarante yuans. En tout, il y avait huit tombes. Une seule n'avait pas de stèle en pierre, mais une planche en bois, sur laquelle était gravée une grande croix peinte en rouge. C'était celle de la grand-mère de Lala, la seule de sa famille à avoir épousé un pasteur.

Le soir même, nous avons repris l'autocar pour rentrer à Putian. C'était le dernier. Pour je ne sais quelle raison, Lala était très nerveux. Il n'arrêtait pas de se lever de son siège pour aller et venir dans le couloir, et quand le car est tombé en panne, bien avant d'arriver à destination, il est devenu incontrôlable. Il s'est mis à tambouriner à coups de poing sur la porte, pour que le chauffeur la lui ouvre. Sitôt la porte ouverte, il s'est précipité à l'extérieur et a disparu dans la nuit. Au bout d'un moment, la panne a été réparée et nous sommes repartis. Mais alors que nous roulions sur un grand boulevard, à l'approche du centre-ville, nous avons vu la silhouette d'un jeune homme, qui courait comme un fou au milieu de la route. Dieu merci, c'était en pleine nuit, et il n'y avait aucune voiture. C'était Lala! Je n'arrivais pas à en croire mes yeux. Ses longs cheveux trempés de sueur étaient collés sur son visage. Il était presque effrayant. Le chauffeur a arrêté son véhicule, il a ouvert la porte, et lui a demandé de monter, mais Lala ne lui a pas même jeté un regard, et a continué à courir comme un dératé. À l'époque, je n'ai pas compris la raison de son attitude, mais en y repensant, je crois qu'il était en manque, et qu'il courait rejoindre un trafiquant, pour lui acheter sa dose.

À compter de ce jour, dès que je fermais les yeux, je revoyais cette scène improbable, et je me mettais à trembler. J'étais obsédé par son visage trempé de sueur, sa bouche grande ouverte, suffoquant comme un poisson hors de l'eau. J'imaginais les tortures qu'il devait endurer. On aurait dit un mort-vivant, pas mon petit-fils.

Deux jours plus tard, il est parti sans me dire au revoir, profitant de ce que je faisais une sieste sur ma chaise longue. Il avait emporté une des enceintes. C'était un garçon étrange, qui se comportait toujours de façon inattendue. Sans doute parce qu'il n'avait pas eu de père. C'était un cheval fou. Je n'ai pas réfléchi à ce qu'il allait faire avec cette enceinte. Et je n'ai compris qu'il m'avait volé mon sceau que lorsque le policier m'a montré le formulaire de recommandé.

Mais peut-on vraiment dire que c'est un vol? Non, car le motif qui y est gravé — je me suis moqué du policier, en prétendant qu'il *symbolisait mes trois dents – représente les socques en bois de son père, comme en portent tous les bouchers de la région, le carré du haut figurant l'empeigne et les deux du bas, le talon en bois.*

Jésus n'avait-il pas prononcé cette parabole ? « Quel homme d'entre vous, s'il a cent brebis, et qu'il en perde une, ne laisse les quatre-vingt-dix-neuf autres dans le désert pour aller après celle qui est perdue, jusqu'à ce qu'il la trouve ? Lorsqu'il l'a trouvée, il la met avec joie sur ses épaules, et, de retour à la maison, il appelle ses amis et ses voisins et leur dit : Réjouissez-vous avec moi, car j'ai trouvé ma brebis qui était perdue. En vérité, je vous le dis, il y aura plus de joie dans le ciel pour un seul pécheur qui se repent que pour quatre-vingt-dix-neuf justes qui n'ont pas besoin de se repentir. »

Tiens, voilà que souffle une fraîche bouffée de brise printanière.

Le violon joue à présent un thème rempli de joie, aussi fluide que de la soie. Les notes sautillent gaiement sous l'archet, comme savourant les premiers rayons du soleil, à la sortie de l'hiver.

Je ne peux m'empêcher de sourire. Dieu a entendu ma prière et a décidé de me laisser écouter le concerto de Beethoven jusqu'au bout.

Le troisième mouvement, tout à la fois léger et majestueux, me rappelle mon père.

Je le revois lever la tête vers la cime d'un immense camphrier, avec le bois duquel il projette de faire mon lit de noces. J'entends sa hache cogner contre le tronc, et les oiseaux nichés dans ses branchages s'enfuir à tire-d'aile, dans un bruissement semblable à celui d'un coupon de soie déchiré par un marchand de tissus. Des bécasses au long bec couleur d'enclume, dont la mandibule inférieure, légèrement incurvée, se pare de reflets rosés, à la lumière du soleil. Les rayures brunes et violettes des plumes de leur nuque et de leur jabot, qui se confondent avec leur ombre sur le sol, les font paraître plus grandes qu'elles ne sont en réalité. Elles me regardent sans effroi, de leurs yeux limpides comme l'onde claire. Moi-même, je les contemple longuement, jusqu'à ce que mon père m'appelle, et me tende un copeau de bois. J'entends encore sa voix résonner à mes oreilles : Si tu poses ce copeau quelque part, à cent mètres à la ronde, tu n'auras plus une mouche ou un moustique. Je lève le copeau vers le soleil, et les bécasses suivent mon geste du regard. Leurs yeux étincellent sous la lumière, les rayures de leur jabot se parent de reflets pourpres, et mon copeau de bois prend une transparence ambrée, où les rayons du soleil dansent sur ses fines veines. Une branche d'arbre, que mon père vient de couper, tombe à terre. Les bécasses s'envolent, et les battements de leurs ailes s'accordent aux triolets, aux quartes et aux quintes du violon.

J'ai aussi dans les oreilles un autre bruit de battement d'ailes. Celles d'un coq. Six ans après l'incendie, l'hiver avait été particulièrement neigeux. C'est très rare dans notre région, où il neige tous les dix ans. Je n'avais pas vu autant de neige depuis la mort de ma grand-mère. Le sol était recouvert d'un épais manteau blanc. Pour la première fois depuis six ans, je n'avais plus sous les yeux la terre calcinée, qui me rappelait le sinistre. La maison en pierre n'était pas encore construite. Cependant, chaque soir, après avoir balayé les rues et curé les latrines de Jiangkou, je rentrais à l'endroit où j'avais toujours vécu, et je passais la nuit dans les décombres, sur un lit de paille. Un matin, au réveil, la neige avait cessé de tomber. Tout semblait flou, sans contour, autour de moi. J'ai voulu me frotter les yeux, mais ma veste était dure comme du verre. J'avais le corps transi. Peu à peu, je me suis réchauffé, et le brouillard a commencé à se dissiper. Puis le soleil s'est levé. La réverbération de sa lumière sur l'étendue immaculée me donnait l'impression de me réveiller au sein d'un monde de cristal. Au milieu de tout ce blanc est soudain apparue la crête d'un coq, qui remuait frénétiquement la tête.

Le violon fait entendre une suite de notes sautillantes et joyeuses.

Le coq grattait la neige de ses pattes, tout en battant des ailes pour se donner de l'entrain. Les plumes ébouriffées de son cou voletaient doucement. J'ignorais si elles étaient soulevées par son haleine, ou s'il s'ébrouait pour lutter contre le froid. Il était enveloppé d'un halo bleuté. Il fouissait le sol à l'endroit même où se dressait jadis mon aguilaire. Je me suis approché de lui. Il avait creusé un trou, qui laissait paraître la terre carbonisée.

Le rayonnement du soleil faisait scintiller les plumes mouillées de ses ailes. Malgré ma présence, il continuait à gratter la terre avec fébrilité.

Il s'est alors produit une chose que, dans mes rêves les plus fous, je n'aurais osé imaginer : à l'endroit où il creusait se dressait un bourgeon.

La racine sur laquelle il avait poussé n'était donc pas morte. Je me suis accroupi et j'ai dégagé la terre tout autour. Une tige souterraine était encore vivace et une jeune pousse s'y était formée.

Je suis allé chercher une houe, et me suis mis à creuser. J'avais pensé mon arbre parti en fumée, et, par hasard, j'avais découvert qu'il ne demandait qu'à renaître de ses cendres. Le nouveau plant, en forme de fuseau de fileuse, mesurait déjà soixante centimètres.

J'en avais les larmes aux yeux. Mon aguilaire, que je croyais mort, était toujours en vie.

Même le coq, qui était toujours à mes côtés, semblait étonné par l'obstination du végétal. Sa crête rougeoyait sous le soleil comme une petite lanterne translucide. Les plumes carmin de sa poitrine flamboyaient comme de longues flammèches. Lorsqu'il se redressa, elles dévoilèrent le léger duvet blanc de son abdomen. Il avait des yeux couleur d'or et des prunelles d'un noir profond.

Mon vieil arbre avait connu toutes les vicissitudes de la vie. Il était mort, avait vécu l'enfer, mais dans les profondeurs de la terre, il était ressuscité.

Le troisième mouvement du concerto de Beethoven se termine par une cadenza brève et serrée, qui en marque l'apogée de façon éblouissante.

Je sais en l'entendant que le temps que Dieu m'a accordé arrive à son terme.

Je me souviens de ce que m'avait dit Lala, la veille de son départ inopiné. Nous avions écouté ensemble l'enregistrement du morceau qu'il avait joué lors du concours, des années plus tôt. Seules quelques braises du foyer, dans lesquelles cuisait un tubercule de taro, apportaient un peu de lumière à l'obscurité de la maison.

« J'ai beau avoir joué ce concerto des centaines, voire des milliers de fois, je n'ai jamais compris comment Beethoven avait pu commettre, dans cette œuvre aussi parfaite, une erreur que même un débutant aurait évitée : finir la cadenza du dernier mouvement sur un fa bécarre. Même un idiot se rend compte que cette *note est trop éloignée du* ré *majeur pour être harmonieuse. Pourtant, il a écrit ce concerto à une période heureuse de sa vie, quand il n'était pas encore sourd. Sa surdité n'est apparue que des années plus tard. La raison, c'est qu'il ne cherchait pas la perfection. Il voulait seulement exprimer la vie. Et la vie, c'est l'imperfection. »*

C'est seulement maintenant que je comprends ce qu'il a voulu dire.

Il parlait de moi, ce sale gosse. Il disait : « Grand-père, les derniers instants de ta vie seront détonnants, comme la dernière note du concerto de Beethoven. Mais c'est par ce que d'aucuns pourront considérer comme une erreur que se révélera la beauté de ton existence. »

À cet instant, le jeune anesthésiste déclencha la troisième injection, de chlorure de potassium.

Devant ma maison en pierre, au sommet de la colline de Jiangkou, se dresse à nouveau un grand aguilaire. Tous les ans, en automne, il se couvre de gousses, qui finissent par tomber et former une couche épaisse et craquante sur le sol. Cette année, elles sont rares, à cause de la tempête qui s'est abattue sur la région. Alors que je vais mourir, il n'en reste plus qu'une, encore accrochée à une branche. Elle vient d'éclater. Par la fente de la capsule ouverte comme les ailes d'une cigale, je distingue deux graines, enveloppées d'une fine membrane, que le vent fait vibrer.

Je suis le seul au monde à discerner que son fin pédicule incurvé se prépare à la laisser tomber.

Qu'au pied du tronc, les feuilles mortes et les herbes folles se préparent à la recevoir. Un oiseau lance un cri. Est-ce un coucou ? Midi vient de sonner. La lumière du soleil teinte le feuillage de légères nuances citronnées, presque transparentes.

Je vois la gousse s'agiter sous le souffle du vent. À l'intérieur, une graine sautille, se détache de l'aile membraneuse et s'envole nonchalamment. Elle exécute une cabriole éblouissante, puis danse dans l'air en flottant, portée par la brise. Elle ne semble pas pressée de trouver un point d'atterrissage. Elle plane dans le ciel bleu, sans réel objectif, fine et éblouissante comme un grain de sel.

J'accorde le rythme de ma respiration à celui de son envol, dans la lumière du soleil.